Een vlucht vooruit

Van dezelfde auteur

Dans met een engel
Roep uit de verte
Een vreemd gezicht
Tot in eeuwigheid
De hemel is een plek op aarde
Een zeil van steen

Bezoek onze internetsite www.awbruna.nl
voor informatie over al onze boeken en dvd's.

Åke Edwardson

Een vlucht vooruit

A.W. Bruna Uitgevers B.V., Utrecht

Oorspronkelijke titel
Vänaste land
© 2006 Åke Edwardson / Norstedts, Sweden
Published by agreement with Norstedts Agency
Omslagbeeld
Getty Images
Omslagontwerp
Wil Immink Design
© 2008 A.W. Bruna Uitgevers B.V., Utrecht en Elina van der Heijden & Wiveca Jongeneel,
via het Scandinavisch Vertaal- en Informatiebureau Nederland
Alle rechten voorbehouden.

ISBN 978 90 229 9493 1
NUR 305

Dit boek is gedrukt op papier dat het keurmerk van de Forest
Stewardship Council (FSC) mag dragen. Bij dit papier is het zeker dat
de productie niet tot bosvernietiging heeft geleid. Een flink deel van
de grondstof is afkomstig uit bossen en plantages die worden be-
heerd volgens de regels van FSC. Van het andere deel van de grondstof is vastgesteld dat hiervoor geen hout-
kap in de laatste resten waardevol bos heeft plaatsgevonden. Daarom mag dit papier het FSC Mixed Sources
label dragen. Voor dit boek is het FSC-gecertificeerde Munkenprint gebruikt. Dit papier is 100% chloor- en
zwavelvrij gebleekt en wordt geleverd door Arctic Paper Munkedals AB, Zweden.

Voor mijn meiden
Rita, Hanna, Kristina

1

Ik kon me zand herinneren zodra ik me überhaupt iets kon herinneren. Zand. Het zou ook raar zijn als het anders was geweest. Het stroomde tussen mijn vingers door en verplaatste zich onder mijn voeten.

Ik herinner het me net zo duidelijk alsof ik nu op zand sta. Ik herinner me ook de nachtelijke kou. Die was als de hitte overdag; niets bood een uitweg. Er waren bijna nergens wegen in de woestijn, geen uitwegen en geen toegangswegen om het zo maar te zeggen. Mijn moeder zei een keer dat het net was alsof je op een schip zonder zeil zat. Ik vroeg wat ze bedoelde, omdat ze nooit op zee was geweest; ik geloof niet dat ze ooit een zeil had gezien, of zelfs maar een boot, maar ze gaf geen antwoord. En ik had ook nog nooit een zeil gezien, toen.

Het tentdoek wapperde in de opkomende wind. Nog een uur en dan werd het koud. De kou. 's Nachts wilde je je eigen lichaam verlaten. Begrijp je wat ik bedoel? Je bestond alleen uit botten, er was geen vlees, geen bloed. Het liefst zou je jezelf en alles om je heen achterlaten, en je wist wat dat betekende. Binnenkort was het misschien zover. Dan brak het moment aan dat je je lichaam verliet, de seconde dat het gebeurde. Begrijp je?

Overdag probeerden we te lopen. We liepen slechts enkele weken, maar al na één of twee dagen wist ik niet meer wanneer we het dorp hadden verlaten. Het kon tijdens de vorige maan zijn geweest. Het kon onder een andere God zijn geweest. Maar er was maar één God. In het dorp was Hij overal geweest, voor iedereen. God is groot, God is groot. Dat soort dingen.

★

Mijn vader had tot God geroepen toen ze hem doodden. Mijn broer had vrijwel gelijktijdig geroepen, als in een roep om de roep van onze vader, en hij was gestorven, als in een dood om de dood van onze vader. Kun je dat begrijpen? Ik denk het niet.

Toen we onder die vervloekte zon liepen, waren die herinneringen wit als het licht in de woestijn. Zo was het. Ze gloeiden als het ware in mijn ogen. Ik kon de ogen van mijn moeder niet zien. Ik had die niet meer gezien sinds we uit het dorp waren weggegaan.

Ik herinner me niet hoe we ontkwamen.

Misschien konden ze niet iedereen vermoorden omdat ze zoveel mensen tegelijk probeerden te doden. Ondertussen ging de zon onder en toen hadden we kunnen ontsnappen. Mijn moeder had me beetgepakt alsof ik een bos hout voor het vuur was, iets wat nogal groot was maar niet veel woog. Op dat moment zag ik haar ogen eigenlijk voor het laatst, in het licht van de oranjegele zon. Vervolgens waren we de omringende nacht ingestormd.

Ik kan me bloed herinneren. Het was bijna zwart in het oranjegele licht van de zon. Het was net olie. Er zat veel olie in de grond, dat weet je ongetwijfeld, dat weet iedereen, ik had elke dag olie gezien; destijds was er haast net zoveel olie als bloed in het land. En nu is het oude bloed in het zand verdwenen, de olie ligt diep onder de grond te wachten en ik begrijp dat olie meer waard is dan bloed, het is dikker dan bloed. En water, dat dunner is dan bloed, is ook meer waard.

En ik holde weer. Ik had weer bloed gezien. Het was net zo zwart. De geluiden waren hetzelfde. Ik hoorde een schreeuw. Het licht was als vuur en het verblindde je ogen.

2

Daarginds. Daarginds is niets. Maar daar: een naderend ochtendgloren. Toch is het al licht. De nacht krijgt vannacht vrijwel geen tijd. Snelwegen lopen hier van noord naar zuid. Koplampen op het asfalt. Een komen en gaan. Het is een zinloos licht. Vanuit het westen komt opeens een wind opzetten die het gefluit van een trein met zich meevoert. Het klinkt als een trein. Een taxi staat voor een winkel. Het is een vrijstaand gebouw, zonder beschutting. Het is een buurtwinkel zonder buurt. Vierentwintig uur per dag geopend. De chauffeur staat nu naast de auto. Binnen is het stil. Stil. Hij heeft sigaretten nodig. De winkel bestaat voornamelijk uit glas. Niemand beweegt. Stil. Alles is stil. De chauffeur loopt over de parkeerplaats. In de nacht draagt het geluid van zijn hakken ver. Ergens is een echo, hij kan hem horen. Met die echo komt iets anders terug. Geschreeuw. Eén schreeuw, meerdere schreeuwen. Nee, dat is slechts een reconstructie. Schoten. De echo van schoten. Nu schreeuwt hij. Hij ziet het. Hij staat in de deuropening. De deur stond aldoor al open. Toen hij erheen liep, zag hij het licht. Maar nu ziet hij dát. Hij staat binnen. Nu schreeuwt hij, maar niemand luistert.

Op de vloer ligt een lichaam in een rode zee. De taxichauffeur is hier wel vaker geweest en hij weet dat het een stenen vloer is, met zwarte en witte ruiten die in elk licht glimmen. Hij ziet geen gezicht, hij ziet een been achter de toonbank uitsteken en een eenzame hand in een ander deel van de winkel. Zo denkt hij: eenzame hand. Die is stil, heel stil. Alles is stil. Vanuit het westen hoort hij eenzame geluiden op de snelweg. Over niet al te lange tijd gaan de mensen naar hun werk. Slechts weinig mensen nemen vakantie op in juni. En hij al helemaal niet. Misschien in september, als hij het zich kan veroorloven. Of misschien nu, direct, meteen, onmiddellijk. De gedachte is al in hem opgekomen.

De chauffeur beweegt niet. Hij ziet het rode over de stenen vloer bewegen. Er is niets wat het opvangt, opzuigt, tegenhoudt, stopt.

En dan, als hij niets hoort van de weg, of in de wind, of vanuit de lucht, dan hoort hij het geluid van voetstappen, ijl en licht, als de voetstappen van een kind; ze lijken over de grond te vliegen en zijn vervolgens verdwenen.

Er is buiten iemand, denkt hij. Er was iemand. Buiten, binnen. Iemand heeft me horen schreeuwen. Iemand heeft me gezien. Hoe kan iemand hierbinnen hebben staan luisteren? Staan kijken naar wat er is gebeurd? Dat soort gedachten. Die heeft hij later, naderhand. Iemand anders die staat te luisteren. Mijn god, zal hij even later zeggen. Ze moesten de auto komen ophalen. Wat dacht jij? Ik weet niet meer hoe ik heb gebeld, maar dat moet ik toch hebben gedaan.

Hoofdinspecteur Erik Winter liep voorzichtig in een halve cirkel om de rode zee toen de technici hem eenmaal hadden binnengelaten. Hij bleef tussen de deur en het lichaam op de vloer staan. Het was een man. Of liever gezegd: het was een man geweest. Nu was er niets meer van over, zelfs geen gezicht. De man was van dichtbij in het gezicht geschoten, en de kracht was verschrikkelijk geweest. Alsof er een bom was ontploft. Maar het was geen bom. Dat wisten ze al. Het was een vuurwapen in mensenhanden geweest.

Winter zag dat Bertil Ringmar rechts van twee omgevallen stoelen en een tafel op zijn hurken op de stenen vloer zat. Hoofdinspecteur Ringmar keek op en schudde zijn hoofd, terwijl hij naar het lichaam op de vloer wees. Lichaam nummer twee, als je vanaf de deur naar binnen toe rekende. Links, aan de andere kant, bijna achter de toonbank, lag lichaam nummer drie. Drie doden, een bloedbad. Winter zag waar Ringmar naar wees. Het lichaam lag afgewend, een rug, een hoofd dat gedeeltelijk was verdwenen.

'Het gezicht is weg,' zei Ringmar.

Zijn stem klonk hierbinnen onnatuurlijk luid, alsof hij elektrisch werd versterkt. Hij doorbrak een stilte die totaal was geweest, dacht Winter. Alsof alle geluiden waren verdwenen na het schieten, na het gebulder dat alle andere geluiden een tijdlang moest hebben weggezogen. Dat alles moest hebben doodgeslagen.

'Dat geldt voor alle drie,' zei Winter.

Hij kon de schoenen zien van het slachtoffer dat het verst bij de deur vandaan lag.

'Hoe kon hij zo dichtbij komen?' vroeg Ringmar. 'Zo dicht bij alle drie?'

Winter haalde zijn schouders op.

'En vrijwel tegelijkertijd,' ging Ringmar verder.

'Daar is wel een antwoord op,' zei Winter. 'Op de vraag hoe hij dichtbij kwam.'

'Sommige mensen moet je niet kennen,' zei Ringmar.

Winter knikte.

'Welkom thuis, trouwens,' zei Ringmar.

Hij was thuisgekomen na een winter en een voorjaar in Zuid-Spanje, een prettig appartement in Marbella, niet veel regen, niet zulke koude nachten, functionerende radiatoren, heldere dagen waarop je met een beetje fantasie helemaal naar Afrika kon kijken. Een verdomd goed halfjaar. Angela had in de kliniek gewerkt en hij thuis. Elsa en Lilly, hun dochtertjes, hadden onder zijn gezag gestaan. Misschien was het ook wel andersom geweest. '*Vamos!*' had hij gezegd en ze waren vertrokken, na het ontbijt, elke ochtend, de heldere dag tegemoet. Laten we gaan!

Geen van de drie mensen in de kille buurtwinkel kon nog ergens naartoe gaan. Ze droegen wel schoenen, maar dat was dan ook alles. Het blauwe licht veranderde langzaam toen de zon aan de rafelige horizon opkwam. Winter stond nu in het zuidwestelijke deel van het enorme terrein, dat was aangelegd in de tijd dat de mensen een soort hoop voor de toekomst hadden gehad; een hoop die nu, in de eenentwintigste eeuw, achterlijk leek. Hier zou Göteborg groeien: de stadsdelen Hjällbo, Hammarkullen, Gårdsten, Angered, Rannebergen, Bergsjön. Een betonnen hel verrees uit de aarde. Daardoor was Göteborg de op dit moment meest gesegregeerde stad in Europa geworden. Als er nog buitenlanders in zuidelijker wijken als Örgryte of Långedrag woonden, dan waren dat Engelsen die bij Volvo werkten, maar niet aan de lopende band. Hier, in het noorden van de stad, werkten niet veel mensen, aan geen enkele band. Misschien hadden de mensen die in de buurtwinkel in Hjällbo het leven hadden gelaten wel werk gehad, misschien wel in de winkel zelf. Of ze waren gewoon klant geweest. Of iets anders. Hij zou het weldra weten. Dit was de vindplaats en de plaats delict. Winter keek om zich heen. Drie van de vier muren van het gebouw waren van glas. Niets hierbinnen had in het geheim kunnen gebeuren. En de nacht had de winkel tot een bühne gemaakt. Hij dacht daaraan toen hij naar buiten liep. Een bühne. Voor publiek. Iets wat publiek zou trekken, vroeg of laat.

De taxichauffeur keek op alsof hij had zitten slapen toen Winter naar hem toe kwam. Winter was de winkel ingelopen om zich een eerste indruk te vormen en vervolgens meteen naar buiten gegaan om de getuige te verhoren.

De chauffeur zat in Ringmars auto. Het was een blanke man, wat relatief ongebruikelijk was geworden onder taxichauffeurs. Misschien was hij student, maar daar leek hij te oud voor. Misschien kunstenaar of schrijver. Winter kende geen schrijvers, maar hij vermoedde dat de meeste arm waren. Zelf was hij niet arm.

Winter stelde zich aan de man voor, die zei: 'Reinholz… Jerker Reinholz.'

'Ik moet je een paar vragen stellen over wat je hebt gezien,' zei Winter.

'Kun je even uit de auto stappen?'

Reinholz knikte. Hij stapte uit. Zijn ogen lichtten op toen de zon er opeens als een schijnwerper op scheen. Hij huiverde en deed een pas opzij, zodat hij in de halfschaduw van een esdoorn kwam te staan. Winter hoorde het droge geluid van bladeren die zachtjes in de ochtendbries bewogen. De wind kwam in de vroege ochtend opzetten en verdween vervolgens, wellicht over zee. Sinds ze thuis waren, was er overdag niet veel wind geweest, niet veel bewolking. Alleen zon. Hij verlangde nu al naar regen. Een zachte, Zweedse zomerregen. Die bracht geuren met zich mee die hij aan de Middellandse Zee was vergeten. De regen was daar anders geweest, harder. Bij ons is hij zachter, had Winter gedacht. Een zachte regen zal op ons vallen.

Reinholz zette een zwarte zonnebril op.

'Ik heb liever dat je die afzet,' zei Winter.

'Eh… oké,' zei Reinholz en hij deed de zonnebril weer af. Hij keek omhoog, alsof hij wilde controleren of de zon wegbleef. Die stond nog altijd achter de esdoorn.

'Hoe laat was je hier?' vroeg Winter.

'Dat heb ik al aan… iemand verteld,' zei Reinholz en hij gebaarde met zijn hand in de richting van de winkel. Binnen zag Winter de politieagenten in het blauw met geel licht heen en weer lopen. Als op een Zweedse bühne.

'Vertel het ook maar aan mij,' zei hij en hij draaide zich weer om naar de chauffeur. De man droeg een zwartleren jack. Het was tijdens de lange nachten misschien wel lekker om een dik jack aan te hebben. De nachten hier waren nooit als de nachten in Zuid-Spanje.

'Ja… het was rond een uur of drie. Een paar minuten erna, geloof ik. Ik keek op mijn horloge toen ik uit de auto stapte.'

'Oké, ga verder.'

'Ik liep over het terrein. De parkeerplaats.' Reinholz knikte in de richting van de winkel. Die lijkt kleiner, dacht hij. Wat raar. Zonet was die groter.

'Wat kwam je doen?' vroeg Winter.

'Sigaretten kopen. Ik wilde sigaretten kopen.'

'Heb je hier weleens eerder wat gekocht?'

'Ja… een paar keer. Als ik in de buurt was. Meerdere keren.'

'Waarom was je nu in de buurt?'

'Ik had een rit naar Gårdsten. De Kanelgatan, in die buurt.'

'Waarom ging je via deze weg terug?'

'Te… dat weet ik niet, ik moest naar het Centraal Station… tja, ik had gewoon geen zin in de hoofdweg.' Hij knikte in westelijke richting, waar de Angeredsleden liep, evenwijdig aan de rivier. 'Ik neem deze weg wel vaker.'

'Ga verder,' zei Winter. 'Je liep over het parkeerterrein?'

'Ik vond het nogal… stil. Het is anders ook altijd stil, vooral 's nachts, of 's ochtends vroeg, maar nu was het ongebruikelijk stil.' Reinholz wreef in zijn oog. 'En ik zag binnen niemand. Anders zie je altijd iemand als je over de parkeerplaats loopt.' Hij wees opnieuw naar het gebouw dertig meter verderop. 'De winkel is een en al glas.'

'Maar nu zag je niemand?'

'Nee.'

'Wanneer dan wel?'

'Sorry?'

'Wanneer zag je wel iemand?'

'Toen… toen ik binnenkwam. Of toen ik in de deuropening stond… ik weet het niet meer precies. Ik ben eigenlijk niet echt naar binnen gegaan.'

'Wat zag je?'

'Ik zag de man die op de grond lag.'

Winter knikte.

'Ik zag het bloed.'

Winter knikte weer.

'Ik zag… ik zag…' begon Reinholz, maar hij kwam niet verder. Winter zag de shock in zijn ogen, in zijn gezicht, in zijn lichaam. Hij was hier lang genoeg geweest. Hij mocht nu gaan. Hij moest met iemand praten, iemand anders dan een hoofdinspecteur van de recherche.

'Zag je verder nog iemand?' vroeg Winter.

Reinholz schudde zijn hoofd.

Winter wachtte.

'Misschien een… arm,' zei Reinholz na een tijdje. 'Of een been.'

'Stonden hier nog andere auto's toen je parkeerde?'

'Nee. Ik was de enige.'

'Er ging ook niemand weg?'

'Nee… niet dat ik heb gezien. Er waren een paar auto's op de weg, maar die… leken daar al een hele tijd te zijn, om het zo maar te zeggen. Ze waren onderweg. Als je begrijpt wat ik bedoel.'

'Ja,' antwoordde Winter. 'Heb je verder nog iets gehoord?'

Reinholz leek naar iets in de verte te kijken, alsof hij iets of iemand in het oog had gekregen. Winter draaide zich om, maar hij zag niets wat hij nog niet eerder had gezien.

'Ik dacht dat ik iets hoorde,' zei Reinholz. Zijn stem klonk nu rustiger, vaster. Alsof hij diep adem had gehaald en zijn hartslag omlaag had weten te brengen. 'Daar was iets.'

Winter wachtte.

'Voetstappen,' ging Reinholz verder. 'Het geluid van voetstappen. Alsof iemand wegholde. Maar het waren… lichte voetstappen.'

'Wanneer hoorde je die?'

'Toen ik daar stond… bij de deur.'

'Voetstappen?'

'Het geluid leek van de achterkant te komen. Alsof iemand wegholde. Dat weet ik nog. Ik hoorde het toen ik... toen ik zag wat ik zag.' Hij keek Winter recht aan. 'Lichte voetstappen.'

3

Dit was relatief onbekend terrein voor hem, zo onbekend als het in zijn eigen stad maar kon zijn. En soms was dat heel onbekend, dacht hij. Het wordt twee keer zo onbekend. Het gevoel wordt versterkt door alle vreemdelingen. Zoals ik. Wij zijn wel degelijk vreemdelingen. Ik ben een vreemdeling en de anderen hier zijn vluchtelingen. Zij zijn ooit verhuisd naar dit land, misschien een generatie geleden. Onvrijwillige pelgrims. Kun je hen zo noemen? Wie zou naar de Arctische voorposten zijn verhuisd als hij een keuze had gehad? Een echte, behoorlijke keuze. Zweden is een van de acht zogeheten Arctische landen in de wereld. Meer zijn er niet. Boven deze stad aan de ijszee staat nu een zon, maar anders heerst hier duisternis. Regen. Wind.

Winter voelde op dit moment geen wind. Hij stond nog steeds voor de buurtwinkel. Die leek op een glazen paleisje, een kleine tempel van licht die het zonlicht als een prisma brak. Opeens kreeg hij pijn in zijn ogen. Hij zette zijn zonnebril op en de kleuren aan de overkant van de Hjällbovägen verloren hun laatste restje kleur.

Ringmar kwam de winkel uit en ging naast hem staan. 'Pia is bijna klaar,' zei hij.

De patholoog-anatoom, Pia Eriksson Fröberg, werkte al bijna tien jaar met Winter samen. Ze waren ongeveer gelijktijdig begonnen. Beiden waren ze belachelijk jong geweest. Ze hadden een korte verhouding gehad in de periode dat Winter nog geen flauw idee had wat hij met zijn leven wilde als hij aan het eind van zijn werkdag, of werknacht, het politiebureau uitstapte. Maar dat was nu allemaal verleden tijd, vergeten en vergeven in herinneringen aan secties onder het blauwe licht, onderzoeken in het felle schijnsel van lampen, zonlicht, regen, dag, nacht, avond, van dageraad tot schemering. Dood, altijd dood. Lichamen die hun laatste reis hadden gemaakt. Pelgrimstocht. Winter had vaak gedacht dat de doden de kleren die ze droegen die dag, die ochtend, die laatste ochtend zelf hadden aangetrokken. Het was de laatste keer geweest dat ze die trui, dat overhemd, die broek, die rok hadden aangetrokken. Die schoenen. Wie stond er op het moment zelf bij stil dat het de laatste keer was? Alleen degene die op weg was naar zijn eigen executie.

'Het is net een executie,' zei Ringmar.

Winter antwoordde niet.

'Het wordt steeds erger,' zei Ringmar.

'Wat?'

'Wat dacht je? Waar dacht je dat ik het over had?'

'Rustig maar, Bertil.'

'Rustig, rustig, we moeten altijd rustig blijven. Wij zijn altijd degenen die rustig moeten blijven. Ik ben het zo zát om rustig te blijven.'

'Die rust maakt ons professioneel,' zei Winter en hij glimlachte bijna om zijn eigen zelfgenoegzame opmerking.

'En die lui daarbinnen dan?' vroeg Ringmar. 'Waren die ook rustig?'

Nu in elk geval wel, dacht Winter.

'Ik heb het niet over de slachtoffers, Erik,' ging Ringmar verder. 'Ik heb het over de moordenaar. Of de moordenaars.'

'Die waren rustig,' zei Winter. 'Rustig en wellicht professioneel.'

'God, wat verlang ik terug naar een wereld van amateurs.'

'Daar is het te laat voor, Bertil. Die bestaat niet meer.'

'Die stakkers daarginds waren in een andere tijd op een andere plek misschien wel iets heel anders,' zei Ringmar en hij draaide zich weer om naar de winkel. 'Maar daarna waren ze opeens amateurs tegenover professionals.'

'En nu zijn ze er niet meer,' zei Winter.

Ringmar volgde het verkeer op de weg met zijn ogen. Auto's vanuit het zuiden, auto's vanuit het noorden. Vooral Volvo's, dit was Göteborg. Ringmar had het idee dat ze langzaam reden, bijna in slow motion, alsof ze de overledenen wilden eren.

'Het is net een maffia-afrekening in Chicago,' zei Ringmar, terwijl hij nog steeds naar het verkeer keek. 'In de jaren twintig, machinegeweren, hagelgeweren, alles neergemaaid.'

'Zei je net niet dat je terugverlangde naar een wereld van amateurs, Bertil?'

'Vergeet maar wat ik op dit moment zeg.'

'Je zei hagelgeweren. Dat moeten we niet vergeten. Het lijkt alsof er hagel is gebruikt. Pump-action, misschien. Mogelijk semiautomatisch.'

'Eén of twee?'

'Minstens twee, volgens mij,' zei Winter.

'Hm.'

'Misschien verschillende soorten munitie.' Hij knikte naar de winkel. Daar liepen mensen heen en weer. 'We moeten maar zien wat Pia's sectie oplevert.'

'Jeugdbendes hebben toch meestal geen hagelgeweren?' zei Ringmar.

'Nee, dat is niet zo gebruikelijk. Maar het kan wel een soort afrekening zijn.'

'Of een overval,' zei Ringmar.

'Het geld zit nog in de kassa. En nu we het daar toch over hebben, we kunnen waarschijnlijk zien wanneer die voor het laatst is geopend. Die kassa, dus. Wanneer de laatste klant heeft afgerekend. Kun jij bij de fabrikant navragen hoe dat moet?'

Ringmar knikte. Hij staarde somber naar de winkel en keek vervolgens naar Winter. 'Het gaf ze een kick om het hoofd van hun slachtoffers eraf te schieten,' zei hij. 'Ze vergaten de poen. Het schieten was voldoende.'

'Moet ik nu ook vergeten wat je zegt?'

'Nee,' zei Ringmar met een kleine glimlach. 'Misschien niet.'

'Wellicht waren ze high,' zei Winter.

'*Sky-high.*'

'Wellicht kenden ze hun slachtoffers.'

'We moeten maar afwachten tot we weten wie de slachtoffers zijn,' zei Ringmar.

De slachtoffers waren Jimmy Foro, Hiwa Aziz en Said Rezai. Het was niet moeilijk dat vast te stellen en het duurde niet lang. Jimmy Foro runde al viereneenhalf jaar de winkel, die bovendien Jimmy's heette, en Hiwa Aziz was in technische zin een werknemer, al hadden belastingen, werkgeverspremies, sociale premies en dergelijke niet altijd prioriteit gehad.

Said Rezai was geen werknemer, maar misschien een klant. Hij had zijn rijbewijs in zijn zak zitten en bezat nog een deel van zijn gebit. Ja, hij was het zonder twijfel. Rezai kon samen met de moordenaar of moordenaars naar binnen zijn gekomen. Of hij was al in de winkel geweest. Als Rezai geen deel uitmaakte van een soort liquidatie, misschien in het kader van een grotere afrekening, dan had hij domweg pech gehad dat hij daar was, de verkeerde persoon op het verkeerde moment op de verkeerde plek.

Er moesten meerdere moordenaars zijn geweest. Tenzij een eenzame moordenaar onmenselijk snel was geweest of er in een fractie van een seconde in was geslaagd zijn slachtoffers te hypnotiseren waardoor die doodstil op hun beurt hadden staan wachten. Of hij moest onzichtbaar zijn geweest. Misschien durfden de slachtoffers zich niet te bewegen, dacht Winter. Er zijn verschillende mogelijkheden.

Jimmy Foro en Hiwa Aziz hadden niet in Hjällbo gewoond, maar verder naar het noorden, in respectievelijk Västra Gårdstensbergen en Hammarkullen. Said Rezai had in Rannebergen gewoond.

Er waren geen afdrukken van schoenen op de vloer te zien, in de zee van bloed. De rode zee, dacht Winter. Hij hoorde muziek en die leek ergens uit het Midden-Oosten te komen. De muziek had al aangestaan toen ze over de rode drempel waren gestapt, de drempel met bloedspetters. Spatwerk, had Winter gedacht. Is iemand verplaatst? Is het beeld dat ik zie gemanipuleerd? Het lijkt echt, maar het kan gemanipuleerd zijn. Net zoals een foto, die ook de zogenaamde werkelijkheid moet weergeven. Winter had de speaker gezien boven de plank achter de toonbank, waar de kassa stond. Een vrouw zong een lied dat heel weemoedig klonk, het was op de grens van een stil gehuil. De ritme-instrumenten leken zich achteruit te werken in een beweging die een andere manier van denken weergaf. Het koper leek de andere kant op te zijn gericht. Het swingde, maar uit onverwachte hoek. Het was een soort jazz. Winter herkende de dissonanten, de asymmetrie.

De moordenaars hadden zich niet aan de muziek gestoord.

Waarom hadden ze die eigenlijk aan laten staan?

Hadden ze die bij zich gehad?

Jimmy had altijd muziek aanstaan, zouden getuigen later zeggen. Populaire muziek uit Turkije, Syrië, Irak, Iran, Jordanië, Libanon, Egypte, Palestina. Diverse zwarte Afrikaanse landen, Nigeria natuurlijk. Bandjes, cd's. Sommige klanten brachten hun eigen muziek voor hem mee.

'Kamelenjazz,' zei inspecteur Fredrik Halders later, bij de eerste bespreking. Niemand lachte.

Er waren geen duidelijke afdrukken op de vloer. De technici zouden naar latente sporen zoeken, uiteraard, naar wat er eerder was geweest.

Maar nu waren er sporen van geslof. Naar de slachtoffers toe. Bij hen vandaan.

'Ze hadden hoesjes over hun schoenen aangetrokken,' zei hoofdinspecteur Torsten Öberg, plaatsvervangend hoofd van de technische afdeling. 'Van die dingen die ze in ziekenhuizen gebruiken.'

'Shit,' zei inspecteur Aneta Djanali. 'Ze wisten echt wat ze deden. Wat ze gingen doen.'

'Wat er zou gebeuren,' zei inspecteur Lars Bergenhem aan die vergadertafel van de afdeling Onderzoek in het politiebureau aan het Ernst Fontellplein in Göteborg, recht tegenover de internationale voetbalarena Ullevi. 'Hoe het zou gaan.'

'Twee maten,' zei Öberg. 'Dat is wat we tot nu toe hebben kunnen vaststellen. Twee mensen.'

'Twee moordenaars,' zei Ringmar.

'Tot nu toe, ja. Hetzelfde soort wapen,' zei Torsten Öberg. 'Hagelgeweren, pump-action. Verschillende munitie, dus we kunnen niet zeggen hoeveel wapens, toch? In de lichamen zit grove hagel, vijf millimeter, en kleinere, drie, en nog wat van één millimeter.'

'Dat was ook gepland,' zei Winter.

'Daar lijkt het op,' zei Öberg.

'Ze wilden echt voorkomen dat wij ontdekken met z'n hoevelen ze waren,' zei Aneta Djanali.

'Misschien omdat het maar één persoon was,' zei Winter.

'Dat is onmogelijk,' zei Ringmar.

'Alles is mogelijk,' zei Winter.

'Normaal gesproken is dat een optimistische uitdrukking,' zei Aneta Djanali.

'We moeten kijken hoe de lichamen precies lagen,' zei Winter zonder op Djanali's woorden in te gaan. 'Hoe ze werden neergeschoten, en in welke volgorde.'

Torsten Öberg knikte.

'Die schoenhoesjes zijn interessant,' zei hij.

'Kun je die natrekken?' vroeg Bergenhem. 'Zijn er verschillende soorten?'

'Ik stel voor dat jij dat uitzoekt, Lars,' zei Halders.

Winter dacht aan de gezichten van de slachtoffers, aan wat hun gezichten waren geweest. Waarom had de moordenaar het hagelgeweer op hun gezicht gericht? Wat betekende dat?

In zijn hoofd hoorde hij opnieuw de muziek, en later in zijn kamer ook in het echt. Het was een soort boodschap, de muziek in Jimmy's winkel. Hij liet de tekst vertalen.

Winter keek naar de wegrijdende lijkwagens. Het was nog steeds tijdens de eerste uren. Er stonden een paar ramptoeristen aan de andere kant van het lint. De lijkstoet was er al, als je het zo mocht noemen. Misschien stonden de moordenaars daar ook. Dat was niet ondenkbaar, zelfs niet ongebruikelijk. Het lag in de aard, de achtergrond en de uitvoering van het misdrijf. Hij had het wel vaker meegemaakt dat de moordenaar tussen de toeschouwers stond. Hij had het beseft, naderhand, toen het bijna te laat was geweest. Hou de toeschouwers tegen. Vang hen. Hij kon hen vangen met vragen, proberen om met zo veel mogelijk mensen te praten. Hij had agenten toegewezen gekregen die daar op dit moment mee bezig waren. De rij werd dunner naarmate de politie dichterbij kwam. Iemand moet de schoten hebben gehoord, dacht hij. Het waren explosies. Iemand moet er wakker van zijn geworden. Hij liep de drempel van de winkel weer over. Zonder de lichamen leek de kleine ruimte nog macaberder. De sporen waren erger dan de gebeurtenis, enger. De boodschap van het onvoorstelbare. Die vlekken krijg je niet weg, dacht hij. Dat wordt een nieuwe vloer. Als het dat al wordt. Misschien wordt dit krot gesloopt. Veel meer dan een krot is het niet. Een uit zijn krachten gegroeide worstenkraam in niemandsland. Dit is niemandsland. Hij ging weer naar buiten en liep om het gebouw heen.

Vanaf de winkel liep een wandelpad over een veld. Achter de bomen, de sparren, de esdoorns en de berken, zag Winter vaag de lichamen van flats. Dat was een beroerde uitdrukking. Hij volgde het pad van asfalt. Het was misschien tweehonderd, honderdvijftig meter naar de woonwijk. Het was onmogelijk om het pad of het gebied af te zetten. In dat geval zouden ze vervolgens de noordelijke en de noordoostelijke delen van de stad moeten afzetten. Wat in zekere zin al was gebeurd. Segregatie heette dat.

Winter rook andere geuren toen hij een aantal passen van het pad vandaan was, geuren van het gras, de struiken, de lucht. In de zon, onder de zon, waren ze warm, maar desondanks zachter dan aan de Middellandse Zee. Hier rook het bedeesder. Blonder. Ja, blonder. Onschuldiger, misschien. Maar dat was nu verleden tijd.

Het wandelpad kwam uit op een kleine open plek vlak voor een flat van acht verdiepingen. Ernaast stonden soortgelijke gebouwen, die een kleine vijftig jaar geleden in dezelfde periode waren gebouwd. Hier hadden de woningen op hun huurders staan wachten, tot de tijd rijp was, of de wereld, als je het zo wilde zien. Toen kwamen de mensen, uit Turkij Syrië, Iran, Irak, uit Afrikaanse staten, Amerikaanse staten, vooral Zuid- n Midden-Amerikaanse. Joegoslavische staten. Winter hoorde muziek en oleef staan. Arabische muziek, gezang, een vrouwenstem, dat speciale talmende ritme. Aan de meeste balkons hingen schotelantennes. Zo was het hier; de schotels waren als oren en ogen op het oude vaderland gericht, op het verleden. Dit was niet het land van de toekomst, in elk geval niet voor de oudere bewoners. Het leven hier leek tot stilstand te zijn gekomen. Op de balkons was geen kip te bekennen. Sommige stonden vol met planten, als een tuin. Hij zag zelfs een paar palmbomen in potten. Op de open plek voor hem liepen geen mensen. Weldra was het ochtend, maar hier leek het nog nacht.

Plotseling hoorde hij achter zich een geluid.

Hij draaide zich om.

Aan het eind van het pad stond een jongen. Hij had een kleine bal in zijn hand, een tennisbal. Hij liet hem op de grond stuiteren. Dat was het geluid dat Winter had gehoord. De jongen kon tien zijn maar ook wat ouder, het viel moeilijk te zeggen. Hij had donker haar, dat zwart leek in het ochtendlicht. Zijn blik was op Winter gericht, of boven zijn hoofd, op het flatgebouw. Winter draaide zich om, maar hij zag nog steeds niemand, op geen enkel balkon. Hij keerde zich weer om naar de jongen, maar die was weg!

Van het ene op het andere moment was hij verdwenen.

Winter liep naar de plek waar de jongen had gestaan. Er liep niemand over het wandelpad naar de buurtwinkel. Er was niemand op het veld aan weerszijden van het pad, dat vanaf de plek waar hij stond werd omzoomd door struiken die in een halve boog naar het flatgebouw liepen. Hij vermoedde dat de jongen achter de bosjes was verdwenen. Hij had geen voetstappen gehoord en hoorde die ook nu niet. Lichte voetstappen, ze moesten zo licht zijn geweest dat hij ze niet had gehoord. Lichte voetstappen. De taxichauffeur had ze wel gehoord. Lichte voetstappen die zich in de dageraad verwijderden.

'We moeten overal aanbellen,' zei Winter.

Ringmar knikte. 'Zou hij het kunnen zijn geweest?'

'Wat zou hij kunnen zijn geweest?'

'Een getuige. De getuige.'

'We hebben alleen maar het woord van de taxichauffeur, Reinholz. Misschien heeft hij het mis.'

'Hm.'

'Denk je van niet, Bertil?'

'Dat hij het mis had? Nee. Als je zintuigen ooit echt scherp zijn, dan is het op zo'n moment. Als je zoiets hebt gezien.'

'Dat ben ik met je eens.'

'Dus dan is er een getuige.'

'Of nóg een moordenaar,' zei Winter.

'Of nog een moordenaar,' herhaalde Ringmar.

'Of nog een slachtoffer,' zei Winter.

'Dat geen slachtoffer werd,' zei Ringmar.

'Buiten die bouwval ligt nergens bloed,' zei Winter.

'Hij dook weg,' zei Ringmar.

'Is dat een grapje?'

'Hierover maak ik geen grapjes,' zei Ringmar. 'Er kan nog een slachtoffer zijn geweest, maar dan is hij ontkomen. Of zij.'

'De enige manier om te ontkomen, is via dat wandelpad,' zei Winter.

'Je hebt daar verdomme een heel veld.'

'Dan zou je de voetstappen niet horen.'

'Hij zei toch dat ze licht waren?'

'Misschien niet zó licht. Zelfs jouw voetstappen zouden niet te horen zijn als je daar liep, Bertil.'

'Hoe bedoel je?'

Winter antwoordde niet, Bertil moest zijn eigen conclusies maar trekken.

'Nee,' zei Ringmar na een tijdje, 'het klopt niet. De taxichauffeur komt bij de winkel. Hij ziet de mensen die zijn vermoord. Hij hoort voetstappen. Hij slaat alarm. Het is niet waarschijnlijk dat een beoogd slachtoffer eerst blijft rondhangen en vervolgens op de vlucht slaat als de redding eindelijk arriveert.'

'Shock,' zei Winter. 'Een vertraagde shock.'

'Dat is mogelijk, maar niet waarschijnlijk,' zei Ringmar.

'Oké, we laten dat even rusten,' zei Winter. 'Torstens mensen lopen op dit moment over het gras en het veld. Als er afdrukken zijn, dan vinden ze die. Er lag nog dauw op het gras. Misschien hebben we geluk.' Hij pauzeerde even en streek met zijn wijsvinger over zijn voorhoofd. 'We gaan er dus van uit dat er een getuige was. Hij, of zij, blijft wachten tot de moordenaars zijn vertrokken. Verbergt zich.'

'Maar waarom meldt hij zich dan niet? Waarom vlucht hij als het voorbij is?'

'We hebben het al over een shock gehad. Dat kan in dit scenario ook van toepassing zijn. Als een vertraagde beweging.'

'Als er een getuige is of was – wat deed hij of zij daar dan?'

'Misschien was het een klant.'

'Dus een beoogd slachtoffer.'

'Nee. Misschien was hij op weg naar binnen, op weg naar de winkel.'

'Vanaf het wandelpad erachter?'

Winter haalde zijn schouders op.

'En toen werd er in de winkel geschoten.'

Winter knikte.

'En gingen de moordenaars ervandoor.'

Winter knikte opnieuw.

'In elke willekeurige richting. Waarschijnlijk per auto, we moeten nagaan of iemand na de schoten een auto heeft gehoord of gezien. Of ze holden weg, wellicht via het pad, via het veld.' Ringmar pauzeerde. 'En de getuige bleef bij de winkel. Misschien bevend van angst, misschien gewond, mis…'

'Misschien niet daar,' zei Winter.

'Jawel,' zei Ringmar. 'Volgens mij was daar iemand.'

'Een kind,' zei Winter.

'Lichte voetstappen,' zei Ringmar en hij knikte.

'Het kan een kind zijn geweest,' zei Winter. 'Misschien wel het knulletje dat ik zonet heb gezien.'

Jimmy Foro was zeveneneenhalf jaar geleden in zijn eentje uit Nigeria gekomen. Hij was, naar hij zei, eerst op het hele Afrikaanse continent achtervolgd en vervolgens op het Europese. Hij mocht blijven. En hij bleef alleen, in een tweekamerflat aan de Kanelgatan in Västra Gårdstensbergen. Het flatgebouw heette de Beukenhof. Winter stond er nu voor. Het leek redelijk recent gerenoveerd en stond samen met een aantal andere flats om een gezellig open plein, waar Winter links een stukje van kon zien. Hij zag een man in een bloemperk graven. De aarde moest nu droog zijn, droger dan normaal, er was geen enkel lentebuitje gevallen sinds hij thuis was. Hij had de zon meegebracht.

Winter wist heel weinig over het onderhoud van tuinen, over wat je wanneer moest planten, en hoe en waarom. Hij was daar altijd met een grote boog omheen gelopen, ongeveer zoals iemand die bang is voor alles wat technisch is en liever een lekkende kraan heeft dan dat hij een leertje vervangt. Winter had nooit een grasveld gewild om te maaien, maar misschien gebeurde dat nog weleens. Misschien. Drie jaar geleden hadden Angela en hij ten zuiden van Billdal een stuk grond gekocht. Aan zee. Er was nog steeds niets op gebouwd. Ze maakten er uitstapjes heen. Erik, Angela, Elsa, Lilly. Een paar keer had het geregend. 'Hoe zou het zijn als we een dak hadden?' had Angela gevraagd.

Hij knikte naar de inspecteur van de politie in Angered die voor het flatgebouw stond te wachten.

'Ben je boven geweest?' vroeg Winter.

'Ik heb de deur gecheckt, ja. Die zat op slot. Er is niemand gekomen of weggegaan.'

'Heb je met de buren gesproken?'

'Ik heb helemaal niemand gezien.'

'Wanneer was je hier?'

'Tja… ik was hier niet als eerste, dat waren Henriksson en Berg. Zij zijn meteen na de melding hierheen gegaan.'

'Mooi zo.'

'Zij hebben niemand gezien die naar de flat ging. Of daarvandaan vertrok.'

'Dan kunnen we net zo goed met het buurtonderzoek beginnen,' zei Winter en hij keek op zijn horloge. 'Er komen zo meteen nog wat mensen.'

Hij liep het flatgebouw binnen, de portiekdeur stond open. Het rook er vrijwel net zo als in de andere trappenhuizen waar hij in de bijna twintig jaar dat hij bij de politie werkte naar binnen was gegaan: oud, het rook er oud, hoe recentelijk de flats ook waren gerenoveerd. De man op de trap was hij, Winter.

Er hing een lucht in trappenhuizen die zich uitsluitend tegenover zichzelf verantwoordde. Misschien waren het de stenen, misschien waren het de mensen die de stenen op- en afliepen. Ze roken allemaal ongeveer hetzelfde, ze zagen er ongeveer hetzelfde uit, blank of zwart, lange neuzen, platte neuzen, krullend haar, steil haar, geen haar. Het rook er naar eten, dat was altijd zo, sterk, zuur, zoet, bitter. In dit trappenhuis hing de geur van kruiden, mogelijk piment, muskaat, kaneel, verzadigd, vol. In de winkel van Jimmy Foro had een hoge, brede kruidenkast gestaan. Die was intact. De meeste kruiden zaten in zakjes, er waren geen potjes van Kockens. De kast stond links van de deur, aan de rand van de rode zee. Winter had de geur van chili en een soort kerriemengsel geroken, maar dat had niet lang geduurd.

In Jimmy Foro's hal rook het nergens naar. Er drong maar weinig licht van de stralende dag naar binnen. Alle jaloezieën zaten potdicht, als om alle gevoelens en indrukken te dempen wanneer het eerste bezoek kwam nadat de bewoner zelf nooit meer naar binnen zou stappen.

Het was bijna halfacht. De eerste dag, dacht Winter, halfacht op de eerste dag. Ergens gisteren, of vanochtend heel vroeg, had Jimmy zijn woning verlaten om naar Jimmy's te gaan, en daar was hij gebleven. De winkel was de afgelopen twee jaar vierentwintig uur per dag open geweest. Een vergissing, dacht Winter, terwijl hij nog altijd in de schemerige hal stond. Het is een vergissing dat winkels in de kleine uurtjes open zijn. Dat kan gevaarlijk zijn.

Hoe ging Jimmy naar de winkel en weer terug? Ze hadden geen idee. Ze wisten waar hij woonde, maar dat was tot nu toe alles. Er had geen auto op de kleine parkeerplaats bij de buurtwinkel gestaan, afgezien van Reinholz' taxi. Er waren ook geen fietsen of brommers geweest. Hemelsbreed was het minstens zeven kilometer van Jimmy's flat naar de winkel. Als je met de auto of de fiets ging, was het ruim tien kilometer.

Winter pakte zijn telefoon en toetste het nummer van Bergenhem in. Bergenhem was nog op de plaats delict.

'Hoi, met Erik.'

'Hoe ziet het eruit?'

'Ik ben net binnen. Maar ik bedacht opeens iets. Willen jullie kijken of er ergens in de buurt nog voertuigen zijn? In de struiken, op het veld. Ook bij de woningen aan het eind van het wandelpad.'

'Waar zoeken we naar?'

'Jimmy Foro's vervoermiddel.'

'Oké.'

'En hoe Aziz en Rezai bij de winkel zijn gekomen.'

'Oké.'

'Hoe is het bij jou?'

'Het droogt nu op. Het begint te stinken. De kerrielucht is verdwenen.'

'Hoe is het met de toeschouwers?'

'De meesten zijn naar huis gegaan. We hebben met zo veel mogelijk mensen gesproken. Maar de slachtoffers waren geen lokale bewoners.'

'Ze kwamen wel uit de buurt,' zei Winter. 'Het was immers een buurtwinkel.'

'Het was geen familie,' zei Bergenhem. 'Dat maakt voor de mensen hier verschil.'

'Wat is dat voor onzin? Voor welke mensen maakt dat nou geen verschil?'

Bergenhem antwoordde niet.

'Als je kinderen ziet, jonge jongens, probeer die dan in hun kraag te vatten.'

'Oké.'

'Figuurlijk gesproken, dus.'

'Moest jij geen flat doorzoeken, Erik?'

'Tot horens,' zei Winter. Hij verbrak de verbinding en stopte de telefoon in zijn borstzakje.

Hij liep door de hal en ging voorzichtig de woonkamer binnen.

Hij hoefde er maar een paar tellen te staan om te begrijpen dat er de afgelopen uren ook iemand anders was geweest.

4

Het licht probeerde binnen te dringen, door de jaloezieën en erlangs, maar degene die hier voor Winter was geweest, was niet binnengedrongen. De deur was niet beschadigd, de ramen evenmin. Waarom wist Winter dat er iemand was geweest? Hij wist het gewoon. Dat kwam onder andere doordat hij veelvuldig in hem onbekende woningen was geweest. Honderden in de loop van de jaren. Naar binnen lopen, in functie naar binnen dríngen, zo nodig met een duidelijk zichtbare legitimatie. Maar dat was niet vaak nodig. De mensen die er hadden gewoond, hadden het leven achter zich gelaten, misschien in hun eigen huis, op de vloer, in een bed, op een bank. Zij vroegen niet naar een legitimatie. Tijdens hun leven hadden ze dat zelden gedaan. De meeste mensen die werden vermoord vroegen niets van het leven, en ze kregen ook zelden iets. Daar was het te laat voor en dat was het ook altijd geweest. De dood was een onfris gebeuren, iets wat rondom in de afgrond plaatsvond.

Winter keek naar de hoesjes die hij over zijn schoenen droeg. Ze gaven hierbinnen bijna licht, zagen er obsceen uit. In gedachten zag hij de rode zee. Hij dacht aan de zorgverlening, aan ziekenhuizen. Patiënten die naar een arts schuifelden. Naar zijn vrouw. Zij was arts. Hij dacht aan haar. Ze was een paar maanden geleden zijn vrouw geworden, in de Zweedse kerk in Fuengirola. Hij dacht eraan terug. Hij dacht aan allerlei dingen terwijl hij de kamer probeerde te scannen op enig bewijs dat zijn gevoel klopte. Tegelijk hoorde hij het verkeer op de Kanelvägen, en verder weg op de Pepparvägen en de Timjansvägen die ernaast lag. De straatnamen verwezen naar kruiden, kaneel, peper en tijm, maar ze hoorden niet bij elkaar, vooral tijm en kaneel niet, bah. Tussen een paar stroken van de jaloezieën drong eindelijk een straaltje licht naar binnen. Dat betekende dat de zon hoger stond. De straal sneed dwars door de kamer. Winter zag het stof in het licht dansen. Het leek net een nevel, Jimmy Foro was misschien niet echt dol geweest op schoonmaken. Of iemand anders had het stof onlangs veroorzaakt. Na verloop van tijd zou het op de grond vallen. Winter keek naar beneden. Hij zag iets wat niet bij het vloerkleed hoorde. Hij boog zich voorover zonder met zijn knieën op de vloer te rusten. Het was een knoopje, een piepklein knoopje, misschien van een overhemd. Winter keek op, de bank was bijna op ooghoogte. Het leek alsof de kussens waren verplaatst, er was geen symmetrie, niet vanaf deze positie. Misschien vond Jimmy Foro het zo prettiger, maar Winter was daar niet zeker van. Hij kwam overeind, liep naar het raam, draaide aan de jaloezieën, keek naar de straat. Die was wit in het zonlicht, bijna zonder kleuren. Het gras was wit, misschien een spiegelbeeld van de gevels. Op de Kanelgatan was nu niemand te zien. Alsof het siësta was. Hij draaide zich om, naar de kamer. Voor Jimmy was het nu eeuwig siësta, de grote slaap. Maar siësta is geen Nigeriaans begrip. Dood wel, een kwade, plotselinge dood, dat was een concreet begrip. Daar – en hier, in Zweden, dat volgens het volkslied het lieflijkste land op aarde was. Ik groet u, lieflijkst land.

Het bed was niet opgemaakt, misschien gebeurde dat nooit, en in het midden lag een berg kreukels, als een tent. Op het nachtkastje stond een foto van een man die voorzichtig naar de camera lachte. Hij was in de dertig en het was Jimmy. De foto kon vijf jaar geleden zijn gemaakt, misschien zes of zeven, in elk geval nadat Jimmy naar Zweden was gekomen. Winter had tot nu toe alleen maar een pasfoto van hem gezien. Het was dezelfde afbeelding, dezelfde gezichtsuitdrukking voor zover hij kon zien, dezelfde uitsnede. Maar zo zag Jimmy's gezicht er nu niet uit. Dat was met zijn leven verdwenen.

Winter keek rond of hij nog meer foto's zag, maar die waren er niet. Misschien ergens anders. Misschien van anderen, maar Winter betwijfelde dat. Voor zover hij nu wist had Jimmy alleen zichzelf gehad, alleen zijn eigen gezicht op het kastje naast het kussen. Waren er anderen? Waarom was hij gestorven? Wellicht omdat een paar hufters onder invloed naar binnen waren gegaan om iets neer te knallen, iets te doden, maar het zou ook kunnen dat ze niet eens high waren geweest, dat het zelfs geen hufters waren, jawel, dat wel, mogelijk waren ze op de kassa uit geweest, maar dat had na de schoten niet meer gekund, de schoten waren zo verdomd luid geweest dat de moordenaars er zelf van waren geschrokken, of de schok was gekomen toen ze de gevolgen hadden gezien.

Of niets van dat alles.

De moordenaars hadden het op Jimmy voorzien omdat ze oude bekenden waren. Of ze hadden het op Said of Hiwa voorzien, of op hen allemaal, of op twee van hen. Er bestonden bewuste moorden en er bestond pech; de verkeerde plek en zo. Je moet je nooit op de verkeerde plek bevinden, dat was regel nummer één, voor iedereen. Altijd op de juiste plek, met de juiste persoon, op het juiste moment.

Was Jimmy's winkel de verkeerde plek geweest? Altijd al?

Was Jimmy de verkeerde persoon geweest? Altijd al?

En de dageraad... de dageraad was altijd verkeerd. Alle kwaad vindt plaats in de dageraad. Dat was overal ter wereld zo.

Winter liep terug naar de hal. Hij hoorde geluiden aan de andere kant van de voordeur, voetstappen en flarden van stemmen. Het mobieltje in zijn borstzakje rinkelde. Hij nam op.

'Ja?'

'Met Bertil.'

'Ja?'

'Waar ben je?'

'Ik sta in Jimmy's flat.'

'Heb je iets gevonden?'

'Misschien. Er is hier iemand geweest.'

'Naderhand?'

'Dat denk ik.'

'Om naar iets te zoeken?'

'Dat weet ik niet. Waar ben jij?'

'In de auto. Op weg naar Rannebergen.'

Winter hoorde gegons om Bertil heen, verkeer, geruis, ping en ploing. 'Waarom bel je, Bertil?'

'We krijgen geen gehoor bij Rezais flat. Ik heb een paar keer gebeld. De collega's van Angered staan in de portiek aan de overkant te wachten, maar ze zijn niet naar binnen geweest.'

'Hij heeft dus een vrouw? Said Rezai?'

'Volgens de Immigratiedienst wel, ja.'

'Ook uit Iran?'

'Ja. Hij is als eerste naar Zweden gekomen en zij later.'

'Kinderen?'

'Nee, niet voor zover de dienst weet.'

'En zij neemt dus niet op?'

'We hebben nog geen contact met haar gehad, Erik. Ze weet het nog niet.'

'Ik zal het haar vertellen. Ik wil niet dat iemand aanbelt voordat ik er ben.' Winter hoorde weer stemmen in het trappenhuis. 'Wat is het adres?'

'Fjällblomman... 9,' las Ringmar van een papiertje. 'Ik ken Rannebergen niet, maar het flatgebouw schijnt in het centrum te liggen, als je dat zo mag noemen.'

Het centrum van Rannebergen bestond uit een ICA-supermarkt, een pizzeria, een school, een sporthal met een zwembad, een crèche, het kantoor van woningcorporatie Bostadsbolaget, een parkeerplaats.

Ringmar stond op de parkeerplaats bij zijn auto te wachten, naast de zone van de bibliobus. De surveillancewagen van de collega's van Angered was er ook geparkeerd.

'Ze staan daar te wachten,' zei Ringmar en hij wees naar een van de flats, een beige met bruin gebouw van drie verdiepingen met roze kozijnen. Aan een van de balkons hing een Zweedse vlag.

Voor een portiek in het midden van het pand stond een geüniformeerde agent te wachten. Voor Winter was alles precies hetzelfde, de tweede keer vandaag. Dezelfde vragen aan zijn collega, dezelfde antwoorden.

De buurtconciërge kwam, een man van in de vijftig met een gereed-schapsgordel om zijn buik als een soldaat. Hij droeg een pet en op een plaatje op zijn linkerborstzak stond zijn naam, Hannu. Ringmar had hem gebeld.

'Zijn Fredrik en Aneta al bij Hiwa thuis geweest?' vroeg Winter terwijl ze de trap opliepen.

'Ja, het was er een chaos.'

'Hoezo?'

'Hij is… was kennelijk de oudste zoon in een gezin met meer kinderen. Geen vader, die is weg, ergens in Koerdistan verdwenen. Een van de kinde-ren ook. De moeder is hier alleen met de andere kinderen.'

'Hoe oud was Hiwa?'

'Vierentwintig. De enige van het gezin die werkte. Zwart, naar ik heb begrepen, of in elk geval grijs. Maar wat maakt het uit?'

'Wat voor chaos was er bij hen thuis?'

'Kun je je daar niets bij voorstellen, Erik?'

'Jawel.'

'Ik kon het op de achtergrond horen,' zei Ringmar.

'Wees dan maar blij dat jij daar niet was.'

Ringmar gaf geen antwoord.

'Hoeveel van dat soort bezoekjes heb jij afgelegd, Ringmar? Met een der-gelijk bericht?'

'Veel te veel. Als oudste moet je het veel te vaak doen.'

Dat was zonder meer waar. Hoofdinspecteur Bertil Ringmar was jaren-lang degene geweest die het de familie had moeten vertellen als er iemand was overleden. De afgelopen paar jaar hadden Winter en Ringmar die last gedeeld. Het was een verdomd zware last. Het was altijd erger dan je je kon voorstellen, telkens weer. Het was altijd een chaos. Die kon verschillende vormen aannemen, maar chaos was chaos, vanbinnen, vanbuiten, soms alle twee.

Op de eerste verdieping deed niemand open. Ze belden opnieuw aan en wachtten. Buurtconciërge Hannu wachtte. Ringmar belde nog eens aan en voor de zekerheid bonsde hij ook een paar keer op de deur. Vervolgens knikte hij naar Hannu, die zijn sleutelbos al in zijn hand had.

Winter zag de bomen door het raam van de woonkamer, die recht voor hem lag, aan het eind van de korte hal. De kamer was heel licht. Buiten zag hij de daken van caravans. Toen hij de wijk was binnengereden had hij veel caravans op de rechthoekige parkeerplaatsen tussen de flatgebouwen en de Rannebergsvägen gezien. Het was alsof alle bewoners hier een tweede huis voor de deur hadden staan, waarmee ze zo weg konden rijden.

Ze stonden nog steeds in het trappenhuis.

'Hoe laat begin je?' vroeg Winter aan de buurtconciërge.

'Halfacht. Ik kom meestal wat eerder, maar tussen acht en negen kunnen de mensen me bellen. Doordeweeks.'

'En je kantoor is in dit flatgebouw?'

'Ja. Aan de zijkant.'

'Heb je iemand gezien toen je vanochtend kwam?'

'Nee... niet direct.'

'Hoe bedoel je?'

'Ik zag iemand wegrijden in een auto...'

'Wanneer?'

'Om een uur of... zeven, ongeveer. Iets later.'

'Waarvandaan?'

'Waar de auto vandaan kwam? De parkeerplaats.' Hannu wees naar de parkeerplaats voor de winkel. Die was relatief leeg. Misschien waren de mensen op hun werk. 'Daar kwam die auto vandaan.'

'Zag je één of meerdere auto's?'

'Eén. Op dat moment, toen ik mijn kantoor opendeed.'

'Het merk?'

'Eh... het was een Opel. Een vrij oude, denk ik. Ik weet het niet zeker. Het leek een Corsa. Wit. Een beetje verroest.' Hij glimlachte. 'Daar herken je een Opel aan.'

'Vrij oud?' vroeg Ringmar. 'Wat bedoel je daarmee? Hoe oud?'

'Dat weet ik niet. Een jaar of tien, misschien. Ik weet het niet.'

'Was er nog iets speciaals met die auto?' vroeg Winter.

'Rechts leek het spatbord een beetje gedeukt.'

'Hoe bedoel je?' vroeg Winter.

'Tja... als door een botsing. Het spatbord was een beetje verbogen.' Ringmar knikte.

'Ken je Said en zijn vrouw?' vroeg Winter.

'Wat... wat is er eigenlijk gebeurd?'

'Geef gewoon antwoord op de vraag.'

'Nee. Ik ken ze niet.'

'Zou je ze wel herkennen?'

'Nee... ik ben hier nog maar sinds Pasen.'

'Shahnaz,' zei Ringmar. 'Ze heet Shahnaz.'

Winter hield een kopie van Saids pasfoto voor de buurtconciërge omhoog. 'En dit is Said.'

De buurtconciërge keek ernaar en schudde vervolgens zijn hoofd. 'Zelfs als ik hem heb ontmoet, dan zou ik hem niet hebben herkend,' zei hij.

5

Winter sloot de deur. Het werd niet donkerder in de hal. Plotseling had hij het gevoel verblind te worden. Hij knipperde. Heel even was hij duizelig. Dat was al een paar keer gebeurd sinds ze terug waren uit Spanje. Waarschijnlijk was hij te uitgerust, te ontspannen. Niet helemaal klaar voor de echte wereld.

'Wat is er, Erik?'

'Niets,' zei hij en hij opende zijn ogen.

'Hoe gaat het met je?'

'Vermoedelijk te goed. Te veel ontspanning.'

'Hm.'

'Het gaat wel over.'

Ringmar keek naar de hal. Hij kneep zijn ogen samen. 'Ik vind het maar niets,' zei hij.

Winter antwoordde niet.

Ze liepen in de richting van de woonkamer. Links was de keuken. Er zat geen deur.

Winter bleef staan, liep de keuken in en keek om zich heen. Alles leek smetteloos, het aanrecht was schoon, er stond niets op de tafel behalve een vaas met bloemen, rode en blauwe, hij had geen idee wat voor soort het was. Door het raam zag hij twee kinderen in de kleine speeltuin schommelen. Hij zag dat ze lachten, maar hij kon het door het raam en de isolatie niet horen. Het was net een stomme film die hij heel vaak had gezien: kinderen op een schommel op een pleintje waar hij voor het eerst kwam terwijl hij het gevoel had dat hij er al eens eerder was geweest. Het was een déjà vu dat geen déjà vu was. Hij was er wel eerder geweest, heel vaak, alleen op een andere plek, in een ander deel van de stad. En de kinderen waren er altijd, op schommels en in zandbakken. Alsof ze hem ervan wilden verzekeren dat er toch hoop voor de toekomst was.

'Erik.'

Hij hoorde de scherpte in Bertils stem. Of de angst. De professionele angst. Hij herkende het. Hij wist wat het was. Het lag op hen te wachten.

Het was er al. Ringmar stond bij de deur aan de rechterkant van de hal, de slaapkamer. Hij draaide zich naar Winter om. Ja. Winter zag aan zijn gezicht wat hij had gezien. Ringmar keek de kamer weer in. Winter zág wat hij zag, hij wíst het. En toen was Ringmar verdwenen, in de kamer.

Ze lag dwars over het bed en haar hoofd hing in een onnatuurlijke hoek over de linkerrand. Onnatuurlijk. Winter zag het allemaal in één oogopslag. In normale, menselijke zin had de scène niets natuurlijks, maar tegelijk, zo dacht hij terwijl hij op haar afliep, tegelijk is dit een natuurlijke toestand, voor mij, voor Bertil, het is een natuurlijke situatie. Daarom zijn we hier. Dit heeft ons hierheen gebracht. Het lag hier te wachten. Het was hier al.

Hij hoorde Ringmar in zijn mobieltje praten.

De hal was net zo licht als voorheen, nee, lichter. Winter had zin om naar de woonkamer te gaan en de jaloezieën omlaag te trekken, maar hij wilde niets aanraken. Hij mocht daar niet komen. Ze wachtten op de technici. Winter had naar Torsten Öberg geluisterd: 'Ik stel voor dat we een eenheid uit Borås laten komen,' had Öberg gezegd. 'Ik wil geen enkel risico lopen.'

'Nee.'

'En al helemaal niet als de delicten iets met elkaar te maken hebben,' zei Öberg. 'Als de slachtoffers iets met elkaar te maken hebben.'

'Ja. We willen geen besmetting tussen de verschillende pd's hebben.'

Dat was belangrijk. De politie werd zich steeds bewuster van het risico dat sporen zich van de ene naar de andere plek verspreidden, dat ze door technici of agenten werden meegenomen en vervolgens het onderzoek bemoeilijkten.

Ringmar stond in de deuropening van de slaapkamer.

Ze konden op dit moment niets doen. Ze hadden nooit iets kunnen doen. Het was tijd om te vertrekken en het aan Pia Eriksson Fröberg en de technici uit Borås over te laten.

'Wat is er in godsnaam aan de hand,' zei Ringmar, maar het was geen vraag en Winter gaf geen antwoord. Hij streek over zijn ogen. Hij had het heet, alsof de warmte buiten plotseling de flat was binnengedrongen. Het was koel geweest toen ze naar binnen gingen, alsof er airco was, maar in Zweedse appartementen heb je geen airco. Niemand rekent erop dat dat nodig is.

'Het is maar een paar uur geleden gebeurd,' zei Ringmar.

'Het heeft geen zin daarover te speculeren, Bertil.'

'Dat doe ik ook niet.'

Winter hoorde de irritatie in Ringmars stem. Hij hoorde iets nieuws, iets wat hij alleen herkende van de laatste maand, sinds hij terug was van zijn verlof van een halfjaar. Alsof er iets was gebeurd, niet met hem, maar met Bertil. Het moest aan Bertil liggen. Winter was dezelfde gebleven, rustiger, maar dezelfde.

'Die auto,' zei Winter.

'Die heb ik ook genoemd toen ik belde,' zei Ringmar. 'Heb je dat niet gehoord?'

Winter gaf geen antwoord. Ook nu viel er geen antwoord te geven. Hij liep naar de hal, door de deur, de trap af naar het plein. Het was een ander plein dan een halfuur geleden, het zou nooit meer hetzelfde zijn. De mensen hier zouden van slag zijn en de komende tijd nauwelijks over iets anders praten. Daarna zou het in de vergetelheid raken. Sommige mensen zouden verhuizen, maar niet hierdoor. Om andere redenen. Natuurlijke redenen. Anderen zouden net als anders met hun caravan op vakantie gaan. Misschien nu wel. Het was bijna juli. Hoogzomer, zoals het heette. Hij had zijn hoogwinter gehad. Zijn zomer was om te werken. En daarom was deze zomer – zoals het heette – gered.

De kinderen waren niet meer in de speeltuin, alsof ze al hadden gehoord wat er in de flat op de eerste verdieping achter hen was gebeurd. Ze hadden de schommels bewegend achtergelaten. Misschien kwam dat door de wind, maar er was geen wind. Er was nu alleen zon. Winter keek naar de wolkeloze hemel. Op dit plein zag je veel hemel, er was veel hemel hier in het noorden van de stad, meer dan in het centrum. Vanaf hier zag hij aanzienlijk meer van de blauwe lucht dan wanneer hij op straat voor zijn appartement aan het Vasaplein stond. Vanuit zijn woning zag hij nog minder.

Opeens stond Ringmar naast hem.

'Sorry als ik wat snauwerig klonk, Erik.'

'Het is je vergeven.'

'Soms wordt het me gewoon te veel.'

Winter antwoordde niet.

'Het moet met elkaar te maken hebben,' zei Ringmar.

'De moorden in Hjällbo worden plotseling nog weer wat anders,' zei Winter.

'Ging het daar ook om Said Rezai?' vroeg Ringmar en hij draaide zich naar Winter om. 'Moesten ze hem hebben?'

'En haar.'

'Het moet met elkaar te maken hebben,' herhaalde Ringmar. 'Eerst hij en toen zij.'

'Of andersom,' zei Winter.

Ringmar knikte.

'Of helemaal niet in die volgorde. In geen enkele volgorde.'

'Hoe bedoel je?'

'Said is de dader,' zei Winter.

'Hij heeft de hals van zijn eigen vrouw doorgesneden?'

'Als ze zo is overleden.'

'Daar lijkt het wel op.'

Winter knikte.

'Had ze iets gedaan?' vroeg Ringmar. 'Doodde hij haar omdat ze iets had gedaan? Of had nagelaten?'

'We moeten voorzichtig zijn met speculaties,' zei Winter. 'Maar Said zou er niet best voor staan, ware het niet dat hij er al nog slechter voor staat.'

'Ik kan het me niet voorstellen,' zei Ringmar. 'Ik hoor wat je zegt, maar ik leg het even naast me neer.' Hij keek Winter aan. 'Vind je het goed dat ik het eventjes naast me neerleg?'

Hij hoopt op een betere wereld, dacht Winter. Hij hoopt nog altijd op een betere wereld. Bertil is tien jaar ouder dan ik en hij koestert nog altijd hoop. Ik begin hem te verliezen. Ik wil hem niet verliezen. Ik wil als Bertil worden. Maar ik kan niets naast me neerleggen.

'Denk aan wat er in de winkel is gebeurd,' zei Winter.

'Laten we zeggen dat de moordenaars het eigenlijk op Said Rezai hadden gemunt...' zei Ringmar aarzelend.

'Ja?'

'... en de andere twee waren gewoon toevallig op de verkeerde plek,' ging Ringmar verder.

'Dan was dat altijd de verkeerde plek geweest,' zei Winter. 'Ze werkten daar.'

Ringmar knikte.

'En we weten niet beter dan dat Said Rezai een klant was. Tenzij hij daar ook werkte.'

'Niet voor zover we weten.'

'Dus de daders stappen naar binnen en offeren twee anderen op om er één dood te schieten?'

'Dat is wel vaker gebeurd,' zei Ringmar.

'Bij ons nog niet, Bertil. Niet hier in Göteborg.'

'We zijn er niet bepaald tegen ingeënt.'

'Ingeënt? Wat is dat voor stomme vergelijking? Het gaat niet om de vogelgriep.'

Hou op, Erik, dacht Winter. Dit gesprek kan een rare wending nemen. We moeten terug, naar de methode.

Ze hadden een methode, waarbij de woorden vlogen, de associaties, de vragen en soms ook de antwoorden, de gedachten. Wellicht een brainstorm, of in elk geval een stevige bries, en soms was het meer dan dat. Als iemand zei 'dat zijn slechts speculaties', dan waren ze ver van de methode verwijderd.

'Ze hadden hem overal kunnen neerschieten, op elke willekeurige plek,' zei Winter. 'Waarom precies daar?'

'Om het op een overval te doen lijken.'

'Ze hebben niets gestolen.'

'Inderdaad.'

'Voor zover we weten.'

'Een gestoorde overval. *Random*, zoals de yankees zeggen. Dat zou in Göteborg niet voor het eerst zijn.'

'Wel de eerste keer met deze afloop.'

'Het zat eraan te komen. En nu is het gebeurd.'

'En de vrouw? Shahnaz?'

'Zij was onderdeel van het plan,' zei Ringmar.

'Het plan? Welk plan?'

'Dat weet ik niet, Erik.'

'Is hier überhaupt een plan?'

'Wat is er anders?'

'Haat. Ik weet het niet. Wraak.'

'Wraak waarvoor?'

'Bloedwraak. Respect. Eer. Vernedering.'

'Wat betekent dat?'

'Dat weet ik niet.'

'Wat weten we over het leven van de Rezais?'

'Niets.'

'Nog even en we weten alles over de manier waarop ze zijn overleden, maar niets over hun leven.'

'Er is een heleboel dat we nog niet over hun dood weten,' zei Winter.

'Daar heb je de technisch rechercheurs,' zei Ringmar. 'Helemaal uit Borås.'

Winter en Ringmar stonden weer voor de buurtwinkel. Er hing als het ware een cirkel van stilte om hen heen. Er wás een cirkel van stilte. De toeschouwers waren weggegaan. De cirkel werd gevormd door de afzetlinten, blauw en wit in het middaglicht. Ook nu was er geen wind.

Op de weg was het verkeer toegenomen, maar niet veel. Winter zag gezichten hun kant op draaien wanneer de auto's langsreden: daar staat Winter, dan moet er iets gebeurd zijn. Aha, de boel is afgezet. Weer een overval. Die man is op tv geweest.

Dit wordt een lange dag, dacht Winter en hij draaide zich om naar het gebouw. Van dageraad tot schemering. Misschien moeten we hier tot de volgende dageraad blijven staan. En proberen te begrijpen hoe het is gegaan.

'Ik probeer te begrijpen hoe het is gegaan,' zei Ringmar.

Winter veerde bijna op. 'Kun je gedachtelezen, Bertil?'

'Nee, hoezo?'

'Laat maar. Je probeert het te begrijpen, zei je?'

'Oké. Het is twee uur 's nachts, het loopt tegen drieën. Het eerste uur van de wolf. Er is geen reden om op te zijn ook al is het zomer.'

'Feestgangers blijven op,' zei Winter.

'Hier? We zijn niet in jouw buurt, Erik, dit is Vasastan niet.'

'Daar heb je gelijk in.'

'Laten we zeggen dat het twee uur is,' ging Ringmar verder. 'Het is nog altijd nacht. In deze winkel bevinden zich drie mannen. Bevonden zich. Het zijn er in elk geval drie. Misschien zijn het er meer, dus voordat het schieten begint. Voordat de executies plaatsvinden. Er zijn drie mannen in de winkel en het is twee uur 's nachts.'

'Waar wil je naartoe, Bertil?'

'Het is geen spitsuur, Erik. Het is het uur van de wolf. Jimmy's is weliswaar vierentwintig uur per dag open, maar op dit tijdstip heb je niet echt twee man personeel nodig.'

'Twee personeelsleden voor één klant,' zei Winter.

'Dat soort dingen zijn wegbezuinigd in dit land,' zei Ringmar.

'Zij kwamen niet uit dit land.'

'Maar toch.'

'Ik begrijp waar je naartoe wilt, Bertil.'

'Op het meest onwaarschijnlijke tijdstip van de dag stapt Said Rezai hier naar binnen om iets te kopen,' zei Ringmar. 'Is het zo gegaan?'

'Hij had in elk geval nog niets gekocht,' zei Winter. 'Er zat niets in zijn zakken.'

'Hier staan Jimmy en Hiwa. Said komt binnen.'

'Hm.'

'Vervolgens vindt het bloedbad plaats.'

'Ga door.'

'De taxichauffeur komt misschien een uur later. Hij slaat alarm.'

'En de bezoekers zijn weg,' zei Winter.

'De bezoekers zijn weg,' herhaalde Ringmar. 'Onderweg naar Rannebergen.'

'Ja. Of nee. Dat weten we nog niet. We moeten op Pia's sectie wachten.'

'Bereid het risico te nemen,' ging Ringmar verder, alsof hij Winter niet had gehoord.

'Welk risico?'

'Er had meteen na de schoten alarm geslagen kunnen worden,' zei Ringmar.

'Alarm? Hoe bedoel je? Bij de politie?'

'Ja.'

'Dat is niet gebeurd, toch?'

'Nee. We spelen met de gedachte dat ze naar Saids flat zijn gegaan om de vrouw te vermoorden. Ze wisten dat zij daar was. Ze wisten van Said en Shahnaz.'

'Ze kenden ze,' zei Winter.

'Ik kan het moeilijk anders zien. Tenzij Said het zelf heeft gedaan.'

Winter keek de winkel in. Daar was nu niemand. De technici zouden terugkomen, ze kwamen altijd terug als er een reden was. Die was er bijna altijd. Bij een vooronderzoek moest je net zo goed terugblikken als vooruitkijken. Je blikte vooral terug, in elk geval in het begin. Er konden binnen nog dingen liggen waarvan ze niet op de hoogte waren, maar die hen wel konden helpen, die hen enorm konden helpen.

Winter draaide zich weer om naar Ringmar. 'Ze wachtten.'

'Sorry?'

'Ze wachtten,' herhaalde Winter. 'Jimmy en Hiwa en Said. Ze hingen daar niet rond omdat ze niets anders te doen hadden. Slapen, bijvoorbeeld. Nee. Ze wachtten op iemand. Ze hadden met een of meerdere personen afgesproken.'

'Daar?' vroeg Ringmar en hij knikte naar de winkel, die nu in een barmhartige schaduw lag, uit de middagzon. God, eigenlijk was het nog steeds ochtend.

'Is er een betere plek om af te spreken?'

'Nee.'

'Er zou iemand komen. Ze wachtten.'

'En er kwam iemand. Was het degene die ze verwachtten?'

'Dat weet ik niet.'

'Kom op, Erik. Dit kun je beter.'

'Ja. Ik zeg ja.'

'Het waren dus allemaal oude bekenden?'

'Ja, of nieuwe. Nieuwe bekenden.'

'Dus onze drie slachtoffers staan te wachten en daar komen hun kennissen?'

'Ja.'

'Ze schieten *at full blast*.'

'*At full blast*?'

'Oké, met al hun vermogen,' zei Ringmar. 'Je weet wat ik bedoel, verdomme.'

'Ze hebben wel geweren bij zich, maar misschien gaat het anders,' zei Winter.

'Je bedoelt dat ze ruzie krijgen?'

'Dat is mogelijk.'

'Waarover?'

'De prijs,' zei Winter.

'De prijs waarvan?'

'De koopwaar.'

'Welke koopwaar?'

Winter knikte naar de winkel. 'Waarschijnlijk geen suiker of zout,' zei hij.

'Maar iets wat daar op lijkt?' vroeg Ringmar. 'Uiterlijk?'

Winter knikte weer, nog steeds naar de winkel kijkend.

'Ja, waarom ook niet?' zei Ringmar.

'Als er iets is wat typerend is voor drugsafrekeningen, dan is het wel dat ze gewelddadig zijn,' zei Winter.

'En dat het hele gezin wordt getroffen,' zei Ringmar.

Winter antwoordde niet.

Plotseling liep hij weg, om het gebouw heen.

Ringmar ging achter hem aan.

Winter bleef staan terwijl hij naar het wandelpad keek. Aan de andere kant van het veld zag hij de flatgebouwen, nu in een andere tint grijs die niet helemaal grijs was, maar eerder geel dat in de loop van de avond oranje zou worden.

'Wat is er, Erik?'

'Die jongen. Ik moest aan hem denken.'

'Dat kan iedereen zijn geweest, elk willekeurig joch.'

'Dat denk ik niet.' Winter deed een paar passen het pad op. 'Dat denk ik niet, Bertil.'

6

Fredrik Halders en Aneta Djanali kwamen te voet langs het station van Hammarkullen. Hiervandaan vertrok de tram naar Kungssten. Dat lag niet zo ver van Långedrag. Hammarkullen en Långedrag waren twee polen.

'De langste tramlijn van de stad,' zei Halders en hij stopte bij de roltrappen.

'Echt waar?' vroeg Aneta Djanali.

'Volgens mij wel. In elk geval figuurlijk.'

'Figuurlijk?'

'Een lange klassenreis,' zei Halders. 'Er zitten veel generaties tussen deze plek en Långedrag.' Hij keek Aneta Djanali aan. 'Duizenden.'

'Als jij het zegt.'

'Ik zeg het. Zelf ben ik niet verder gekomen dan Lunden.' Hij keek naar de lucht, alsof hij wilde meten hoe ver het hemelsbreed naar Lunden was, dat even ten zuiden van het Redbergsplein lag. 'Van hier naar Lunden is het niet meer dan zes kilometer.'

'Zes generaties,' zei Aneta Djanali.

'Maar ik kom hier niet vandaan,' zei Halders, op een toon alsof hij zich dat nu pas realiseerde.

'Ik ook niet.' Ze deed een pas opzij toen ze een groepje zwarte mannen tegenkwamen. Twee van hen knikten vriendelijk naar haar. 'Eigenlijk komt niemand hiervandaan.'

'Dat is waar. Goed gezegd, Aneta.'

'Ik weet het niet.'

'Maar jij gaat perfect op in de omgeving,' zei Halders.

'Ik hoop dat dit geen grapje is, Fredrik. Daar is het niet het juiste moment en ook niet de juiste plek voor.'

'De juiste plek wel. Heb je zin in kebab?'

Ze stonden voor Maria's Pizzeria & Café, dat onlangs was geopend. Aneta Djanali zag twee zwarte mannen aan het tafeltje bij het raam zitten, Afrikanen, misschien Somaliërs. Ze zagen er zonder meer uit als Somaliërs. Zelf was ze Afrikaanse, als je dat tenminste kon zeggen wanneer je in het

Östra-ziekenhuis was geboren, op zes kilometer van Hammarkullen vandaan. Ja, ze was Afrikaanse en tegelijk de eerste Zweedse generatie van de familie Djanali. Haar ouders waren als vluchteling vanuit Ouagadougou in het toenmalige Boven-Volta naar Zweden gekomen. Nu heette het land Burkina Faso. Uiteindelijk hadden ze Göteborg verlaten toen hun heimwee te sterk werd, de politieke situatie ten goede was gekeerd en hun dochter een volwassen vrouw en agent was. Haar moeder was vlak na hun terugkeer in Ouagadougou overleden. Aneta was naar Afrika gereisd en had het land en de stad voor het eerst gezien. Het was thuis, maar ergens anders. Dat was een buitengewone ervaring. Thuis en ergens anders. Ze was thúís, maar ze wist dat ze nooit in Burkina Faso zou kunnen leven. Dat had niets met de armoede, de taal, het werk of de cultuur te maken. Alhoewel, misschien ook wel. Maar er was nog iets anders, iets wat ze niet kon benoemen. Ze had de hele vlucht naar Parijs in het toestel van Air France zitten huilen, huilen, huilen. Ze had gehuild toen ze 'thuis' kwam. Plotseling was ze overal een vreemdeling. Dat gevoel was ze nog steeds niet echt kwijt. Misschien zou ze het nooit kwijtraken. Misschien was het er altijd al geweest en kon het niet verdwijnen. Het was latent aanwezig, als eventuele afdrukken van schoenen op de vloer bij Jimmy's. Het had gewacht tot het tevoorschijn mocht komen. Het was samen met haar in het Östra-ziekenhuis geboren.

'Ik wil om negen uur 's ochtends geen kebab,' antwoordde ze Halders. 'Maar een broodje zou er misschien wel ingaan.'

'Laten we er een delen,' zei Halders. 'Zo'n honger heb ik nou ook weer niet.'

Ze liepen naar binnen. De vrouw achter de toonbank begroette hen alsof ze stamgasten waren. De twee mannen bij het raam stonden op en vertrokken.

Het broodje was pittig en vegetarisch.

'Helemaal prima', zei Halders met volle mond. 'Ik vind die pepertjes erg lekker.'

'Dat weet ik,' zei Aneta Djanali.

Dat klopte. Ze waren, na een relatie van een paar jaar, eindelijk gaan samenwonen in het huis in Lunden. Dat wil zeggen, Aneta was verhuisd, Fredrik en zijn kinderen Hannes en Magda woonden er al. Fredrik was er weer ingetrokken toen zijn ex-vrouw Margareta was doodgereden door iemand die met drank op achter het stuur zat. Aneta was er de laatste tijd hoe dan ook min of meer permanent geweest. Maar toch. Het was een grote stap geweest, voor iedereen. Uiteindelijk was het echter de enig mogelijke stap geweest.

Sommige mensen hadden misschien hun vraagtekens. Ze waren geen vanzelfsprekend stel.

Maar Fredrik was veranderd. Hij begon zichzelf te vinden, zoals hij zelf onlangs had gezegd. Er is iemand die ik ben, had hij gezegd. Het had diep geklonken. Het had ook eerlijk geklonken. Hij was nog steeds sarcastisch, drastisch, maar niet meer zo vaak en niet op dezelfde manier. Hij was bezig hoofdinspecteur te worden. Ik ben een laatbloeier, had hij zelf gezegd, scheef glimlachend. Maar de functie was belangrijk en moest worden bekleed. Het huidige hoofd, Sture Birgersson, zou in de herfst met pensioen gaan. Winter zou formeel overnemen wat hij de afgelopen zeven, acht jaar had geleid. En Ringmar werd er niet jonger op. Halders voelde zich jonger, dat was het afgelopen jaar, de afgelopen zes maanden gebeurd. In zekere zin was hij tijdens Winters afwezigheid gegroeid. Soms was het zo duidelijk geweest dat het bijna komisch was. En misschien ook een beetje tragisch, had Aneta gedacht. Erik werpt een schaduw over Fredrik, waaraan hij niet kan ontkomen. Het is niet Eriks fout. Het is gewoon een feit.

Halders veegde zijn mond af. Hij knipperde en kneep zijn ogen samen in het zonlicht. Een paar vrouwen met zwarte sluiers liepen snel over de stenen van het plein. Misschien dat de sluiers alleen maar zwart leken in de zon. Die scheen al fel en de schaduwen waren scherp. Buiten leek alles zwart-wit. Halders haalde zijn hand over zijn stekeltjeshaar. Hij knikte in de richting van het plein.

'Ik hoop niet dat de familie Aziz ons ziet eten,' zei hij. 'Alsof er niets is gebeurd.'

'Ze hebben nu wel wat anders aan hun hoofd.'

'Ja, verdomme.'

'Ze wist van niets,' zei Aneta Djanali. 'De moeder.'

'Nee.'

Halders nam een slok water en legde zijn servet op het bord voor zich.

'En dan komen wij vertellen dat haar zoon op zijn werk is doodgeschoten, terwijl zij niet eens wist dat hij daar werkte,' zei Aneta Djanali.

'Ze wist wel dat hij werkte.'

'Maar niet dat het daar was.'

'Maakt dat uit?' vroeg Halders.

'Voor haar? Of voor het onderzoek?'

'Laten we met haar beginnen.'

'Natuurlijk maakt dat uit. Stel je eens voor wat een verschrikkelijk trauma dit voor haar is. Dat wordt twee keer zo groot nu het leven van haar zoon op de een of andere manier een geheim blijkt te zijn.'

'Misschien wisten de andere kinderen het,' zei Halders.

'Ze zeiden van niet.'

'Volgens mij liegen ze. Volgens mij wist het meisje het. Zijn zus.'

'Wat?'

'Waar hij werkte, natuurlijk. Waar hij was.'

'Waarom zou ze daarover liegen?'

'Dat moeten we haar vragen. De volgende keer.'

'Wees voorzichtig, Fredrik.'

'Ik ben altijd voorzichtig.'

'Dit zijn mensen die slecht zijn behandeld, om het mild uit te drukken.'

'Ze wachtten op een verblijfsvergunning,' zei Halders.

'Dat alleen al,' zei Aneta Djanali.

'Zei ze dat ze vier keer waren afgewezen?'

'Volgens mij wel. Dat moeten we ook controleren.'

Halders knikte.

'Verschrikkelijk, toch,' zei Aneta Djanali. 'Om zo te moeten afwachten.'

'De kinderen mochten wel naar school,' zei Halders.

'Dat maakt het allemaal nog cynischer,' zei Aneta Djanali.

'Ze hoefden zich in elk geval niet te verstoppen.' Halders kon de gloed in Aneta's ogen zien.

'Alsjeblieft, Fredrik. Je hoeft me er niet aan te herinneren dat wij, de politie, degenen zijn die die ondergedoken gezinnen hebben opgespoord en opgepakt, dat wij ze hebben gedrogeerd en op een vliegtuig terug hebben gezet.'

'Dat was niet onze beslissing,' zei Halders.

'Onze beslissing? Onze beslíssing? Wij gehoorzaamden alleen maar een bevel? Wat zijn we? Nazi's?'

'Het ligt gecompliceerd,' zei Halders.

'Gecompliceerd? Gecompliceerd? Als agenten in andere districten hier in Zweden andere dingen te doen hebben dan bange kinderen op te sporen, als ze ervoor zórgen dat ze andere dingen te doen hebben, dan is het korps in Västra Götaland meer dan bereid om zijn mankracht in te zetten voor een mensenjacht.'

'Ik weet niet of dat verhaal historisch helemaal…'

'Historisch?' onderbrak Aneta Djanali hem. 'Toen die wet op de hertoetsing kwam… god, iedereen legde meteen de wapens neer, behalve wij. Göteborg deed dat niet. Weet je wat ik toen dacht, Fredrik? Weet je wat ik toen dacht?'

'Ik weet wat je dacht, Aneta. Dat heb je me verteld. Dat heb je me heel vaak verteld.'

'Ik dacht erover te stoppen. Ik zeg het nog een keer.'

'In zo'n situatie zijn alle goede krachten hard nodig,' zei Halders.

'God, Fredrik, je bent veranderd en dat is goed, maar er zijn grenzen. Wil je hoofdinspecteur worden of politicus?'

'Eén ding tegelijk,' zei Halders en hij probeerde te glimlachen.

Het had geen zin.

'Wat denk jij dat die bange gezinnen denken als wij hun flat binnendenderen?'

'Ik kan me daar wel iets bij voorstellen,' zei Halders.

'Dat is mooi. Zonder empathie komen we in dit geval nergens. In deze gevallen. Empathie en fantasie.'

'Nu klink je net als Winter.'

'Ik klink als mezelf.'

Halders zei niets. Hij gebaarde naar de vrouw achter de toonbank en pakte zijn portemonnee.

'Ik stel voor dat dit op kosten van de baas is. Een werkontbijt. Hoewel we het lunch noemen.'

Aneta Djanali boog zich over de tafel naar voren. 'Hoe pakken we dit aan, Fredrik?'

Halders nam de rekening aan en de vrouw liep terug naar de toonbank. Hij pakte een paar briefjes uit zijn portemonnee en keek op. 'Hoe bedoel je?'

'Ik denk ook dat iemand in dat gezin meer weet dan wat ons nu is verteld. Maar we moeten voorzichtig zijn. Dit is anders, Fredrik. Heel anders. Alles is anders.'

'Dat begrijp ik, Aneta.'

'Als we iets te weten willen komen, moeten we daaraan denken. Wanneer we vragen stellen. Wanneer we antwoorden krijgen.'

'Als we antwoorden krijgen.'

'Die krijgen we.'

De vrouw kwam terug en pakte het geld aan. Ze leek ergens uit het Midden-Oosten te komen, maar misschien was ze ook in het Östra-ziekenhuis geboren. Aneta Djanali keek naar haar terwijl ze door de zaak liep. Ze ging weer bij de kassa staan. Achter haar was een man bezig plakjes van een dikke kebabrol met gehakt te snijden. Als Aneta Djanali een keertje kebab at, wilde ze döner kebab, met hele plakjes lamsvlees, maar dat kwam je in Zweden niet zo vaak tegen. Het woord 'kebab' had sowieso een slechte naam. Alsof het iets tweederangs was. Geïmporteerd uit een deel van de wereld waaruit je niets wilde importeren. Olijven misschien. En dadels. Dadels had je hier al sinds de jaren vijftig, veertig. Die waren nu helemaal Zweeds. Net als koolrolletjes. Zweedse koolrolletjes, geen oosterse dolma's. Er was nog geen Zweedse kebab, hoewel er in elk boerengat wel een kebabrol te vinden was.

Halders wilde net opstaan toen hij verstijfde. 'Is ze dat niet?' vroeg hij en hij knikte in de richting van het plein. 'De zus?'

Aneta Djanali draaide zich om.

Ze kon de vrouw aan de andere kant van het plein zien lopen, snel. Voordat haar ogen aan het licht en de afstand waren gewend, zag de vrouw er onder de zon uit als een silhouet. Ze droeg geen sluier en daarom had Halders gemeend haar te herkennen. Hij had gelijk. Het was de zeventienjarige

44

zus van de overleden Hiwa. Aneta Djanali herinnerde zich haar naam niet, maar die had ze in haar notitieboekje opgeschreven. Ze schaamde zich opeens dat ze de naam niet meer wist.

'Waar zou ze heen gaan?' vroeg Halders en hij liep vlug naar de uitgang.

'We kunnen haar niet…' zei Aneta Djanali, maar Halders liep al over het plein. Het leek alsof er een grote wolk langstrok.

Aneta Djanali kon de vrouw niet meer zien.

Nasrin. Ze heette Nasrin. Aneta Djanali had haar aantekeningen gepakt.

Ze keek op. Halders was achter de struiken en takken aan de rechterkant verdwenen.

Buiten voelde ze plotseling de wind in haar gezicht. Ze zag de wind in de bomen. Die was heet en deed denken aan de wind die ze aan de rand van de stad had gevoeld toen ze in het land van haar ouders was. De rand van de stad was ook de rand van de woestijn. Ze liepen in elkaar over.

Ze stak het plein over en ging naar het wandelpad aan de andere kant.

Vijftig meter verderop kon ze Fredrik zien. Hij stond stil, zwaaide toen hij haar zag, keek om zich heen.

'Ik ben haar kwijtgeraakt,' zei hij.

'Zag ze je?'

'Ik geloof het niet. Ze was al weg toen ik hier was.'

Voor hen lag een grote parkeerplaats.

'Ze kan niet in een auto zijn gesprongen,' zei Halders. 'Dan had ik dat wel gezien.'

'Verderop is nog een parkeerplaats,' zei Aneta Djanali.

'Er zijn ook allerlei paden,' zei Halders en hij wees naar links. 'En struiken.'

'Ik denk niet dat ze probeert zich te verstoppen,' zei Aneta Djanali.

'Hoe dan ook zou ik graag weten waar ze heen ging,' zei Halders.

★

'Dat kan overal zijn geweest,' zei Bertil Ringmar tijdens de bijeenkomst die middag.

'Nee,' zei Halders, 'het leek alsof ze onderweg was naar een bepaalde plek. Ze liep heel snel.' Hij keek voor een bevestiging naar Aneta Djanali. 'Ja, toch?'

'Ik weet het niet,' zei ze en ze keek Ringmar, Winter en Bergenhem aan.

'Dat weet je wel.'

'Het hoeft niets te betekenen,' zei Bergenhem.

Halders antwoordde niet. Hij leek niet te luisteren. Hij keek Aneta Djanali aan alsof ze hem had laten vallen.

'Ze wisten dus niets van Hiwa's baan?' vroeg Winter.

'Zijn zwarte baan,' zei Halders.

'Niet helemaal,' zei Ringmar.

'Wie zegt dat?'

'Dezelfde bron die vertelde dat Hiwa daar werkte.'

'Dat heb ik niet gehoord,' zei Halders. 'Wie is dat?'

'Een buurman.'

'Een buurman? Van wie?'

'De winkel.'

'Dat klinkt vaag,' zei Halders.

'Je begrijpt het als je de omgeving ziet,' zei Ringmar.

'Hoe dook die buurman dan op?'

'Hij kwam naar de afzetting,' zei Winter.

'Dat klinkt verdacht.'

'Waarom?'

'Tja, in de eerste plaats: hoe wist hij wie er binnen lag?'

'We zijn de mensen buiten meteen gaan verhoren,' zei Ringmar. 'De toeschouwers.'

'En?'

'Deze man zei dat hij 's avonds in de winkel was geweest en dat de twee mensen die er werkten er toen warén, zoals hij het noemde.'

'Hij kende hun namen?'

'Ja.'

'Oké. Maar toen wisten jullie al wie het waren, toch?'

'Ja.'

'Hij wist niets over de derde man? Sair?'

'Said,' zei Bergenhem.

'Sorry?' vroeg Halders.

'Said,' herhaalde Bergenhem. 'Met een d aan het eind.'

'Toe nou, alsof dat enig verschil maakt.'

'Ik hoop dat je een grapje maakt, Fredrik,' zei Ringmar.

'Uiteraard.'

'Wil er verder nog iemand een grapje maken?' vroeg Winter. 'Voordat we dit serieus gaan bespreken?'

7

Ik had het niet langer koud. Ik bibberde als een juffershondje toen de zon opkwam en het had twee uur geduurd voordat het wat warmer werd.

Ik stond voor de tent en zag de zon boven de berg als een bloedsinaasappel opkomen. Om mij heen was alles plotseling rood, het zand, de tenten, de bergen, de stenen.

De kamelen stonden honderd meter verderop. Twee kamelen. De honden, die al op waren, holden tussen de tenten heen en weer op zoek naar voedsel, maar dat was er niet, niet voor hen en niet voor ons. Daarom moet ik altijd aan bloedsinaasappelen denken als ik de zon zie opkomen. Of aan granaatappelen, eigenlijk denk ik aan granaatappelen. Ik wil niet aan bloedsinaasappelen denken. Het was nog geen week geleden dat ik een granaatappel had gegeten, dat was vóór mijn vlucht. Ik ben dol op granaatappelen. Het sap in elk pitje, alsof elk pitje een apart zakje is. Stel dat we nu een kilo granaatappelen hadden, dacht ik terwijl ik daar stond.

Wat als ze geen granaten hadden, als die helemaal niet bestonden. Ik begreep dat het granaten waren. Dat begreep iedereen in het dorp. Toen het klonk alsof alles op de weg naar het dorp ontplofte en we de rook zagen, begrepen we wat het was. De rookwolk. Alsof alle takken op alle vlakten tegelijk in brand waren gestoken. De vlammen likten aan de lucht. Het was net als op de olievelden, maar dan anders. Het vuur was zwarter.

We hadden de afgelopen twee dagen maar een klein beetje water en brood gehad. Het brood was gemaakt van het meel dat moeder mee had kunnen nemen toen we vluchtten. Ik weet niet hoe ze dat had gedaan, in de leren zak. Het was alsof ze het meel al had ingepakt. Alsof ze wist dat het zou gebeuren, het vuur, de granaten, het schieten. De messen. Dat het zou komen.

Ik had het niet langer koud. Ik liep naar het eind van het kamp en het was alsof ik dichter bij de zon kwam, alsof het nog warmer werd.

In het kamp walmden kleine vuren, er was een klein beetje rook. We kookten theewater, we hadden wat thee, maar die raakte snel op. We hadden geen suiker en thee kun je bijna niet zonder suiker drinken, dat was ik niet gewend.

Vader zei altijd dat als je suiker voor de thee hebt, dan is alles zoals het moet zijn. Dat soort dingen zei hij wel vaker: als je zout voor het brood hebt dan is alles goed, heb je uien bij de rijst dan is alles goed, heb je peper bij het lamsvlees dan is alles goed, heb je boter bij de eieren dan is alles goed, heb je olie voor de okra dan is alles goed.

Alles was goed. We hadden dat allemaal, dus alles was goed.

We speelden in de oude ruïnes van het paleis. Die waren vijfhonderd jaar oud en het paleis was zevenhonderd jaar oud geweest.

Het dorp bestond al duizend jaar, had ik gehoord. In het kamp hoorde ik later dat het niet meer bestond, de mensen die na ons kwamen zeiden dat.

Toen ik me omdraaide, zag ik moeder uit de tent komen en iets naar me roepen wat ik niet kon verstaan. Ze wuifde met haar hand, wilde dat ik kwam. Ze wilde iets van me.

8

De schaduwen waren nu langer, ze werden door de middag uitgerekt, van Angered tot aan Saltholmen. Maar het schemerde nog niet, dat duurde nog wel een paar uur. Tijdens deze junidagen was de tijd tussen de dageraad en de schemering eindeloos, die hield nooit op. De schaduwen van de verlichtingspalen op het Ullevi-stadion zouden zich later helemaal tot aan de Korsvägen en langs de Eklandagatan uitstrekken. Winter kon niet zo ver kijken. Heel even kon hij de papieren voor zich nauwelijks zien, noch de gezichten om de tafel. Hij sloot zijn ogen en deed ze weer open. De lichte duizeling was verdwenen.

'Wat is er, Erik?' vroeg Aneta Djanali.

'Niets.'

'Overwerkt?' vroeg Halders met een onschuldige blik.

'Nog niet, Fredrik.'

Halders keek naar de foto's die voor hem lagen, die voor hen allemaal lagen. Ze lieten een lichaam op een bed zien. Het lichaam was van Shahnaz Rezai, adres Fjällblomman 9. Of liever gezegd, het was van haar geweest. Haar ziel was nu ergens anders. Dit gezicht was niet langer van haar, dacht Aneta Djanali. Het is nu van ons.

'Hoe heet zoiets?' vroeg Halders terwijl hij opkeek. 'Haat?'

Niemand antwoordde.

'Wat zegt de Technische Recherche?'

'Nog niets,' antwoordde Winter. 'Ze zijn ermee bezig, net als wij.'

'Wat zegt Pia?'

'Dat er een paar doodsoorzaken mogelijk zijn,' zei Ringmar.

'Dat kan ik begrijpen,' zei Halders zachtjes, terwijl hij weer naar de foto's keek. 'Shit.' Hij keek op. 'Die klootzakken moeten we snel te pakken zien te krijgen. Die hebben lang genoeg op aarde rondgelopen.'

Niemand reageerde.

'Of dit met de schoten in de winkel samenhangt? *You bet* dat dat het geval is,' ging Halders verder. 'Dit is geen toeval, *no way*.'

Ook nu reageerde niemand.

'Absoluut niet,' vertaalde Halders zichzelf.

'Hij kan het zelf hebben gedaan,' zei Bergenhem. 'Said.'

'We moeten maar zien wat uit zijn profiel blijkt,' zei Winter droog.

'We weten verdomme niets over deze mensen,' zei Halders.

'Nog niet,' zei Winter.

Halders keek weer naar de foto voor zijn neus en legde die toen op de kop.

'Wat doen we nu?' vroeg hij.

'We zijn nog bezig met het buurtonderzoek,' zei Ringmar.

'Dat levert geen donder op,' zei Halders. 'We moeten op de technici en mevrouw de patholoog-anatoom wachten.' Zijn ogen gingen naar de foto. 'En ik denk dat dat evenmin iets oplevert.' Hij keek weer op. 'We komen ongetwijfeld te weten hoe. Maar niet waarom.'

'Dat komen we ook te weten,' zei Winter.

Halders schudde zijn hoofd. 'Dat duurt duizend-en-een nacht.'

Wie een eerste overzicht maakte, kon denken dat er duizend-en-een bendes in Göteborg waren, met een sterke rekruteringsbasis in de noordoostelijke stadsdelen: motorbendes als de Bandidos, de Hells Angels, de Red Devils, de Red White Crew, gevangenisbendes als de Original Gangsters en Wolf-pack, jeugdbendes als het X-team en de Tijgers, dichte etnische netwerken van Albanezen, Koerden, voormalig Joegoslaven, Somaliërs.

Maar er waren eigenlijk geen etnische groepen wanneer het om misdaad ging en vooral niet bij zware misdrijven, grootschalige smokkelpraktijken, drugs, diefstal, mensenhandel. Misdaad zorgde voor integratie, misdaad verenigde. Dat kwam door het geld, de winst, het voordeel. Het belangrijkste was niet waar de crimineel vandaan kwam, maar hoeveel hij met de misdrijven kon verdienen, samen met anderen, omdat je in je eentje zwak was en samen veel sterker stond. Misdaad leidde tot een gemeenschap die verder reikte dan de grenzen van de natie of de grenzen van de religie, ja, ze stond vrijwel altijd boven het ouderwetse etnocentrisme van de brede massa. Inderdaad, etnocentrisme was iets van de doorsnee-Zweed, die dacht meer over dit soort dingen na dan de drugssmokkelaar uit Albanië, Iran, Somalië of Zweden, het oude blauw-gele Zweden. In die zin was misdaad het antwoord op de kwestie van integratie en segregatie. Het bood ook een onschendbaarheid, een gevoel van zekerheid. Het was een onzekere zekerheid, maar die was beter dan het alternatief. Wat was het alternatief? Veel mensen wisten het niet.

De politie probeerde niet alleen bekende bendeleden in het noorden op te pakken en te verhoren, maar ook in de andere windrichtingen. Als het een afrekening in het drugsmilieu was, zou dat vroeg of laat boven water komen, waarschijnlijk vroeg, zij het met onduidelijke details. De details waren altijd onduidelijk als het om drugs ging.

En Winter moest uitkijken naar wapens. Er waren steeds meer wapens op straat, bij de bendes. Wat tien jaar geleden ondenkbaar was geweest, was nu onderdeel van de dagelijkse realiteit. Nieuwe burgers op de straten, nieuwe wapens, meer wapens. Afrekeningen met vuurwapens op pleinen, in restaurants, op de straten. Op stranden, gangsterafrekeningen in de openlucht.

Winter wachtte voor een stoplicht op de Avenyn. Er waren veel mensen buiten op deze warme zomeravond. Het was nu avond. Hij probeerde zich te herinneren welke dag het was, maar moest het opgeven. Hij had dat het afgelopen halfjaar afgeleerd en het was moeilijk met die gewoonte te breken. Maandag, dinsdag, vrijdag, zondag. Het was geen zondag, dat wist hij, maar dat was dan ook alles.

Zijn mobieltje ging over. Het lag op de stoel naast hem. Hij herkende het nummer op de display.

'Ja, Bertil?'

'Pia is net geweest. Ze zegt dat het ergens in de ochtend is gebeurd.'

'De ochtend? Wanneer?'

'Vroeg, tussen een paar uur na middernacht en misschien een uur of zeven.'

Het licht sprong op groen en Winter trok op. 'De vraag is wanneer Said naar de winkel kwam,' zei hij.

'Ja. Volgens Pia moet het schieten ook in dat tijdsbestek hebben plaatsgevonden. Maar dat wisten we al.'

Ze hadden nog geen getuige die de schoten had gehoord. Dat was raar, alsof de moordenaars een geluiddemper hadden gebruikt. Maar dat was niet mogelijk geweest gezien het letsel van de slachtoffers. De wanden van het gebouw hadden het geluid gedempt, maar niet zoveel. Wellicht dat het door de betrekkelijk geïsoleerde ligging van de winkel kwam. In de flatgebouwen hadden de schoten misschien als verkeer geklonken, als een knallende uitlaat, als een van de vele geluiden van een zomernacht. Misschien waren ze helemaal niet te horen geweest.

Ze konden een test doen. Nog een beetje gaan schieten.

'We weten niet of er nog meer mensen in de winkel waren,' zei Winter. 'Afgezien van de slachtoffers en de moordenaars.'

'Iemand die is ontsnapt, bedoel je?'

'Ja.'

'De voetstappen die de taxichauffeur heeft gehoord?'

'Nee, ik denk niet aan de voetstappen. Mogelijk was er iemand anders bij die erin slaagde te vluchten. Of die zelf weg mocht gaan, zeg maar.'

'Waarom denk je dat?'

'Dat weet ik niet. Er klopt iets niet. Ik wil er morgenvroeg meteen heen om alles nog eens door te nemen.'

'Ik moet… eerst iets anders doen. Ik kom later.'

'Ik zei dat ík erheen ging, Bertil. Je hoeft er niet bij te zijn.'

'Ik wil erbij zijn.'

'Oké, tot dan,' zei Winter en hij verbrak de verbinding.

Hij sloeg af naar het Vasaplein en reed om het blok naar de ondergrondse parkeergarage.

Hij kocht een baguette bij de bakker op de begane grond van het pand waarin hij woonde. De bakker bakte meerdere keren per dag. Winter was verbaasd geweest toen hij ontdekte dat hij ook aan het begin van de avond vers witbrood kon kopen. Dat was een goed argument om hier te blijven wonen.

In de lift naar boven dacht hij aan de jongen die naar hem had staan kijken op het plein bij de flatgebouwen die op tweehonderd meter van het eenzame gebouw lagen, waar drie mensen de dood tegemoet waren gegaan.

Voor de technisch rechercheurs Bo Lundin en Isak Holmström uit Borås was het gesneden koek. Ze waren op de hoogte van de laatste ontwikkelingen, waaronder de nieuwste DNA-methode LCN, Low Copy Numbers, waarmee ze sporen vonden die vroeger niet ontdekt konden worden. Je kon sporen zoeken op plekken waar het vroeger helemaal geen zin had gehad.

Bo Lundin vond dat het keukenraam van het echtpaar Rezai er ongebruikelijk schoon uitzag, schoner dan de ramen in de andere kamers. Hij keek erdoor naar buiten en zag een verlaten speeltuin in de zon. Het was mogelijk dat iemand iets van de ruit had geveegd, maar de handeling op zich was al interessant. Nog interessanter was de mogelijkheid dat die persoon daarbij op het raam had geademd en dat dat kleine beetje adem DNA kon bevatten. Dat wil zeggen: iemand had misschien moeite gedaan om een spoor te wissen waarop je überhaupt niet kon worden gepakt, maar door die handeling vonden de rechercheurs vervolgens toch iets.

En dan had je de nek van de vrouw, en haar achterhoofd.

Moordenaars ademden.

Bo Lundin wist niet of hij sporen kon veiligstellen. Maar dat hoopte hij wel.

Hij droeg een mondkapje en een steriele wegwerpoverall terwijl hij bezig was.

Ze zaten op het balkon naar de lucht te kijken. Die was nog altijd heel blauw.

Winter nam een slok van de witte wijn, een riesling uit Turckheim. Die voelde zacht op zijn tong, bijna zoals water op een stille avond tegen het strand rolt. Het was een stille avond. Op straat was de nacht nog niet begonnen.

Opeens hoorde hij binnen een schreeuw.

'Ze droomt weer,' zei Angela.

'Ik ga wel even.'

Hij hoorde het gehuil in de hal.

Lilly zat rechtop in haar kleine bed.

Elsa sliep verder in het hare.

'Meiske toch.' Hij tilde Lilly op en voelde de angst in haar lichaam. Wat had ze gedroomd? Wat zat er in haar onderbewuste dat die onrust, die angst veroorzaakte? Ze was nog geen twee. Zijn eigen dromen kon hij begrijpen. Soms was het net alsof hij ze verwelkomde. Hoe vreselijk ze ook waren, ze konden zich nooit meten met de werkelijkheid. Maar ze kwamen wel uit de werkelijkheid, uit zijn werkelijkheid. Zoals die van vandaag. Hou verdomme op nu. Denk nu even niet. Wieg de kleine meid weer in slaap. Heen en weer. Ze is bijna weer vertrokken. Nu, nu slaapt ze. Ja. Ik kan haar hartje voelen. Het is nu rustig.

Hij legde het kind terug en trok voorzichtig het laken over haar heen. Het was te warm voor een dekbed. In de oude woning hoopte de warmte zich in de loop van de dag op en bleef 's nachts als een paardendeken liggen. Ramen tegen elkaar openzetten hielp niet veel als er geen tocht was, geen wind. Het had al weken niet behoorlijk gewaaid. Het was alsof iets zijn adem inhield. Dat had hij vandaag gedacht, toen hij het onbeweeglijke gebladerte en struikgewas rond de plaatsen delict zag. Het gebladerte rond de plaats delict. Dat kon een titel ergens van zijn. Misschien van zijn moordbijbel. Die was vandaag aangelegd en kon weleens dik worden. Die was al dik, vier moorden tijdens één dageraad. Toen hij dacht dat er meer zouden volgen was dat een speculatie, maar het was meer dan dat. In de loop van de jaren had hij geleerd naar zijn spontane gedachten te luisteren. Deze keer was het bijna alsof hij dat niet wilde.

'Ze slaapt,' zei hij toen hij terug was op het balkon, weer in de rotanstoel ging zitten en zijn glas pakte. 'Misschien is het de omschakeling naar een ander land en een andere cultuur.'

'En ander weer,' zei Angela. 'Het is hier warmer dan in Zuid-Spanje.'

'Op dit moment wel, ja.'

'Zou je nog wat water willen halen?' vroeg ze en ze hield haar lege glas omhoog.

Hij stond weer op en nam de karaf mee naar de keuken, waar hij het water net zolang liet stromen tot het zo koud mogelijk was. Hij deed ook een paar ijsblokjes in de karaf.

'Dank je,' zei ze toen hij terug was en haar inschonk. Hij ging zitten. Er zat nog een beetje wijn in de fles. Dat zou hij nog opdrinken, maar daarna hield het op. Geen whisky vanavond. Niemand wist wat er morgen gebeurde, of vannacht, of morgennacht.

'Wil je erover praten?' vroeg Angela na een tijdje.

'Ik geloof dat ik dat moet,' zei hij.

'Je moet het zelf maar aangeven als je wilt stoppen.'

'Het is dat jongetje,' zei hij.

'Denk je dat het hetzelfde kind was?'

'Ja.'

'Waarom?'

'Hij keek me op een speciale manier aan.'

'Waarom kwam hij dan niet naar je toe?'

'Hij werd misschien in de gaten gehouden.'

'Mijn god.'

'Die indruk had ik.'

'Dat hij het gevoel had dat hij in de gaten werd gehouden?'

'Ja. Of dat hij dacht dat dat zo was.'

'Waarom dacht hij dat?'

'Omdat hij iets heeft gezien. Hij heeft de moorden gezien.'

'Wat deed hij daar dan? Waarom was hij daar?'

Grote goden, Angela is net Bertil, dacht hij. Als Bertil met pensioen gaat, heb ik altijd Angela nog.

'Hij was misschien aan het fietsen. Aan het... ik weet het niet.'

'Zo vroeg? 's Nachts alleen op pad? Hoe oud was hij? Tien, twaalf?'

'Zoiets,' zei Winter. 'Niet ouder.'

'En hij mocht in zijn eentje buiten zijn?'

Winter haalde zijn schouders op.

'Misschien was hij niet alleen,' ging Angela verder.

'Daar heb ik ook aan gedacht.'

'Was hij samen met een van de... anderen?'

'Dat is mogelijk,' zei Winter.

'Hoe wil je hem vinden?'

'We kijken wie er in die wijk woont, woning voor woning. Wij praten met de wijkagenten, de conciërges, de scholen, de sportverenigingen. En de plaatselijke politie praat op haar beurt met haar bronnen, aan beide kanten van de wet. Vooral die aan de andere kant.'

'Dat klinkt als een enorme klus. Alles, dus.'

Winter knikte.

'Hoeveel tijd gaat daarin zitten?'

'Veel te veel tijd.'

Hij schonk de laatste wijn voor zichzelf en Angela in. Hij pakte zijn glas en dronk. De wijn was nu een beetje te warm. Hij zette het glas neer en schonk er wat ijswater bij.

'Het kan heel iemand anders zijn geweest,' zei hij.

'Als er überhaupt iemand is geweest,' zei ze.

'De taxichauffeur was er zeker van.'

'Is hij geloofwaardig?'

Winter haalde weer licht zijn schouders op. Hij vond het geen prettig gebaar, maar deed het toch.

'Ik wil er nu geloof ik niet meer over praten,' zei hij.

'Oké.'

'Ik wil over lieve en leuke dingen praten.'

'De zee,' zei ze. 'Laten we het over de zee hebben.'

'Welke zee?'

'Waarom niet de zee hier?' vroeg ze en ze wees naar het westen, over de daken achter hen.

'Wat is daarmee?' vroeg hij, maar hij wist wat ze zou zeggen. Het was een oude discussie, die steeds weer nieuw werd.

'Ergens in mijn achterhoofd zit een stuk grond bij die zee,' zei ze. 'Misschien zie ik zelfs een huis.'

'Een huis? Een stuk grond?'

'Is dat niet gek?'

'Ja, behoorlijk.'

'Die grond moet nu flink wat geld waard zijn, Erik.'

'Die is altijd al aardig wat waard geweest.'

'Waarom verkopen we die dan niet?'

'Wil je dat?'

'Dat weet ik eigenlijk niet. Misschien probeer ik je te provoceren, maar misschien ook niet. Ik heb alleen het gevoel dat er nooit iets zal gebeuren. Dat we hier nooit wegkomen.'

'Zou dat zo verschrikkelijk zijn? Als we hier nooit wegkomen?'

'Nee, nee, maar je weet wat ik bedoel. We hebben binnen twee rozenknopjes en de lucht hier is niet zo goed. Dat weet je. Daar hebben we het al duizend keer over gehad. Je zegt dat het voor jou te laat is, maar voor Elsa en Lilly is het dat niet.'

'Heb ik gezegd dat het voor mij te laat is?'

'Je hebt gezegd dat je immuun bent. Je hebt allerlei gestoorde dingen gezegd, maar op dit moment herinner ik me dat.'

'Is het oké als ik een sigaar opsteek?' vroeg hij.

'Probeer hier nu niet onderuit te komen.'

'Dat probeer ik helemaal niet. Ik heb een sigaar nodig. Ik ben nerveus.'

'Kijk aan. Nu probeer je er al weer onderuit te komen.'

'Angela. Zou je het daarginds echt naar je zin hebben? Het is er mooi en misschien wordt het fantastisch, maar… is het ook niet een beetje geïsoleerd? Raken wij niet geïsoleerd?'

'Geïsoleerd? Waarvan?'

'Dit.' Hij spreidde zijn armen. 'De stad.'

'Ik weet het niet,' zei ze. 'Soms vind ik het maar een stad van niets.'

'Vergeleken met Marbella is Göteborg groot,' zei hij.

'Ik vergelijk het niet met Marbella.'

'Je vergelijkt het met Madrid? Barcelona? Parijs? Londen? Milaan? Singapore? Bombay? Sydney? New York?'

'Ja.'

Winter lachte kort.

Hij stak een Corps op.

De rook dreef in de avond weg. Hij kon hem lang volgen.

'Het is mooi als de rook op zo'n heldere avond wegdrijft,' zei hij.

'Ik ga naar bed,' zei ze en ze stond op.

Winters mobiele telefoon rinkelde. Hij had hem op tafel gelegd. Angela sloeg haar ogen ten hemel en wuifde terwijl Winter de telefoon pakte.

'Goedenacht, Winter.'

Hij herkende de stem aan de andere kant van de lijn.

'Jij ook een goedenacht, Sivertsson. Bedankt voor je belletje.'

Het was Holger Sivertsson, het hoofd van het wijkteam in Angered.

'Je zei dat ik laat kon bellen. Of vroeg. Maar je hoeft me niet te bedanken. Het nieuws is dat er geen nieuws is.'

'Wat betekent dat?'

'Dat betekent dat onze bronnen niets weten. In elk geval niet op dit moment. Of in elk geval nog niet.'

'Ben je niet verbaasd?'

'Ik ben niet meer zo gauw verbaasd, Winter. Niet na vijfentwintig jaar in dit deel van de stad.'

'Zit je er al zo lang?'

'Maar geen kwaad woord over deze wijken.'

'Ik heb niets gezegd, Holger.'

'Onze slechte naam is onverdiend.'

Winter zei niets.

'Er wonen hier tachtigduizend mensen,' ging Sivertsson verder. 'En dan heb ik Bergsjön niet eens meegeteld. Bergsjön valt onder Kortedala. Maar we bewegen ons natuurlijk wel over de grens. We bewegen ons over alle grenzen. We volgen onze lieve jongens bijvoorbeeld naar de stad. Je kunt je wel voorstellen dat de hele groep verbaasd is wanneer die bij een club aan de Mölndalsbrug zit te donderjagen en de wijkagenten van Angered opeens voor hun neus staan.'

'Dat kan ik me voorstellen, ja.'

'Geen anonimiteit, Winter. Ze kunnen nergens naartoe. Anonimiteit is het beste wat een crimineel heeft.'

'En nu is het verschrikkelijk anoniem.'

'We zullen resultaten boeken, Winter. We weten hier hoe je informanten moet runnen. Als er iets groots achter had gezeten, hadden we dat nu of op het moment zelf al geweten. Waarschijnlijk eerder dan de betrokkenen!'

Als een rechercheur een informant runde, hield dat in dat hij een relatie met hem opbouwde. De informant kon een actief bendelid zijn, iemand in de criminele periferie en soms iemand daarbuiten. Het belangrijkste was de relatie, de rechercheur moest echt een nauw contact hebben. En de anonimiteit. Een informant bracht zichzelf in levensgevaar. Het is taboe om te onthullen wat er in de criminele wereld gebeurt. Dat wist Winter. Daarom was het ook van levensbelang dat zo weinig mogelijk mensen wisten wie de informanten waren. Sivertsson wist niet met welke informanten zijn eenentwintig rechercheurs werkten. Hij wist zelfs niet hoeveel het er waren. Hij wilde dat niet weten. Hij wilde niet het risico lopen een vergissing te begaan. Dat zou hij waarschijnlijk ook niet doen, maar een achtergebleven briefje met een naam erop kon een ramp veroorzaken. Slechts één back-up wist iets: we hebben dan en dan afgesproken, als ik niet terugkom, dan…

Winter wist ook dat het tegenwoordig moeilijker was om informatie van getuigen te krijgen. Het was stiller. De mensen waren nu banger. De politie had informatie van de onderwereld nodig, mededelingen uit de onderwereld. Waarom werd iemand politie-informant? Waarom zou iemand zijn eigen doodvonnis tekenen? Het was de spanning. Een extra dimensie om aan je identiteit toe te voegen. In de criminele wereld verkeren en tegelijk iets meer zijn. Iets zíjn. Er een verdomd grote kick van krijgen.

'Ik weet niet of je begrijpt wat wij hier voor netwerk hebben,' hoorde hij Sivertsson nu zeggen.

'Jawel.'

'Volgens mij niet. Maar dat maakt ook niet uit. Het nieuws op dit moment is dus dat er geen nieuws is, maar dat dat er wel komt.'

'Je zei dat je dacht dat onze moorden geen verband hielden met een grotere zaak. Weet je dat zeker?'

'Tenzij ze hun werkwijze helemaal hebben omgegooid.'

'Wie?'

'Dat maakt niet uit. De bendes. De vrije jongens. Ik durf te stellen dat het onmogelijk is om hier bijvoorbeeld op grote schaal drugshandel te bedrijven zonder dat wij daar iets van merken. Dat geldt ook voor kleinere zaken. Het is onmogelijk.'

'Toch wordt er gehandeld,' zei Winter.

'Ja, is dat niet gek? Ik denk daar vaak over na. Waarom is er criminaliteit als er politie is?'

'Interessante gedachte, Holger. Denk je dat we hier met amateurs te maken hebben?'

'Hoe bedoel je?'

'Arme stakkers die in zaken zijn gegaan zonder dat ze zich bewust waren van de risico's? Die misschien over een partij heroïne zijn gestruikeld, of die hebben gestolen, en dat dit hun straf was?'

'Dit is enorm, Winter. Misschien weet jij met je centrumhorizon niet hoe er hier over Jimmy Foro wordt gepraat, over wat er in zijn winkel is gebeurd. Zelfs naar onze maatstaven is dat geen kleinigheid.'

'Ik geloof dat ik je begrijp.'

'We hadden het hoe dan ook geweten, Winter. Een van onze informanten had het moeten weten, in elk geval naderhand. Hij had iets moeten horen. Het is onmogelijk dat zoiets niet uitlekt.'

'Dan is het onmogelijke dus gebeurd?'

'Wat ik zeg, is dat dit geen straf is of iets dergelijks. Er is geen verband met een partij van het een of ander.'

'Een andere activiteit dan? Prostitutie? Trafficking? Een overval van waardetransporten? Levensmiddelenhandel?'

'Levensmiddelenhandel?'

'Dat zijn serieuze zaken, Holger.'

'Neem je me in de maling?'

'Nee.'

'Mooi, want het zíjn serieuze zaken. Illegale levensmiddelenhandel. Daar hebben we behoorlijk wat problemen mee gehad. Maar los van de branche waar het in dit geval om gaat, zouden we iets moeten weten, in elk geval een klein beetje.'

'Dus wat is het dan?' vroeg Winter.

'Die vraag moet jij beantwoorden, Winter.'

'Ik dacht alleen hardop.'

9

In het licht van de dageraad werd alles om hem heen zacht. Het was alsof hij de wereld door een fijnmazig weefsel bekeek. Als hij bewoog, bewoog dat mee. Hij was het enige wat nu bewoog. In de warme ochtendschemering was alles stil. De temperatuur was vannacht niet onder de twintig graden gezakt. Hij had het zweet op Angela's onderrug gevoeld toen ze met elkaar vrijden, in het uur dat de duisternis langs de hemel trok. Hij had op dat moment niet geluisterd of hij andere geluiden hoorde. Dat deed hij nu evenmin. Daar was hij niet naar op zoek.

Tussen de parkeervakken en de deur van de winkel zat twintig meter. Wellicht zouden ze sporen van auto's vinden en wellicht ook niet, waarschijnlijk niet. Er hadden veel auto's gestaan, maar niet nu. De afzetlinten hingen op de grond maar vervulden hun functie misschien toch. Winter liep de passen van de parkeerplaats naar het gebouw. Hij liep heen en weer. Hij had de plek waar hij liep laten filmen, de inrit om het zo maar te zeggen. De technici hadden foto's gemaakt. Hierlangs kwamen de moordenaars aangestormd. Of aangeslopen. Of aangelopen, zoals hij. Het was stil geweest, zoals nu. Geen verkeer op de weg. Niet voor zover hij wist. Misschien zou een getuige zich melden, ze hadden al een oproep gedaan. Misschien was er iemand die niets had gezien, maar wel was langsgereden. Iemand die achter of voor de moordenaars reed toen die vertrokken. Als ze per auto waren weggegaan, tenminste. Misschien waren ze weggerend. Misschien houden ze zich in die flatgebouwen schuil, dacht hij en hij keek op. Hoe zet je een heel stadsdeel af? Een hele stad?

Het gras leek vochtig op dit vroege uur. Torsten Öberg had verse afdrukken gevonden van schoenen die door een kind moesten zijn gedragen. Een jongen. Of een meisje. Of iemand die geen van beiden is, maar kleine voeten heeft. Hij dacht opeens aan allerlei dingen die verband hielden met wat er hier was gebeurd: de kassa die had aangegeven dat de laatste klant om tweeënveertig minuten na middernacht was geholpen, dat had Bergenhem met behulp van de fabrikant van het apparaat achterhaald. Hadden de moordenaars iets gekocht? Voordat ze hun hagelgeweren hieven, met verschillende lading, met verschillende munitie, waardoor het onmogelijk was om vast te stellen hoeveel wapens er waren gebruikt. Maakte dat iets uit voor de moordenaars?

Maakte het uit hoe het was gebeurd? Wie het eerst werd neergeschoten? Jimmy had het dichtst bij de deur gelegen. Vervolgens Said. Het leek of Hiwa was weggelopen van de toonbank, de counter of hoe je dat ding verdomme ook noemde. Hiwa Aziz. Een jonge Koerdische man wiens leven in de Zweedse juninacht was geëindigd. Daarvoor was hij hier niet komen wonen. Was hij onderweg geweest naar de moordenaars toen hij werd neergeschoten? Waarom was hij niet de andere kant op gerend? Hij zou misschien niet ver zijn gekomen, maar achter in de winkel was een aparte ruimte met een raam. De eerste keer dat Winter hier was, was dat raam dicht geweest. Hij keek weer naar de winkel, een glazen paleisje in de ogen van iemand met een gestoorde fantasie. Winter had fantasie, soms te veel, soms gestoord, maar die hielp hem bij zijn werk. In elk geval tot nu toe. Op dit moment was hij er niet meer zo zeker van. Hij was op dit moment nergens zeker van, maar dat was normaal, eigenlijk vanzelfsprekend.

Hiwa Aziz. Hij is de sleutel. Waarom denk ik dat? De sleutel waartoe?

Hij had een kans. Of hij dacht dat hij die had. Waarom dacht hij dat? Omdat hij de moordenaars kende. Wist hij wat er zou gebeuren?

Ze hadden hoesjes over hun schoenen gedragen. Hiwa, Jimmy en Said hadden dat gezien.

Ze hadden de schoenhoesjes buiten aangetrokken.

Binnen waren afdrukken gevonden van twee verschillende maten, al was het niet duidelijk welke, misschien 40, 41 of 42. Het konden er meer zijn. De rode zee had geen simpele en heldere sporen opgeleverd.

Winter keek naar de dunne ochtendlucht. De temperatuur was al opgelopen. Er zou een nieuw record worden gevestigd. Ga vooral naar Göteborg, maar niet in de zomer, dan is het er te heet.

Hij liep opnieuw heen en weer. Hoeveel moordenaars zullen we vinden? Proberen te vinden. Nee, vinden. Opsporen, *hunt down*. Hij dacht aan zijn vriend in Zuid-Londen, Steve Macdonald, hoofdinspecteur bij de recherche in een gebied waar elk jaar honderden moorden werden gepleegd. Of was het per kwartaal? Croydon, een van de grootste steden in Engeland. Maar de stad verdween in Londen. Göteborg zou in Croydon verdwijnen. Winter had begin oktober een weekje Londen gepland met zijn gezin. De beste tijd. Het appartementenhotel in Chelsea. Misschien een *pint* met Steve in de pub die uitkeek op Selhurst Park, de thuisbasis van het verschrikkelijke Crystal Palace, een voetbalteam waarvan alleen moeders konden houden. Ze waren de eerste keer dat ze elkaar ontmoetten naar Prince George gegaan, High Street, Thornton Heath. Winter was naar Londen gevlogen om te assisteren bij het onderzoek naar de moord op een Zweedse jongen bij Clapham Common. Nu stond hij in het licht van de dageraad op het Zweedse asfalt. Langzaam werd de lucht helder, verloor zijn onschuldige licht. De zon was weer onderweg. Winter stond nu in de deuropening. Hij kon de rode zee zien. Die viel niet weg te spoelen. De contouren van de zee zouden hier altijd aanwezig zijn, de sporen zouden blijven. Hij betwijfelde of er ooit nog een winkel in het pand zou worden gehuisvest, maar daar kon hij zich in vergissen. Iedereen vergat, soms heel snel. Hij wou dat hij dat vermogen bezat. Hier waren ze naar binnen gegaan. Gezichten hier, gezichten daar. Hadden de slachtoffers op de plek gestaan waar ze werden gevonden? Het ging slechts om een paar passen, maar die konden beslissend zijn, voor hem. Voor hen had het misschien niets uitgemaakt. Voor Winter maakte het wel uit. Alles was nu belangrijk. Alles was beslissend.

Opeens voelde hij weer een duizeling. Alsof hij een fractie van een seconde indutte. Verdomme. In het oosten dook plotseling de zon op en een straal trof zijn gezicht. Hij voelde een pijn boven zijn ene oog. Die had hij al een paar keer gevoeld deze lente. Zo hoorde je je niet te voelen als je terugkwam na een halfjaar in Zuid-Spanje. Daar loop je toch niet voor het eerst van je leven migraine op? Vervolgens was de duizeling verdwenen en hij dacht er verder niet meer over na.

★

Fredrik Halders stond midden op het grasveld. Dit was de tweede dageraad op een rij. Het was al een gewoonte aan het worden. Na tien minuten ging hij weer naar binnen. Aneta draaide zich om toen hij weer in bed kwam liggen.

'Wat is er, Fredrik?'

'Ik kon niet slapen.'

'Doe nog maar een poging,' mompelde ze en ze ging op haar andere zij liggen.

Hij sloot zijn ogen zonder te antwoorden. In de kamer was het barmhartig donker achter het rolgordijn. Hij zag rode en zwarte stipjes voor zijn ogen. Sommige leken net dikkopjes. Ze bewogen, bijna volgens een patroon. Hij zag iets anders bewegen, een hoofd. Dat leek te verdwijnen en was ergens in gehuld. Hij kon alleen het hoofd zien. Hij begreep dat hij nu droomde en hij wist wat de droom voorstelde. Hij werd wakker. Aneta sliep, hij herkende haar rustige ademhaling als ze echt sliep. Ze leek wel op elk moment te kunnen slapen. Als ze ervoor koos te gaan slapen, dan sliep ze. Misschien is dat haar erfdeel, dacht hij. Misschien is het in Afrika zo. Ik moet het haar eens vragen. Hij ging zitten en reikte naar zijn horloge. Klokslag vijf uur, hij had amper een uur geslapen na zijn vroege wandeling. Het moest maar genoeg zijn. Hij stapte uit bed, trok zijn boxershort aan en liep naar de keuken om de waterkoker aan te zetten, maar bedacht zich.

Hij gaapte toen hij in de auto zat en drukte het bovenste cd'tje van de stapel op de passagiersstoel in de speler. Kevin Welch. Het was een lied over lenteregens, maar hier regende het niet. Halders deed zijn raam open. Een zachte regen zal vallen. Ooit, ergens. Hij rook bijna geen geuren van de stad toen hij naar het noorden reed.

De zon scheen op het gebouw, op de tweede verdieping, op een raam aan de linkerkant, als een laserstraal. Het raam leek zwart in het plotselinge licht. Toen was de straal weg, alsof de zon was ondergegaan. Winter stond op het wandelpad, halverwege de flatgebouwen. Hij keek naar het korte gras. Hij keek naar het asfalt. Het was onmogelijk om het asfalt uit te kammen op zoek naar onzichtbare aanwijzingen. Hij begon weer naar de flatgebouwen te lopen. Daar zag hij een plotselinge beweging! Daar! Iets wat links achter de struiken flikkerde. Was dat ook een zonnestraal? Nee. Niet zo laag. De stralen zouden de daken van de flatgebouwen raken als de zon aan de oostkant boven de aarde omhoogkwam. Daar was het weer! Verder naar links. Iets wat voorbijflitste. Er fietste iemand aan de andere kant van de struiken! Winter begon over het veld te hollen, sneller dan hij gezien zijn knieën en kuiten zou moeten doen. Nu zag hij de jongen. De fiets reed bij de struiken vandaan. Winter probeerde zijn tempo te verhogen, hij was halverwege het veld. Er stonden nu geen struiken meer. Hij zag dat de jongen zich omdraaide en toen zijn snelheid opvoerde. Het was dezelfde jongen. Winter bleef rennen. Hij hief zijn hand in een soort groet. Hij wilde een vriendelijk gebaar maken. Hij wilde de jongen daarmee tegenhouden, maar die liet zich niet tegenhouden, hij keek niet om. Hij reed een hoek om en was weg. Winter holde nu over het asfalt. Hij voelde het in zijn kuiten trekken, maar daar was nog niets versleten. Nu merkte hij dat zijn longen het begonnen op te geven. Opeens had hij verdomd veel pijn op zijn borst. Boven zijn oog knapte er iets. Alleen maar de hoek om, dacht hij. Nog even en ik ben er.

Halders was van plan geweest langs te rijden en later terug te komen, maar hij zag Winters auto op de parkeerplaats. Het is dan wel een Mercedes, maar hij zou hem moeten omruilen voor een nieuwer model. Of hij wacht nog tien jaar en dan is het een auto die iedereen wil hebben. Vintage. Over tien jaar zijn we allemaal vintage. Dan wil iedereen ons hebben, nog meer dan nu.

Halders parkeerde naast Winters auto. Hij stapte uit en liep naar de winkel. Hij was hier voor het eerst, gisteren had hij daar geen tijd voor gehad. De deur naar de winkel stond open. Halders zag geen collega die de wacht hield, noch iemand van de bewakingsfirma. Er zou iemand moeten zijn. Hij keek naar binnen en zag al het rode dat zich vanaf de drempel naar binnen verspreidde, naar planken, toonbanken, tafels. De planken stonden vol etenswaren, zakjes, blikken, potten, aluminium verpakkingen. Kleurige etiketten. Hij zag een diepvriesvak, een kleine vleestoonbank met kransen van mollige Turkse lamsworsten. Rode, groene en paarse groenten. Halders herkende aubergines als hij ze zag, maar hij maakte ze zelden klaar omdat het zo lang duurde, voordat je ze kon gaan bakken moest je zout op de plakjes strooien en dan moesten ze onder een pers worden gelegd zodat het vocht eruit ging. Hij zag grote platte broden, potten met augurken en pepers, dozen met een mierzoete snoeperij die je na één hap levenslang diabetes gaf. Dit is eerder een supermarkt dan een buurtwinkel. Ik vraag me af hoeveel hier op legale manier is ingekocht. Wordt er in deze delen van de stad nog op een fatsoenlijke manier ingekocht? Heeft een oude, fatsoenlijke Zweedse ica-supermarkt hier ergens op een plein niet moeten sluiten vanwege te dure leveranciers?

Halders keek van links naar rechts. De sporen van de moorden waren overal te zien. Jezus, het ziet er verschrikkelijk uit. Wie heeft zoveel haat in zich?

Het is alsof de gezichten er niet meer mogen zijn, had hij gedacht toen hij op het politiebureau de foto's had gezien.

'Het is alsof het hen om de gezichten ging,' had hij naderhand tegen Winter gezegd. 'Maar het kan niet met de identificatie te maken hebben.'

Winter had geen antwoord gegeven.

'Toch?'

'Dat denken we niet, nee.'

'Hoe bedoel je dat, Erik?'

'Ik weet het nog niet precies,' had Winter geantwoord. 'Er is iets wat ik niet begrijp. Nog niet.'

Halders bleef op de drempel staan.

Plotseling hoorde hij buiten iemand roepen. Het klonk als een roep om hulp. Het klonk als een echo.

Winter hoorde zijn eigen stem tussen de flatgebouwen weerklinken. Het roepen had niet geholpen, de jongen was er niet zichtbaar door geworden. De jongen had de andere hoek om kunnen fietsen of hij had met fiets en al in een portiek kunnen verdwijnen. Het kan iedere willekeurige knul zijn. Hij hoeft niet noodzakelijkerwijs iets te hebben gezien. Hij hoeft niet noodzakelijkerwijs iets te weten. Volgt hij mij? Volg ik hem? Opeens krijsten er een paar meeuwen in de lucht. Winter werd uit zijn overpeinzingen gerukt en deinsde terug. Hij begon langs de flats te lopen, sloeg de hoek om en liep Halders letterlijk tegen het lijf.

'Shit, wat doe jij hier?'

'Ook goedemorgen,' zei Halders en hij masseerde zijn voorhoofd.

Winter probeerde langs Halders heen te kijken. 'Heb je hier iemand gezien?' vroeg hij en hij keek Halders aan.

'Nee.'

'Een jongen van een jaar of tien?'

'Nee, ik heb niemand gezien.'

'Hij was hier,' zei Winter. 'Het knulletje.' Hij gebaarde naar achteren, om alle hoeken, naar het wandelpad, naar de stille winkel en weer terug. 'De jongen die ik op de ochtend na de moord zag.'

'Was hij hier?' Halders keek eerst rond, toen op zijn horloge. 'Zo vroeg?'

'Nu je het daar toch over hebt,' zei Winter. 'Wat doe jíj hier?'

Halders keek naar het noorden. Ze stonden voor de winkel. Winter stak een Corps op, nam een trek, blies uit. De rook dreef als een verontreiniging in de heldere lucht weg naar het noorden, maar loste halverwege het veld op. Winter nam een nieuwe trek. De rook voelde wrang in zijn mond. Misschien was het tijd om te stoppen. Dit was de laatste. De ochtend was veel te mooi. Het leven was veel te waardevol en dat soort dingen. Zijn verantwoordelijkheid voor zijn gezin *und so weiter*. Angela zei dat soms, *und so weiter*. Elsa was er ook mee begonnen en nog even en dan zou Lilly het ook doen. Enzovoort. Zoals de boer op de schitterende velden, hij ploegde voort.

'Ze had bezoek,' zei Winter. 'Shahnaz Rezai had bezoek.'

'Van wie?'

Winter antwoordde niet.

'Wie zou haar op dat tijdstip willen spreken?'

'Iemand die hier ook was,' zei Winter en hij wees naar de winkel. De glazen wanden blonken als een prisma.

'Wie bezocht haar?' herhaalde Halders.

'Iemand die ze kende.'

Halders knikte.

'Ze kon door het spionnetje zien wie het was,' zei Winter. 'Een vreemde zou ze niet hebben binnengelaten, zeker niet midden in de nacht.'

'Misschien liet ze niemand binnen,' zei Halders. 'De moordenaar was al binnen.'

'Said, ja.'

'Said,' zei Halders.

'Of iemand die ze kende.'

'We weten nog niet wie de Rezais kenden,' zei Halders. 'En ik denk niet dat we een volledige lijst krijgen.'

'Misschien is dat niet nodig,' zei Winter.

'Zullen we gaan?' vroeg Halders.

Er hing een bord bij de ingang van het winkelcentrum in Rannebergen, of hoe je het ook maar moest noemen. Het economische centrum misschien. Door een glazen wand zag Winter een pizzeria. Hij parkeerde bij de sport- en zwemhal. Hij liep terug en las wat er op het bord stond: WIJ ZIJN DOL OP VOORSTEDEN. Misschien had woningcorporatie Bostadsbolaget het bord opgehangen. Zij inden de huren. Of de gemeente. Of een andere officiële instantie. Iedereen was dol op voorsteden zolang ze voorsteden bleven, dacht hij. Zolang ze zich afzijdig hielden in de periferie. Het was niet zo prettig als de voorsteden in beweging kwamen en in de richting van het centrum groeiden. In de richting van het Vasaplein. Dan werd het tijd om te verhuizen. Naar het zuiden, naar de zuidelijke voorsteden. Ten zuiden van het zuiden van de stad. Daar is het schoner, mooier, witter. Maar in Rannebergen was het ook wit en mooi. De woningcorporatie had besloten dat er in elk trappenhuis maar drie immigrantengezinnen mochten wonen. Dat niemand daar eerder aan had gedacht, dat was integratie.

'Wat een vlaggen,' zei Halders terwijl hij naar de gevels keek. 'Is het vandaag de dag van de Zweedse vlag?'

'Die bestaat niet meer,' zei Winter. 'Het heet nu de nationale feestdag.'

'O ja,' zei Halders.

'En die is al geweest,' zei Winter.

'Ik heb er niets van gemerkt.'

'Iedereen had vrij,' zei Winter.

'Daar heb ik ook niets van gemerkt,' zei Halders en hij begon in de richting van de Fjällblomman te lopen.

★

De dode flat werd verlicht door de vroege ochtend. Winter en Halders liepen binnen voorzichtig heen en weer. Ze hadden beiden hetzelfde merkwaardige gevoel van schaamte als anders. Ze kwamen na de dood. Eerst was er het leven, dan kwam de dood en vervolgens kwamen Winter en Halders. Maar nu was er niemand tegenover wie ze zich konden verontschuldigen. Er waren geen nabestaanden of overlevenden. Niemand om te troosten. Niemand om vragen aan te stellen.

'En geen van de buren heeft iets gehoord,' zei Winter.

'Goede isolatie,' zei Halders. 'Wij bouwen hier in Zweden goede muren.'

'Iemand moet iets hebben gehoord,' zei Winter.

'Waarom zouden ze dat aan ons vertellen?' vroeg Halders.

Winter knikte. Waarom? Wat zou het de getuigen opleveren? Een schouderklopje? Een vriendelijk bedankje, een waarderend woord van de politie in Västra Götaland?

Of een lading hagel in hun gezicht? Nee. Zoiets was voor iets anders bedoeld, voor iemand anders.

'We moeten ze door elkaar schudden,' zei Halders.

'Wat kwam je bekijken?' vroeg Winter. 'Waarom wilde je op dit tijdstip hierheen? Waarom kon je niet wachten tot de zon echt op was?'

'Toen ik de foto's zag, begreep ik niet helemaal hoe ze precies lag,' zei Halders. 'En de technici konden ons niet meteen binnenlaten.'

'Ze lag dwars over het bed,' zei Winter.

Halders antwoordde niet. Hij stond nu over het bed gebogen. Het was bijna alsof hij er een schaduw op wierp. Het bed was nog net zo als toen Winter hier voor het eerst was binnengestapt. Het was niet langer een bed.

'Waarom op bed?' vroeg Halders. 'En waarom op deze manier?'

'Ga door,' zei Winter.

Halders deed zonder iets te zeggen een paar passen naar achteren, liep weer terug, ging op zijn hurken zitten, kwam overeind. Winter kon buiten meeuwen horen, die had je hier ook. Het was misschien een zilvermeeuw. Die lachte plotseling, de lach rolde door de ramen naar binnen. Het was een holle lach, zonder echte vreugde.

'Of ze deed de deur vrijwillig open of ze drongen op de een of andere manier naar binnen,' zei Halders.

'Er zitten geen sporen op de deur,' zei Winter.

'Sleutel. Ze hadden een sleutel.'

'Said had een sleutel,' zei Winter. 'Hij woonde hier.'

'Hij is het niet,' zei Halders. 'Dat hadden we gezien. Pia had dat gezien. Of de mensen van Torsten.'

'We hebben nog niet alle resultaten binnen,' zei Winter.

'Ze belandden hier in bed,' zei Halders stilletjes alsof hij het tegen zichzelf had. 'Het moest in dit bed gebeuren. In een onnatuurlijke houding. Als je dat in dit geval kunt zeggen. Ja. Een onnatuurlijke houding.' Hij keek Winter aan. 'Een slachthouding.'

Winter knikte. Hij had precies hetzelfde gedacht. De moord had iets van een ritueel. Was het een ritueel? Wie beoefende dat? Bestond het? Kon hij het vinden? Was er een handleiding?

'De moord had op de vloer kunnen plaatsvinden, in de keuken, in de woonkamer,' zei Halders, 'maar hij vond hier plaats.'

'Er is vóór de moord iets gebeurd,' zei Winter.

'Ze zeiden iets.' Halders spreidde zijn handen. 'Misschien was er een ceremonie. Iets wat vooraf moest worden gedaan. Of gezegd.'

'Was het naderhand?' vroeg Winter.

'Naderhand? Je bedoelt na de schoten in Hjällbo?'

'Ja.'

'Dat denk ik wel. Vlak erna. Of gelijktijdig. Ik weet het niet, Erik.'

'Als het gelijktijdig gebeurde en er andere mensen bij waren betrokken, dan hebben de moorden misschien niets met elkaar te maken,' zei Winter.

'Ze hebben wel degelijk met elkaar te maken,' zei Halders.

Buiten hoorde Winter weer het gelach. De mensen die hier hadden geleefd, hadden dat ook gehoord. Misschien waren ze erdoor gewekt op vroege ochtenden wanneer slapen het belangrijkste in het leven was. Hij hoorde het geluid van een auto met een onnodig hoog toerental. Het was immers nog vroeg in de ochtend.

Hij probeerde zich Said Rezai voor de geest te halen, maar slaagde er niet in zijn hele gestalte te zien. Hij werd eerder een verschijning. Onduidelijk en boven de schouders haast onzichtbaar. Said had in de dood zijn gezicht verloren en het was er niet meer toen Winter hem probeerde te zien zoals hij voor die tijd was geweest. Voordat hij zijn gezicht had verloren. Had Said Rezai zijn gezicht al eerder verloren? Hij en de andere twee, Jimmy en Hiwa? Was dit slechts een bevestiging? Shahnaz Rezai had haar gezicht niet verloren. Maar wel iets anders. Haar dood maakte dit zo mogelijk nog gecompliceerder. Was dat de bedoeling geweest?

'Misschien veranderde Said alles,' zei Winter.

Halders keek op. Hij had naast het bed dat geen bed meer was gestaan en het leek alsof hij iets had gedroomd. Zijn ogen waren gesloten geweest.

'Ze hadden daarginds niet op Said gerekend,' ging Winter verder. 'Maar toen hij er eenmaal was, had hij geen schijn van kans.'

'Je bedoelt dat hij pech had?'

'Stomme pech,' zei Winter. 'Ze herkenden hem en hij herkende hen.'

'De moordenaars droegen geen masker, bedoel je?'

'Ik weet het niet, Fredrik, maar ik denk van niet. Jimmy had geen bewakingscamera en dat wisten ze.'

'Je vraagt je af waarom hij die niet had,' zei Halders.

'Waarom hij die op dat moment niet had,' zei Winter. 'In het verleden had hij er wel een, maar die is verwijderd.'

'Door wie?'

'Inderdaad. Door wie? Door Jimmy zelf.'

'En dat wisten de bezoekers?' vroeg Halders. 'Dat de camera was weggehaald?'

'Inderdaad.'

'Ze waren er al eens eerder geweest.'

'Misschien wel veel vaker.'

'Nu kwamen ze om de vriendschap op te zeggen.'

'Ja.'

'Niet om de boel te beroven.'

'Nee.'

'En toen stuitten ze op Said.'

'Een verrassing,' zei Winter.

'Ze konden hem toch door de deur zien? Of door de ramen? Die glazen wanden, verdomme.'

'Misschien was hij in de kamer achter de toonbank,' zei Winter. 'En kwam hij naar voren toen hij geschreeuw of gepraat of wat dan ook hoorde. Of hij stond in een hoek die ze vanbuiten niet konden zien.'

'We hebben daar nog het een en ander te doen,' zei Halders. 'We moeten daar nog een aantal stappen zetten. Heen en weer. Wie stond hier en wie stond daar.'

Winter knikte.

Halders liet zijn blik door de kamer glijden. 'En toen Said weg was, was het tijd voor zijn vrouw,' zei hij, 'en snel ook.'

Winter knikte weer.

'Ze konden niet het risico nemen dat ze bleef leven,' zei Halders. 'Als ze zou horen dat hij dood was, zou ze weten wie het had gedaan.'

'Als het zo eenvoudig is,' zei Winter.

Hij stapte van zijn fiets af en stapte daarna weer op. Het was stil toen hij tussen de flatgebouwen fietste. Het was warm. Hij vond het tussen de flatgebouwen het allerwarmst, alsof de warmte zich daar schuilhield.

Hield hij zich schuil? Voor wie dan? Hij had thuis niets gezegd, dus zij wisten van niets.

Iemand was op zoek naar hem. Hij was achter hem aan gehold toen hij op de fiets zat. Hij wist wie het was. Maar hij wilde niet met hem praten. In die zin hield hij zich schuil.

10

Winter reed met open raam. Hij meende de geur van de zee te ruiken. Het was iets zouts. Hij kwam langs het centrum van Angered. De parkeerplaatsen tussen hem en downtown Angered leken eindeloos, alsof ze voor de toekomst waren gebouwd. Net als de flatgebouwen hier, die waren ook allemaal voor de toekomst gebouwd. Die had zich nu aangediend.

Hij reed over de Angeredsleden verder in zuidelijke richting. Halders' auto zat voor hem. Winter zag Halders' elleboog naar buiten steken. Die was bruin en behaard, dat kon Winter zelfs vanaf deze afstand zien. Halders droeg een T-shirt en een spijkerbroek. Winter had vanochtend een linnen overhemd en een katoenen broek aangetrokken. Hij had dat half slapend gedaan. De restanten van een droom die hij nu was vergeten, hadden nog in zijn bewegingen gezeten. Iets met een strand en een zee. Hij droomde vaak over dat soort dingen sinds ze terug waren. In Andalusië was dat niet zo vaak voorgekomen, maar nu hij weer thuis was, kwam de herinnering aan de strand- en zeelijnen in zijn slaap en zijn dromen terug. De lijnen waren altijd recht en lang, ze liepen verder door dan zijn oog reikte, als parallelle horizonnen zonder einde.

Elsa had vanuit haar bed geroepen toen hij zich aankleedde en hij was naar de slaapkamer van de meisjes gegaan, maar ze was niet wakker geweest.

Hij had in de stilte van de keuken een kop koffie gedronken. Hij had weer aan de zee gedacht. De vluchtelingen. Die staken de zeeën over. De blauwe zee. De rode. De Rode Zee. De Middellandse Zee. Winter had gezien hoe er ten westen van Estepona vluchtelingen uit zee waren gevist. Hij wist dat duizenden mensen probeerden Ceuta binnen te komen. Hij was daar niet geweest en had geen behoefte om naar Marokko over te steken, laat staan naar het merkwaardige, kleine Spanje dat in Afrika lag. Ceuta. Een restant van het imperialisme. Daar stonden de eerste muren van Europa, al in Afrika. Hij wist dat er mensen in de golven waren omgekomen voordat ze land hadden bereikt. Ze hadden zelfs niet in Europa mogen sterven, ze hadden het niet gered. Hij was alleen geweest, op weg naar La Linea. Het was geen mooie kust.

Halders stak zijn arm omhoog en wees naar links om vervolgens af te slaan. Zo deed je dat vroeger. Winter herinnerde zich dat hij ooit in een auto had gezeten waar de richtingaanwijzer een stokje of een vlaggetje was dat werd uitgeklapt. Hij was drie geweest, misschien vier. Het was de auto van zijn vader geweest, wellicht die van oom Gösta. In dat geval een Volkswagen. Vader had een Mercedes gehad. Winter had na verloop van tijd ook een Mercedes gekocht. Op het moment zelf had hij niet kunnen geloven dat het waar was. Hij vertelde het niet aan zijn vader omdat ze elkaar destijds helemaal niets vertelden. Later hadden ze dat wel gedaan, maar toen was het te laat geweest. Bengt Winter was in het Hospital Costa del Sol in Marbella gestorven. Winter was in het ziekenhuis geweest, maar hij was er niet bij op het moment dat het gebeurde, hij had niet aan zijn vaders bed gezeten toen die stierf.

Winter volgde Halders over de Hammarkullenvägen in zuidelijke richting en ze reden vervolgens naar het Hammarkulleplein. Ze parkeerden. Halders sloot zijn auto af en liep naar Winter.

'Ze wonen aan de andere kant van het station en het plein,' zei hij. 'Aan de Bredfjällsgatan.' Hij gebaarde in de richting van het plein. 'Dat klinkt als een straat in een stadje op het platteland.'

'Een stad kan niet op het platteland liggen,' zei Winter en hij stapte uit zijn Mercedes. 'Of het is een stad, of het is het platteland.'

'Dan is het het platteland,' zei Halders, terwijl hij om zich heen keek. 'Dat is mijn beeld van het platteland.'

'Welk platteland?'

'Mijn moederland, natuurlijk. Of mijn vaderland. Wat je maar wilt.'

'Kom jij niet uit Västerås, Fredrik?'

'Waarom vraag je dat?' vroeg Halders. Opeens zag hij er wantrouwend uit.

'Het is zomaar een vraag.'

'Echt niet,' zei Halders en hij begon naar het plein te lopen.

'Wacht even,' zei Winter. 'Er staat iemand naar ons te zwaaien.'

'Waar?'

'Daar, bij de stenen.'

Nu zag Halders het ook. Het was een man van hun eigen leeftijd. Ondanks de warme ochtend droeg hij een colbertje. Hij stak zijn hand weer op. Misschien glimlachte hij, of het kwam door de zon. Die schitterde nu, op gezichten, op muren, in glas.

'De tolk zou er pas over een halfuur zijn,' zei Halders. 'Om negen uur. Maar dat zal hem zijn.'

De man kwam naar hen toe lopen en zij gingen hem tegemoet. Misschien lag er nog een glimlach op zijn gezicht, misschien was zijn mond iets open door de zon.

'Mozaffar Kerim,' zei hij en hij gaf eerst Winter en vervolgens Halders een hand. 'Ik ben aan de vroege kant.'

'Wij ook,' zei Halders.

'Woon je in Hammarkullen?' vroeg Winter.

Kerim deinsde terug. Het was inderdaad een abrupte vraag, alsof hij werd verhoord. Dit is geen verhoor, dacht Winter. Ik heb zijn hulp nodig.

'Nee… in Gårdsten.'

'Ken je de familie Aziz?' vroeg Winter.

'Alleen zoals wij Koerden elkaar kennen,' antwoordde Kerim.

'En hoe is dat?' vroeg Halders.

'Als broeders en zusters.'

'Ik bedoel of je ze weleens hebt ontmoet? Een van de familieleden? Of je ze persoonlijk hebt ontmoet?'

'Een enkele keer,' antwoordde Kerim. 'Op een feest.'

'Zijn dat grote feesten?' vroeg Winter om het gesprek een luchtiger wending te geven.

'Soms,' antwoordde Kerim.

'Heb je Hiwa Aziz ontmoet?' vroeg Halders.

'Ik geloof het wel. Maar dat was erg… hoe zeggen jullie dat? Vluchtig?'

Winter zag dat zijn ogen wegkeken, misschien vanwege de zon, misschien omdat het tijd was om te gaan, misschien om een andere reden.

'Waar komt die naam vandaan?' vroeg hij. 'Aziz?'

'Waarschijnlijk van hun vader,' zei Kerim. Hij leek verbaasd. 'Als hun vader hier was geweest, dan hadden de kinderen de naam van hun opa gekregen.'

'Gaat dat altijd zo?'

Kerim knikte. 'Eigenlijk hebben we drie namen.'

'Waar is hij?' vroeg Winter. 'Hun vader.'

'Het gezin is zonder hem gekomen.'

'Wat is er gebeurd?'

'Dat weet ik niet. Hij stierf. Werd gedood. Dat was in Koerdistan. Irakees Koerdistan, geloof ik. Maar misschien ook wel aan de Turkse kant.'

'Weet je in welke plaats?'

'Nee.'

De oudere zus deed open. Halders vroeg niet waar ze de vorige keer dat hij haar zag, op het plein, naartoe was gegaan. Dat zou geen goed begin van het verhoor zijn geweest. Of het gesprek, zoals Winter het liever noemde.

Ze begroetten elkaar.

'Nasrin,' zei ze.

Ze draaide zich meteen om en ging hen via de hal voor naar de kamer. De muren waren wit of ze zagen er in het tegenlicht wit uit. Aan de voorkant scheen de zon recht naar binnen door ramen waar geen jaloezieën of gordijnen voor hingen. De hal leidde verder naar een grotere kamer, waar een vrouw van middelbare leeftijd en een jong meisje opstonden. Ze leken alle twee bang. De vrouw zag er net zo uit als haar dochters, maar zwaarder, en korter dan Nasrin. Ze hadden dezelfde ogen, dat leed geen twijfel. De ogen van de oudste zoon had Winter kunnen zien op een foto van Hiwa toen hij leefde. Toen hij dood was, waren zijn ogen niet langer te zien geweest. Die waren er niet meer. Ze ziet er erg angstig uit, dacht Winter. Iets anders was onmogelijk geweest. Maar het is goed dat we hier zijn en niet op het politiebureau. De verhoorkamers zijn weliswaar zo ingericht dat ze de mensen enig gevoel van veiligheid geven, maar dat is een vals gevoel. Winter dacht niet na over de inrichting van deze woning, over wat hij er tot nu toe van had gezien. Dat zou hij later doen. Nu dacht hij aan de mensen tegenover hem. Hij zag het dienblad met theeglazen en lekkernijen op de tafel, baklava, *halva*, koekjes die op vogelnestjes leken, zonnebloemzaadjes en vruchten. De moeder had dit voor de gasten klaargezet. Hij was welkom als gast. Hij zou theedrinken en in het honingzoete bladerdeeggebakje bijten. Dat was geen opoffering.

Ediba Aziz, de moeder, was weer gaan zitten. Ze had zachtjes haar naam genoemd en de tolk had die herhaald. Mozaffar Kerim bleef staan, naast de jongere zus, die Sirwa heette. Later, op een andere dag, zou Nasrin Winter vertellen dat Sirwa 'lichte wind' betekende en Hiwa 'hoop', en dat de naam van hun broertje Azad 'vrede' betekende. Ook dat het Koerdische namen waren, die vroeger verboden waren. 'En wat betekent jouw naam, Nasrin?' had Winter gevraagd. 'Het is een bloem die je toch niet kent,' had ze gezegd. 'En wat betekent Erik trouwens?' had ze gevraagd. 'Dat weet ik niet,' had hij geantwoord. 'Zijn er geen Zweedse koningen die zo heten?' had ze gevraagd. 'Jawel,' had hij gezegd, 'maar dat ben ik niet.' 'Het moet iets met koning betekenen,' had ze gezegd. En hij had de naam opgezocht en die betekende 'heerser'. Maar ook 'eenzaam'.

Hiwa betekende hoop, had hij gedacht. Sirwa betekende lichte wind, zoals in lichte voetstappen.

Nasrin was in een zware fauteuil bij het raam gaan zitten en ze keek naar buiten alsof wat er binnen gebeurde haar helemaal niet aanging. Dat was de indruk die Winter kreeg: ik ben hier niet, praat vrijuit.

Winter wist dat het gezin vijf jaar geleden uit het noorden van Irak was gekomen. Uit Koerdistan, dat land zonder land dat bij Iran, Irak, Turkije en Syrië hoorde – Oost-, Zuid-, Noord- en West-Koerdistan volgens de Koerden – maar tegelijk ook niet. De mensen verspreidden zich over die landen en vervolgens naar de rest van de wereld, over grenzen die er wel waren en grenzen die er niet waren, ze verspreidden zich als in een diaspora, als om de mensen er nogmaals aan te herinneren dat vrijheid het tegenovergestelde is van grenzeloosheid.

Het gezin Aziz was hier gebleven. Ze wisten nog altijd niet of ze mochten blijven. Ze wachtten nog steeds. De Zweedse overheid beweerde dat het in Noord-Irak al zo lang rustig was dat er geen reden was om die regio te ontvluchten. Om niet terug te keren. De Zweedse overheid wist het het beste.

De oudste zoon had nu wel een permanente verblijfsvergunning gekregen, dacht Winter.

Nasrin bleef naar buiten staren door het raam, dat net een naar binnen gerichte kwartslamp was. Ze heeft een zonnebril nodig, dacht Winter. Sirwa keek hem met een open gezicht recht aan. Zij was nog maar een kind. Hoe is het mogelijk? Ediba keek niemand aan. Haar ogen waren gesloten, alsof ze bad. Misschien was het ook een gebed, voor haar zoon. Hiwa mocht in de gewijde Zweedse aarde blijven, dacht Winter. Alle aarde in Zweden is gewijd. Altijd klaar om haar offers in ontvangst te nemen. Mozaffar Kerim keek Winter aan. Hij had woorden nodig die hij kon vertalen. Of interpreteren. Dat is een mogelijkheid, dacht Winter en hij bereidde zich voor. Geen directe vertaling, meer een interpretatie. Maar wat als Mozaffar mij niet juist interpreteert? Of hen? Hij kan zo zijn redenen hebben. Hij kan over veel dingen liegen. Wat een geluk dat Fredrik vloeiend Koerdisch praat.

'Mevrouw Aziz…' zei Winter.

Ze leek niet te reageren. Haar ogen waren nog altijd gesloten.

Kerim zei iets en ze keek op.

'We moeten u een aantal vragen stellen,' zei Winter. 'Het duurt niet lang.'

Hij wist niet of hij haar in haar verdriet kon bereiken. Verdriet kon als een grot zijn. Heel diep, heel zwart. Daar was ze al eens geweest, jaren geleden. Nu is ze weer terug. Winter hoorde dat Kerim de woorden herhaalde, hij ging ervan uit dat het zijn woorden waren. Hij moest nu maling hebben aan Kerim, ervan uitgaan dat hij, Winter, rechtstreeks tot Ediba Aziz sprak. Hij moest naar haar kijken, nooit naar de tolk. Hij moest ervoor zorgen dat zij naar hem keek. Hij stelde de eerste vraag, over degene die ontbrak. Winter had gedacht dat iedereen er zou zijn. Hij had het verondersteld.

'Waar is uw jongste zoon? Waar is Azad?'

Nu sloeg ze haar ogen op, keek rond, snel, als wilde ze vlug constateren dat Azad er niet was. Ze leek niet verbaasd.

'Hij is buiten,' zei ze en haar blik was daar nu ook. Winter zag de dikke takken van een esdoorn door het raam, als een groene muur aan de overkant van het pleintje. Misschien verborg Azad zich achter die muur. Kerim had haar blik gevolgd, alsof het een onderdeel van zijn taak was om ook blikken en bewegingen te volgen. Dat is goed, dacht Winter. De woorden zijn niet alles. Hij wist het zelf na duizenden verhoren, korte en lange. Je moest voor het merendeel interpreteren. Woorden konden alles betekenen en niets. Hij kon iemand uren, dagen, weken verhoren terwijl het leek alsof ze een totaal vreemde taal met elkaar spraken, zonder dat hij de beschikking had over een tolk. Hij moest zelf de tolk zijn.

'De jongen had hier moeten zijn,' zei Halders vlak bij zijn oor. 'Ze zouden hier allemaal zijn.'

'Waar is Azad?' herhaalde Winter.

'Kunnen jullie hem niet gewoon met rust laten?'

Dat was Nasrin. Toen haar moeder haar ogen naar buiten had gericht, had Nasrin Winter aangekeken. Het was net alsof er buiten niet genoeg ruimte voor hun beider blikken was, niet op de Bredfjällsgatan en niet op de voetbalvelden voor de school waar kinderen voetbalden of in groepjes met elkaar stonden te praten. Vandaag was er geen school, maar de kinderen waren er toch.

Nasrin had geen tolk nodig. Winter kon geen spoor van een andere taal in haar Zweeds ontdekken.

'Hoe bedoel je, Nasrin?' vroeg hij.

Winter wilde niet met haar praten, nog niet, maar hij moest wel, hij kon haar niet negeren, niet op dit moment.

'Ik bedoel niets. Ik zeg alleen dat wij nu hier zijn. Azad hoeft hier niet te zijn. Hij wil hier niet zijn.' Ze knikte door het raam naar buiten. 'Hij wil daar nu zijn. Hij wil fietsen.'

'Fietsen?'

'Fietsen, ja. Dat vindt hij leuk. Hij fietst nu ergens buiten rond.'

Het is niet mogelijk, dacht Winter.

Hij kan het niet zijn. Dit ligt te ver weg, te ver van Bergsgårdsgärdet, van Hjällbo. Maar het was niet te ver. Op een fiets kon hij die afstand zelf in relatief korte tijd afleggen. Heen en weer. Hij wist niet hoe Azad eruitzag. Hij zou vragen of hij een foto van hem mocht zien voor ze weggingen. Kerim keek hem aan: zullen we verdergaan? Winter wendde zich weer tot de moeder. Haar blik was nog altijd naar buiten gericht.

'Ik moet een paar vragen over Hiwa stellen, mevrouw Aziz.'

Ze antwoordde niet. Hij wist niet zeker of ze hem hoorde. Hij herhaalde zijn vraag en Kerim deed hetzelfde, als een echo. Dit was de juiste manier om een vreemde taal te leren. Hij zag dat Nasrin iets wilde zeggen, maar zich bedacht. Wat zou ze nu zeggen? Kunnen jullie Hiwa niet met rust laten? Maar dat ging niet. Voor hem was er geen rust. De doden kregen geen rust wanneer Winter hun dood was binnengestapt. Of hun leven. Je zou kunnen zeggen dat ze weer een leven kregen als Winter kwam.

'Hoe lang heeft Hiwa voor Jimmy Foro gewerkt?'

Ze antwoordde nog steeds niet. Winter herhaalde zijn vraag.

'Ik weet niet… wie dat is,' zei ze zonder haar blik te verplaatsen. Winter keek nu eveneens naar buiten, net als de tolk, en misschien ook de anderen in de kamer. Het is net alsof ik een verhoor… en profil afneem, dacht Winter. Als een Egyptische wandschildering. Op de muren van deze kamer waren geen schilderingen. Er was wel textiel, maar er waren geen schilderingen. De structuren van het textiel waren krachtig maar niet grof. De kleuren leken door zand en zon te zijn gefilterd. Zo zagen ze eruit. Winter zag een kaart op de verste muur. Daar stond een land op dat hij niet herkende.

'Jimmy Foro,' zei hij. 'De eigenaar van de winkel waar uw zoon werkte. Waar Hiwa werkte.'

Ze knikte, maar het was net alsof ze Foro's naam voor het eerst hoorde. Misschien was dat ook wel zo.

'Heeft Hiwa verteld waar hij werkte?' vroeg Winter.

Ediba Aziz schudde haar hoofd.

'Dat heeft hij niet verteld?'

Ze schudde weer haar hoofd.

'Wist u dat hij in een winkel werkte?'

Ze schudde nogmaals haar hoofd.

Winter keek naar Nasrin, maar de jonge vrouw keek niet terug. Ze had besloten niets meer te zeggen, dat kon Winter zien, hij herkende het. Iedereen moest zichzelf nu maar zien te redden, zonder haar hulp. Haar profiel was scherp, alsof het uit de lucht was gesneden. Nasrin en Hiwa hadden zes jaar gescheeld. Het was toch zes jaar? Nee, zeven. Ze moest buiten zichzelf zijn van verdriet. Buiten zichzelf. Een merkwaardige uitdrukking. Misschien was dat zo. Ze was nu hier, maar tegelijk ook niet. Ze is buiten, waar haar blik is, buiten zichzelf. Ze is het groen buiten, de zon, wellicht de kinderen.

'Ik wil dat u antwoord geeft op de vragen, mevrouw Aziz. Dat u met woorden antwoordt. Dat u iets zegt.'

'Ik wist niet dat hij in die winkel werkte,' zei ze.

'Bent u er weleens geweest?'

Nu keek ze op. In haar ogen was een oprechte verbazing te zien.

'Waarom zou ik daar zijn geweest?'

'Om boodschappen te doen misschien.'

'Het is… ver weg,' antwoordde ze.

'Weet u waar de winkel is gevestigd?' vroeg Winter.

Ze zag er nu een beetje verward uit. Ze keek naar haar oudste dochter, naar haar profiel.

'Nasrin…'

Nasrin draaide haar hoofd om.

'Ja?'

De moeder knikte naar Winter.

'Wat is er?' vroeg Nasrin.

'De winkel…' zei de moeder.

'Wat is daarmee?'

'Waar is die?'

'In Hjällbo. Die is in Hjällbo.'

Ediba Aziz wendde zich tot Winter. 'Hjällbo,' zei ze.

'Kende u die winkel?' vroeg Winter. 'Voordat uw zoon… voordat het met uw zoon gebeurde?'

'Nee.'

'Hij heeft er nooit met u over gesproken?'

'Nee.'

'Hij heeft nooit over zijn werk verteld?'

'Nee.'

'Waarom niet?'

Ze antwoordde niet. Winter herhaalde de vraag. Kerim herhaalde hem, al voordat Winter klaar was. Ze waren nu een team.

'Ik heb… er niet naar gevraagd,' zei ze.

'Maar u wist wel dat hij werkte?'

'Een beetje,' zei ze na een pauze.

'Een beetje? U wist dat hij een beetje werkte?'

'Ja.'

'Hij bracht geld mee naar huis?'

'Ja.'

'Veel geld?'

'Nee. Een beetje.'

'Hoeveel is een beetje?'

'Niet veel,' antwoordde ze.

We schieten lekker op, dacht Winter. Ze weet niet veel over die baan. Misschien wilde ze er niet naar vragen. Misschien dacht ze dat het om andere dingen ging, dingen waar ze niets van wilde weten.

Plotseling stond ze op, voorzichtig, en zei iets tegen de tolk.

'Ze moet naar… moet…'

'Dat is goed,' onderbrak Winter hem.

De vrouw schuifelde langzaam de kamer uit, alsof ze moeite had met lopen. Winter kon haar benen niet zien, noch enig ander deel van haar lichaam, behalve een stukje van haar gezicht.

De jongste zus volgde haar moeders passen met haar blik. Zij hoeft hier niet te zijn, dacht Winter. Dat was een vergissing geweest.

'Je mag wel naar buiten gaan als je wilt, Sirwa,' zei hij. 'Of iets anders gaan doen.' Hij probeerde te glimlachen, zijn vriendelijke gezicht te laten zien. 'Je hoeft hier niet te blijven.'

'Hadden jullie dat niet meteen kunnen zeggen?' vroeg Nasrin.

'Jawel.'

Ze keek opeens verbaasd, alsof dat het laatste was dat ze van de politie had verwacht. Dat die agent opeens zo defensief zou klinken.

'Dat was verkeerd van ons,' ging Winter verder.

'Kan de politie iets verkeerd doen?' vroeg Nasrin.

'Soms,' antwoordde Winter. Hij zag dat Halders bevestigend knikte.

'Dat heb ik nog nooit gehoord,' zei Nasrin. Ze glimlachte niet, maar haar blik had iets… ironisch. Maar misschien was het alleen berusting. Teleurstelling. 'Dat erkennen jullie nooit. Dat jullie iets verkeerd doen.'

'Je hebt het mij niet eerder gevraagd,' zei Winter. 'Of Fredrik.'

Nu glimlachte ze. Het was inderdaad een glimlach. Die meteen verdween.

'Wij vertrouwen de politie niet.'

'Je hebt verschillende soorten,' zei Winter.

'O?'

'Nasrin, wij zijn van de afdeling Onderzoek, de recherche. De regiorecherche. We zijn hier om de moord op je broer te onderzoeken. Dat is de reden waarom we hier zijn, de enige reden. We zullen alles doen wat binnen ons vermogen ligt om de mensen die je broer hebben vermoord te pakken te krijgen.'

Ze knikte.

'Daarom moeten we al deze vragen stellen. Sommige lijken stom. Misschien zijn ze dat ook wel. Andere zijn… lijken wellicht hard. Ik weet het niet. We moeten gewoon veel vragen stellen, vooral nu, in het begin. Als het net is gebeurd. Begrijp je? We hebben de hulp van jou en je moeder, van je familie hard nodig. Alle hulp die we kunnen krijgen. Die hebben we nodig.'

'Wij hebben nog nooit hulp gehad,' zei Nasrin.

Winter zei niets. Hij keek naar Halders, die knikte.

'Alle hulp die jullie kunnen krijgen, zeg je,' zei Nasrin. 'En wij dan?'

Winter zag dat ze nog iets wilde zeggen, maar ze sloot haar mond en liet haar blik weer naar buiten glijden.

'Mag ik gaan?' Dat was Sirwa. 'Mag ik naar buiten?'

'Natuurlijk,' zei Winter.

'En nu komen jullie ons om hulp vragen,' ging Nasrin verder zonder Winter aan te kijken.

Hij zag dat Sirwa de kamer uitging. Misschien zou haar zus haar weldra buiten op het plein zien.

Winter kwam overeind en liep naar het raam, maar ging zó staan dat hij

buiten Nasrins blikveld bleef. Hij zag een paar kinderen in de zandbak beneden. Een kind schommelde op een van de twee schommels. Alles was net
als anders. Ik heb het nu vaak genoeg gezien, dacht hij. Die kinderen in al
die godvergeten speeltuinen. Nu zag hij Sirwa naar buiten komen. Ze liep
snel door de speeltuin en keek niet om zich heen, achterom of naar boven,
waar hij stond. Een van de kinderen, een klein meisje, stak haar hand op in
een groet en Sirwa zwaaide terug. En toen was ze verdwenen, de hoek om.
In dit verhaal verdwijnen alle kinderen om de hoek, dacht Winter. Ze verdwijnen.

'Ze is heel verdrietig,' hoorde hij opeens naast zich.

Nasrin was overeind gekomen en stond nu naast hem.

Winter knikte. Hij vroeg niet hoe het voor Nasrin was. Dat had alles kunnen verpesten. Maar misschien was alles al verpest, ongeacht wat hij deed
of zei.

'Waar denk je dat ze naartoe is?' vroeg Winter.

'Ik weet waar ze naartoe is,' zei Nasrin.

'Waar dan?'

'Waar Azad is.'

'En waar is dat?'

Ze antwoordde niet.

'Is het belangrijk voor me om dat te weten?' vroeg Winter.

'Nee.'

'Dan zal ik er niet meer naar vragen.'

'Fijn.'

'Maar ik wil je wel wat over de winkel vragen.'

'Dat begrijp ik.'

'Hoe lang werkte Hiwa daar al?'

'Niet zo lang.'

'Een maand? Twee maanden?'

'Misschien vier of vijf maanden. Ik herinner het me niet precies. Ik weet
niet meer wanneer hij het vertelde. Misschien zei hij het pas toen hij er al
een tijdje werkte.'

'Hoe had hij dat baantje gekregen?'

'Dat weet ik niet. Dat heeft hij nooit verteld.'

'Kende je de winkel al toen Hiwa er nog niet werkte?'

'Ja... ik wist waar die was. Hjällbo is niet zo ver weg. De meeste mensen
hier kennen die winkel volgens mij wel.' Ze keek Winter kort aan. 'Hij was
altijd open. Dat soort dingen weten de mensen.'

'Hoe kende Hiwa Jimmy Foro?'

'Dat weet ik niet.'

'Is het niet raar dat hij dat niet vertelde?'

'Ik heb er niet naar gevraagd.'

'Maar toch…'

'Voor mij was het voldoende dat hij een baan had. En voor hem ook. Het was geen fulltimebaan, maar het was toch… een baan.' Ze maakte een gebaar richting Hammarkullen, naar alles wat ze door het raam konden zien en wellicht ook alles wat ze niet konden zien. 'Hier heb je geen banen. En vooral niet voor ons.'

'Wat doe je zelf, Nasrin?'

'Ik? Wat maakt dat nou uit?'

'Ga je naar school?'

'Ja. Gek, hè? Ik heb net het eerste jaar van de bovenbouw afgerond. De maatschappelijke richting.'

'Het Angered-college?'

'Waar anders?'

'Geen idee,' zei Winter.

'Voor zolang het duurt,' zei ze.

'Hm.'

'Begrijp je wat ik bedoel?'

'Ja.'

'En wat vind je daarvan?'

'Dat jouw familie hier misschien niet mag blijven, bedoel je?'

'Ja, die van mij en vele anderen.'

'Dat vind ik beroerd.'

'Jullie zijn anders wel erg behulpzaam als er mensen moeten worden uitgezet.'

Winter antwoordde niet.

'Moeten jullie zo behulpzaam zijn?'

'Nee.'

'Maar jullie zijn het wel.'

Winter antwoordde weer niet. Hij zag dat een van de vrouwen beneden een kind bij de hand pakte, het zand van zijn knieën veegde en vervolgens wegliep. Er was beneden veel zand, de hele speeltuin lag er vol mee, en die was buitenproportioneel groot voor deze plek.

'Heb je Jimmy weleens ontmoet?' vroeg Winter en hij wendde zich tot Nasrin.

'Nee.'

'Heb je Hiwa nooit op zijn werk opgezocht?'

'Een paar keer. Twee keer misschien.'

'Niet vaker?'

'Nee.'

'Waarom niet?'

'Ik… vond het geen prettige plek. Ik weet het niet… ik vond het er niet prettig.' Ze staarde recht naar buiten. 'En dat gevoel is nu nog sterker.'

'Waarom vond je het er toen niet prettig?'

'Dat weet ik niet.'

'Wat vond je er niet prettig?'

'Dat weet ik niet,' herhaalde ze.

'Was het vanwege Jimmy?'

'Hoezo?'

'Kwam het door Jimmy? Dat je zijn winkel niet prettig vond? Lag het aan hem?'

'Ik heb hem nooit ontmoet. Dat zei ik toch al.'

'Ja, dat klopt. Sorry.'

'Je herinnert je het wel. Zo oud ben je niet. Je wist dat ik dat had gezegd.'

Winter antwoordde niet.

'Je probeert me te bedonderen.'

'Nee.'

'Welles.'

'We hadden het erover dat je het geen prettige plek vond,' zei Winter na een korte pauze. 'Heb je er andere mensen ontmoet? Klanten? Vrienden? Kennissen?'

'Nee.'

'Said Rezai? De man die ook is neergeschoten? Heb je hem weleens ontmoet?'

Een directe vraag.

'Niet voor zover ik weet,' antwoordde ze. 'Op zich zou het kunnen, maar ik kende hem niet, dus weet ik ook niet of ik hem heb ontmoet, nietwaar?'

'We zullen je foto's van hem laten zien,' zei Winter.

'Moet dat?'

'Niet van nu,' zei Winter. 'Niet van nu hij dood is.'

Hij zag een meisje een hoek om komen en beneden zichtbaar worden. Het was Sirwa. Achter haar liep een jongen. Het was Azad. De lichte wind en de vrede, zij aan zij.

Ze keken omhoog, naar het raam waar Winter en Nasrin stonden.

Nasrin zwaaide. De jongen en het meisje beneden zwaaiden terug, maar ze glimlachten niet.

Winter hief zijn hand ook op. Een belachelijk gebaar.

'De enige die ik kende was Hussein,' zei Nasrin, nog steeds naar haar broertje en zusje kijkend.

'Hussein?'

'Ja, Hussein Hussein. Zo heet hij. Hussein Hussein. Hij komt uit Irak, geloof ik, maar hij is geen Koerd.'

'En jij kende hem?'

'Alleen van de winkel. Hij werkte daar ook. Ik heb hem maar één keer ontmoet.'

Winter hoorde een geluid achter zich. Hij draaide zich om. Halders was tegen een stoel gelopen. Winters zag de verraste uitdrukking in Halders' ogen.

'Hussein Hussein?' vroeg Winter. 'Hij werkte daar? Er werkten nog meer mensen behalve Jimmy en Hiwa?'

'Ja. Hussein werkte daar.' Ze keek Winter aan. 'Wisten jullie dat niet?'

11

'Hussein Hussein! Wat is dit, verdomme?!'

'Een naam,' zei Winter. 'Dit is een naam.'

'Dat begrijp ik verdorie ook wel,' zei Halders. 'Ik heb het over de situatie.'

'Maar of hij echt zo heet, weten we niet.'

'Of dat hij bestaat.'

'Waarom zou ze daarover liegen?'

'Is dat bewust een naïeve vraag, Erik?'

'Ja.'

'Is het eigenlijk wel een vraag?'

'Probeer er eens antwoord op te geven, Fredrik. Waarom zou ze liegen?'

Ze sloegen links af bij de Bredfjällsschool, weer een hoek. De school was geïntegreerd in de andere bebouwing, alle panden zagen er hetzelfde uit. De kinderen waren aan het voetballen. Er stuiterde een bal voor Winters voeten en hij schopte hem krachtig terug, in een boog over het plein, naar de andere kant. De groep op het plein begon te schreeuwen.

'Niet slecht,' zei Halders. 'En dan ook nog met links. Ik wist niet dat je linksbenig was.'

'Ik kan het met beide benen even goed,' zei Winter.

'We zouden weer moeten meedoen met het team,' zei Halders.

'Jij bent levenslang geschorst, Fredrik.'

'Dat zijn ze ondertussen allang vergeten,' zei Halders.

'Ze weten het weer zodra jij het veld op stapt.'

Halders antwoordde niet. Een jongetje van een jaar of zes stond in een portiek naar hen te kijken. Hij droeg een hoornen bril die zijn halve gezicht bedekte. Halders stak zijn hand op in een groet. Er verscheen een glimlach op het gezicht van het jongetje.

Ze liepen langs de school en sloegen rechts af bij pizzeria Gloria.

'Heb je honger?' vroeg Halders.

'Hij is niet open,' zei Winter.

Ze staken het Hammarkulleplein over. Winter had Möllerström vanuit de flat van de familie Aziz gebeld. De registrator van de afdeling Onderzoek was direct met de nieuwe naam aan de slag gegaan. Winter keek op zijn horloge. Er was nu alarm geslagen. Iedereen zou op zoek zijn naar Hussein Hussein. Nasrin Aziz zou zich proberen te herinneren hoe hij eruitzag, misschien met behulp van tekeningen. Het nieuwe computerprogramma zou misschien iets creatiefs opleveren. Er zou een gezicht ontstaan. Er ontbraken op dit moment veel gezichten. In gedachten zag hij het gezicht van de jongen voor zich. Azad Aziz was niet de knul geweest die hij eerder had gezien en dat had hij ook niet verwacht. Het was iemand anders. Het was net zo belangrijk om de jongen te vinden als om Hussein te vinden, dacht Winter. Misschien nog wel belangrijker. Hussein kon iemand anders zijn. Een misverstand.

'Hiwa zei dat Hussein er soms werkte,' had Nasrin net verteld.

'Wanneer zei hij dat?'

'Toen ik er was. Hussein was er toen ook.'

'Groette je hem?'

'Nee. Ik heb hem alleen gezien.'

'Wat deed hij?'

'Hoezo, deed?'

'Wat deed hij toen jij er was?'

'Hij... deed niets. Hij was er gewoon.'

'In de winkel.'

'Ja, natuurlijk.'

'Hoe ging het? Wees Hiwa hem aan en zei hij dat Hussein er werkte?'

'Ja... zoiets. Misschien dat hij in zijn richting knikte.'

'Waarom heb je dat niet eerder verteld?' had Winter gevraagd.

'Ik... dacht dat jullie dat wel wisten,' had ze geantwoord. 'Ik dacht dat jullie dat soort dingen meteen wisten.'

★

Halders deed zijn portier open. Ze waren langs Maria's Pizzeria gekomen die wel open was, maar Winter had geen trek gehad.

'Volgens mij liegt ze niet,' zei Halders.

'Ze had het de eerste keer dat we haar ontmoetten kunnen vertellen. Toen jij haar ontmoette.'

'We hebben er niet naar gevraagd,' zei Halders. 'Ik heb haar niet gevraagd of er nog meer werknemers waren.' Hij sloot het portier weer. 'Of hoe je ze ook moet noemen. Moet je ze werknemers noemen? Waarschijnlijk was het gewoon iemand die af en toe wat blikken van een schap pakte en daar een grijpstuiver voor kreeg.'

'Hij was daar,' zei Winter.

'Nu niet meer.'

'Waar is hij? Waarom heeft hij geen contact met ons opgenomen?'

'Daar zijn verschillende antwoorden op te geven, nietwaar?'

'Nu moeten we hem in elk geval zien te vinden,' zei Winter.

'Dood of levend,' zei Halders.

Winters mobieltje ging over.

'Bergsjön,' zei Möllerström luid in zijn oor.

'Heb je het over Hussein?'

'Ik heb de informatie doorgegeven aan de mensen die in Hjällbo met het buurtonderzoek bezig zijn,' zei Möllerström. 'En kennelijk kende iemand een Hussein die ooit in de winkel was geweest. Maar het was niet helemaal zeker.'

'Oké, Janne.'

'We hebben niet veel waar we verder mee kunnen. Deze man dacht te weten dat Hussein in Bergsjön woonde.'

'Waarom dacht hij dat?'

'Geen idee. Zoals ik al zei, we hebben niet veel.' Winter hoorde dat Möllerström iets intoetste. 'Er zijn een paar Hussein Husseins in de stad.' Möllerström typte verder. 'Maar ze hebben misschien niet allemaal telefoon.' Hij tikte nog wat in. 'In onze registers zit niemand met die naam. We hebben wel een Hassan Hussein. Diefstal.'

'Trek hem na. En kijk welke woningcorporaties er in Bergsjön zijn. Zoek uit of ze een woning aan een Hussein verhuren en bel me dan direct.'

'Dat had ik zelf ook al bedacht,' zei Möllerström.

'Mooi,' zei Winter en hij verbrak de verbinding.

'We gaan naar Bergsjön,' zei hij tegen Halders en hij liep snel naar zijn auto.

Ze reden over de Gråbovägen en vervolgens over de Bergsjövägen. Bergsjön werd in het oosten steeds hoger. Bergsjön betekende 'het bergmeer', maar ze zagen geen meer, alleen een berg. Bergsjön was een plateau van bos en beton, als een reusachtige middeleeuwse burcht waar de Bergsjövägen als een gracht omheen liep. Het was een merkwaardige plek, surrealistisch, en die indruk werd versterkt door straatnamen die verwezen naar de stratosfeer, galactische nevels, het universum, meteoren, kometen – verwijzingen die Winter niet begreep.

Hij parkeerde bij het Rymdplein – het ruimteplein. Alles hing hier samen met de ruimte, de straten, de pleinen. Misschien had het met de toekomst te maken. Dit was voor de toekomst gebouwd, groots opgezet. Wellicht was er op inwoners van andere planeten gerekend.

Halders stapte uit zijn auto. Hij had hem naast die van Winter geparkeerd.

'Wanneer was jij hier voor het laatst?' vroeg hij terwijl hij rondkeek.

Winter dacht na.

Ginds, bijna midden op het open betonoppervlak, voor restaurant Bergsjö, had hij ooit een man moeten overmeesteren. In die tijd was hier nog geen restaurant geweest. Een verslaafde, iemand met een mes. Een doorsnee-Zweed, hier woonden destijds wel meer doorsnee-Zweden. Winter herinnerde zich nog altijd de ogen van de man. Hij was levensgevaarlijk geweest. Reptielenbewegingen, reptielenhersenen. Het was op een zomerdag geweest, net als nu. Had dat gezondheidscentrum er toen ook al gezeten? Winter zag het bord. Wanneer had die worsteling plaatsgevonden? Minstens vijftien jaar geleden. Was hij daarna ooit nog eens hier geweest? Niet dat hij zich kon herinneren.

Zijn telefoon rinkelde.

'Ja?'

'Tellusgatan 20.' Möllerström klonk ver weg, alsof hij vanuit de kosmische ruimte belde. 'Woningcorporatie Familjebostäder heeft daar een dubbele Hussein wonen.'

'Woont hij alleen?'

'Volgens het huurcontract wel.'

'Goed zo, Janne.'

'Wees voorzichtig.'

'Fredrik is erbij,' zei Winter.

'Daarom juist.'

'Stuur een auto,' zei Winter.

'Die is al onderweg,' zei Möllerström.

'Vraag of ze bij het Rymdplein willen wachten,' zei Winter. 'Laat de inspecteur van dienst mij bellen.'

Winter verbrak de verbinding en stopte de telefoon in zijn borstzakje.

'De Tellusgatan,' zei hij.

'Daar hangt een plattegrond,' zei Halders.

Ze liepen erheen. De Tellusgatan liep in een halve cirkel naar het noorden.

Halders streek over zijn schedel. Hij zag er verhit uit, zijn gezicht was rood. 'Ik moet even in de schaduw staan,' zei hij en hij keek om zich heen. Het plein lag er verlaten bij in de zon. De schaduwen waren scherp, de hoeken recht. De oppervlakken waren groot en leeg. Er was steen en er was lucht. De straten die vanaf het plein liepen, leken uit beton te zijn gehouwen. Ruimte en licht, dacht Halders. Wat hij zag, deed hem aan de hoes van een lp denken. Pink Floyd. *Wish you were here.*

Onderweg naar de Tellusgatan kwamen ze langs een crèche. In de speeltuin stond een grote houten locomotief. De flatgebouwen liepen tot aan de horizon. Zo was het altijd. De enorme panden in de voorsteden strekten zich verder uit dan het oog reikte.

'Hier is het,' zei Halders.

In het trappenhuis was het stil en koel. Hussein Husseins naam stond op een bord in de portiek vermeld.

'Het is net zoiets als wanneer je Fredrik Fredrik heet,' zei Halders.

'Eéntje is genoeg,' zei Winter.

'Ha ha.'

'Laten we maar naar boven gaan.'

'De derde verdieping.'

Boven was het ook stil. Uit de andere flats kwam geen enkel geluid. Misschien was iedereen naar zijn werk, of op het strand of aan een meer. Voor het flatgebouw was het leeg geweest. Winter belde aan. Hij hoorde de bel binnen weerklinken, een onnodig schel geluid. Halders leek er klaar voor. Hij leek klaar om de deur in te trappen, of in elk geval het slot te forceren. Winter belde nog een keer aan. Ze luisterden weer naar het geluid. Het leek alsof het in de hele woning te horen was. Hij voelde aan de deurkruk. Duwde die naar beneden en trok er voorzichtig aan.

De deur ging open.

Halders trok zijn SigSauer.

Winters telefoon trilde in zijn borstzakje.

'Ja?'

'Winter? Met Wickström. We zijn…'

'Tellusgatan 20,' onderbrak Winter hem. 'We gaan nu naar binnen. Kom naar boven.'

'Oké.'

Halders had de deur met de loop van zijn pistool opengetrokken.

Ze stonden ieder aan een kant van de deur.

'Hussein?' riep Winter, maar hij probeerde het niet te luid te laten klinken. 'Hussein Hussein?'

'Politie,' riep Halders.

Ze wachtten. Binnen hoorden ze niets. Dat betekende niets. Zo'n stilte was op zich verdacht.

'Hussein?' riep Winter nog een keer.

'We komen nu naar binnen,' riep Halders.

Aan de andere kant van de overloop ging een deur open.

Een klein jongetje keek om een hoekje.

'Hallo, hoe heten jullie?' vroeg hij.

'Ga naar binnen en doe de deur dicht,' zei Halders, terwijl hij naar het jongetje gebaarde met de hand waarin hij geen pistool hield.

Het jongetje deed de deur nog verder open. Ze konden een hal zien. Het jongetje kon in de tegenoverliggende hal kijken en dat was meer dan ze tot nu toe zelf hadden kunnen doen.

'Ga naar binnen en doe de deur dicht,' herhaalde Halders.

Het jongetje was een jaar of drie. Hij leek niet bang. Hij was midden in een leuk spelletje beland. Hij wilde ook een pistool hebben. Hij deed een pas naar voren en na nog een pas werd hij door een vrouw opgetild die plotseling uit de hal kwam stormen. Ze had het gezien. Ze liep achteruit met het jongetje, dat nu schreeuwde.

'Doe de deur dicht,' herhaalde Halders.

Winter keek om een hoekje in Husseins flat naar binnen. Daar bewoog niets.

Hij hief zijn wapen op en stapte snel de hoek om en deed nog een paar passen naar voren. Achter zich hoorde hij Halders ademen. In de hal was het donker en warm, alsof de zon hier ook was, maar zich in de schaduwen verborgen hield. Het rook bedompt, muf. Een zoetige geur. Ergens kwam een zonnestraal vandaan en Winter zag het stof dansen. Het was net alsof de straal van een zaklamp kwam. Die wees naar de kamer aan de rechterkant. Zo zag het eruit.

'Geen van de Husseins is vandaag thuis,' zei Halders. 'En dat is misschien niet zo gek.'

Winter antwoordde niet. Ze waren door de hele flat gelopen.

Weinig bezittingen, bijna geen meubilair. Vier kale matrassen op de vloer van de woonkamer. Een eenpersoonsbed in de slaapkamer. De woonkamer was soms geliefder als slaapkamer.

Iemand anders had de flat ook doorzocht. Iemand had mogelijkerwijs naar iets gezocht. Of Hussein Hussein ging ongelooflijk slordig om met zijn spullen. Hij of de anderen die hier hadden gewoond. Het kon niet anders of hier hadden ook anderen gewoond.

'Misschien had hij haast om weg te komen,' zei Halders. 'Hij kon zijn tennisracket niet vinden en daarom ziet het er nu zo uit.'

'De deur was niet op slot,' zei Winter.

'Die was met een sleutel geopend voor zover ik kon zien.'

'Het bed is opengesneden.'

'Dat heb ik wel vaker meegemaakt.'

'Waarom is een bed opengesneden?'

'Hij verborg geld in zijn matras?'

'Nee.'

'Hij verborg er iets anders?'

'Ja.'

'Drugs?'

'Misschien.'

'Of hij verborg het ergens anders,' zei Halders. 'Ze hebben hierbinnen ook op andere plekken gezocht.'

Winter hoorde voetstappen en stemmen op de trap. De collega's waren gearriveerd.

'Winter?' hoorde hij roepen. 'Hallo? Winter, ben je hier?'

'Tel ik niet mee?' vroeg Halders.

Winter zag twee theekopjes op een tafeltje in de woonkamer staan. Ze waren niet van glas. Hij liep naar het tafeltje toe en zag dat er in beide kopjes sporen van vocht zaten.

'Hij heeft bezoek gehad,' zei Winter.

'Hm. Dat is mogelijk. Iets voor Öberg.'

'De waterkoker in de keuken was niet koud.'

'Het is binnen warm,' zei Halders.

'We moeten maar eens met de buren gaan praten,' zei Winter.

'Dat zal dat jongetje leuk vinden,' zei Halders.

Het jongetje stond in de hal te springen toen ze binnen waren. Hij durfde niet te dichtbij te komen, maar dit was tot nog toe het spannendste wat hij in zijn hele leven had meegemaakt. Winter zag dat hij graag wilde dat ze hun wapen weer trokken. Het jongetje had ook de uniformen in het trappenhuis gezien toen de deur werd geopend. Dit was een heel bijzondere dag voor hem. Voor ons is het ook niet niks, dacht Winter, en de dag is nog maar net begonnen.

De moeder en het jongetje waren alleen in de flat. Nadat Winter en Halders hadden gezegd wie ze waren, stelde ze zichzelf voor als Ester. Winter had de naam Okumus op het bordje op de deur gelezen. Het jongetje heette Mats.

Neé, ze had Hussein vandaag niet gezien. Ze kon zich niet herinneren wanneer ze hem voor het laatst had gezien. Of een van de anderen. Er waren diverse mensen gekomen en gegaan.

'Ik ken hem niet echt.'

'Niet echt? Hoe goed ken je hem?'

'We hebben elkaar gegroet. We groeten alleen.'

'Hussein!' zei het jongetje.

'Ken jij Hussein, Mats?' vroeg Winter.

Het jongetje knikte.

'Dat is niet zo,' zei Ester Okumus. 'Hij zegt dat alleen maar omdat je ernaar vraagt.'

Winter ging op zijn hurken zitten. Het jongetje deed een stapje naar achteren.

'Speel je weleens met Hussein?' vroeg hij.

'Dat heeft hij nog nooit gedaan!' zei zijn moeder.

'In de speeltuin?' Winter vroeg het nu aan haar. 'Misschien heeft Hussein Mats een keertje geduwd toen hij aan het schommelen was?'

'Nee.' Ze keek naar haar zoon. 'Hij heeft hem buiten gegroet. Net als ik.' Ze keek Winter aan. 'Waarom willen jullie hem spreken? Heeft hij iets gedaan?'

'Dat weten we niet,' zei Winter. Hij kwam overeind. Het trok in zijn linkerknie, maar hij werd gelukkig niet duizelig. 'Heb je gezien of Hussein de afgelopen dagen bezoek heeft gehad?'

'Nee, dat herinner ik me niet.'

'Zou je je het kunnen herinneren?'

'Hoe bedoel je?'

'Als je er even over nadenkt?'

'Nee... ik geloof het niet.'

Ze wil niets met ons te maken hebben, dacht Winter. Ze vindt het niet even spannend als dat ventje. In elk geval niet op dezelfde manier.

'Heb je vandaag iets gehoord? In het trappenhuis?'

'Nee, helemaal niets.'

'Ben je vandaag buiten geweest?'

'Nee.'

'Weet je of Hussein contact heeft met de andere buren?'

'Nee.'

Winter en Halders en de twee agenten van de surveillancewagen belden bij iedereen in het trappenhuis aan, maar slechts één deur werd geopend en de man die daar woonde, wist niets, had niets gehoord en was er pas komen wonen en zou binnenkort weer vertrekken.

'Een vrij leven,' was Halders' commentaar toen ze het flatgebouw uitliepen.

De meeuwen lachten hen de hele weg naar het Rymdplein uit. Winter had opnieuw het gevoel van een surrealistisch landschap, dat van Storm Thorgersen op de lp's van Pink Floyd. Het was al een hele tijd geleden dat hij naar Pink Floyd had geluisterd. Dat hoorde bij zijn jeugd. *Remember when you were young.* Toen je jong was. *Ummagumma*, zijn favoriet, die mocht hij voor zichzelf houden. *Careful With That Axe, Eugene.* Wees voorzichtig met die bijl.

Winter drukte op de afstandsbediening en zijn Mercedes ging met een klik open die onnodig luid klonk. Hij voelde het zweet in zijn nek staan. Halders had een nat voorhoofd. Hij veegde het af en leunde tegen de Mercedes.

'Wat gaan we nu doen?' vroeg hij.

Winters mobieltje ging. Hij had het geluid weer aangezet toen ze de flat verlieten en ook dit geluid klonk onnodig hard.

'We hebben niets over Hussein in onze registers,' zei Möllerström.

'Weet je dat zeker?'

'De jongens in de woning van Foro hebben een formulier met zijn persoonsnummer gevonden en me meteen gebeld.'

'Oké.'

'Dus tot nu toe is Foro de enige van deze groep met een geschiedenis die we direct kunnen nagaan,' zei Möllerström. 'Maar die is niet zo lang.'

'Als je zijn dood niet meerekent,' zei Winter.

'Tot straks,' zei Möllerström en hij hing op.

'Misschien is hij alleen maar even boodschappen doen,' zei Halders. 'Hussein Hussein.' Hij hield zijn hand boven zijn ogen en keek naar het kantoor van de stadsdeelraad. 'Hebben ze eigenlijk niet drie namen, Arabieren?'

Winter pakte een pakje Corps en stak een van de dunne sigaren op.

'Hoeveel namen heb jij zelf eigenlijk, Fredrik?'

'Eh... hoe bedoel je?'

'Hoe heet je nog meer, behalve Fredrik Halders?'

'Eh... Göran. Fredrik Göran Halders.'

'Hoeveel namen zijn dat?'

'Ha ha. Ik begrijp wat je bedoelt. Hoe heet je zelf, behalve Erik Winter?'

'Sven.'

'Sven? Daar geloof ik niets van.'

'Nee. Ik heb gejokt.'

De rook van Winters sigaar dreef door de lucht. Die leek ook een vreemd en storend element, net zoals de geluiden daarnet.

'Hoeveel rook je er per dag?' vroeg Halders.

'Bijna geen,' zei Winter. 'Ik rook vooral 's avonds.'

'Ja, het is een heerlijke avond.'

'Ik rook niet over mijn longen,' zei Winter.

'Wat heeft het dan voor zin?'

'Dat is een lang verhaal, Fredrik.'

'Wordt dit een lang verhaal, Erik?'

'Dat hangt misschien wel van ons af.'

'Het hangt ervan af hoe goed we de bendes hier in beeld hebben.'

'Vrij goed. Althans volgens het hoofd van de wijkpolitie in Angered.'

'Als het een van hen is dan weten we het, bedoel je? Een bendelid?'

'Ik bedoel niets.'

'Het baart me zorgen dat Hiwa, Said en Hussein de Tweede geen van allen een crimineel verleden hebben.'

'Ja,' zei Winter en hij blies weer uit. 'Soms moeten we ons ook over dat soort dingen zorgen maken.'

'Je snapt wat ik bedoel.'

'Maar het betekent niet dat ze schoon zijn,' zei Winter.

'Schoon als verse sneeuw,' zei Halders. 'Schoon als wit poeder.'

'Of vuil.'

'Deze slachtoffers kunnen onopgehelderde dingen van thuis hebben meegenomen,' zei Halders.

Winter knikte.

'Het is een verschrikkelijke klus om dat uit te zoeken.'

'Ja.'

'Misschien moeten we wel naar Koerdistan en dus naar Iran, Irak, Syrië, Turkije en de Malediven,' zei Halders.

'De Malediven?'

'Volgens mij moeten we ook een paar weken naar de Malediven. Voor alle zekerheid.'

'Jij en ik?'

'Eigenlijk wilde ik Aneta meenemen. Zij komt uit die regio.'

'De Malediven liggen voor de zuidkust van India, Fredrik.'

'Mooi zo,' zei Halders.

Winter nam weer een trekje. Hij zag een gezin over de parkeerplaats lopen en in een auto plaatsnemen, vader, moeder, zus, broer. Ze konden overal in Noord-Europa wonen. De auto was een Volvo.

'Als het een drugsafrekening is, horen we dat binnenkort,' zei Winter.

'Dat weet ik zo net nog niet.'

'Wat niet? Dat het een afrekening is, of dat we het gauw horen?'

'Drugs. Dat… klopt niet. Je hebt zelf met Sivertsson gesproken. Hij herkent dit niet.'

'De tijden veranderen. De methoden veranderen.'

'Hagel in iemands gezicht? Dat zijn geen nieuwe methoden. Dit is niets voor de jeugd,' zei Halders.

'Wie heeft gezegd dat we hier met jongelui te maken hebben?'

'Op dit moment zijn er niet zoveel anderen actief in die branche,' zei Halders.

'Volgens mij zie je dat verkeerd,' zei Winter.

'Het zijn niet mijn woorden.'

'Maar je denkt niet dat het hier om drugs gaat?'

Halders haalde zijn schouders op. Het was een stijve beweging. Hij voelde zich stijf. Misschien moest hij proberen vanavond tien kilometer te joggen. Maar daar werd hij alleen maar nog stijver van. Hij werd soepeler wanneer hij met Aneta knuffelde. Misschien zou hij dat vanavond doen. En naar Pink Floyd luisteren. Ik wou dat je hier was. Als het zo'n avond werd. Mogelijk zat hij de hele avond aan Winter vast. Misschien nog wel langer.

'We moeten die Hussein zien te vinden,' zei Winter en hij drukte zijn sigaar uit op het asfalt.

'Die is voor altijd verdwenen,' zei Halders.

'Hoe dan?'

'Hij is ondergedoken, vrijwillig of niet vrijwillig.'

'Dan moeten we hem maar opduikelen.'

'Ha ha.'

'Zo leuk was het niet.'

Halders begon naar zijn auto te lopen.

'Alles is terug te voeren op het motief,' zei Winter. 'Dat is allesbepalend.'

'Drugs of bloedwraak,' zei Halders en hij bleef staan.

'Of iets anders.'

'Wat dan?'

'We moeten onze fantasie gebruiken,' zei Winter.

'Ja, daar komt ons werk meestal op neer,' zei Halders.

Winter reed naar Hjällbo. Halders reed naar het politiebureau. Winter luisterde in de auto naar het Lars Jansson Trio. *Witnessing*. Het kwam op de getuigen aan, maar die waren er niet. Het kwam altijd op de getuigen aan. De getuigen en de tijdstippen. Hij beschikte niet over de getuigen van wie hij wist dat ze er waren. Het was net als anders, ze moesten hen zien op te sporen. Daarin slagen. *Success*. Of falen. *Failure*. Het eerste nummer op de cd was *Success-Failure*. Het tweede heette *Get It*. Pak het, grijp het. Wat moest hij pakken? Wat moest hij grijpen? Niet het geluk, niet in deze zaak. Was het het ongeluk? Het kwaad? Natuurlijk, maar dat had altijd vele gezichten. Of helemaal geen gezicht. Hij dacht aan de slachtoffers in Jimmy's vreemde winkeltje. Vreemd in allerlei opzichten. De locatie. Het isolement. De eenzaamheid. Een winkel die dag en nacht open was, een levensmiddelenwinkel eigenlijk, die helemaal afgezonderd lag. Dat was een tegenstrijdigheid. De locatie had het moorden vergemakkelijkt.

Het wandelpad was net zo verlaten als anders toen Winter van de winkel naar de flatgebouwen liep. Het gaf een eenzaam gevoel. Het stemde hem weemoedig, als een naklank van de mineurtonen van Lars Janssons piano. Hij dacht aan de jongen, de jongen op de fiets. Zou hij zich laten zien als ik hier loop? Als ik wacht? Wacht hij op mij? Winter keek naar de ramen. Die waren zilverkleurig in het zonlicht. Wie achter een van die ramen stond, was onzichtbaar. Ziet hij me nu? Ik ben niet onzichtbaar. Zal ik zwaaien?

Hij liep verder naar de flatgebouwen. Er was geen wind en in de struiken links van hem bewoog niets. Winter begon over het veld te lopen. Ik weet dat alles van die jongen afhangt.

12

Hier was het begonnen. Nee, het was hier ver vandaan begonnen. Op een heel andere plek. Vervolgens was het hiernaartoe gekomen. Of het was hier altijd al geweest. In afwachting. Winter keek om zich heen. Deze flatgebouwen. Dit deel van de stad: de rotsen, de heuvels. De velden. De merkwaardige steden, als steenblokken die met precisie waren neergesmeten, op een berekende afstand. Daar. Daar. Daar en daar. Nu verbonden door snelwegen die zich naar binnen toe sloten, die de steden insloten. Ertussenin bevond zich vrijwel niets. Geen mogelijkheid om te vluchten. Of: alle mogelijkheden om te vluchten.

Winter was om het hele flatgebouw heen gelopen, vijftig meter, zeventig meter. Hoorde hij een fiets? Hij draaide zich snel om, maar het was niet meer dan een geluid, hij zag niemand. Hij begon te rennen. Nu zag hij hem. De rug van de jongen verdween over een ander wandelpad, naar een ander flatgebouw. Tijdens het fietsen bewoog zijn hele lichaampje op en neer, op en neer, alsof het vastzat aan een machine.

'Wacht!' riep Winter. 'Wacht even! Hallo! Wacht! Hallo!'

Hij bleef hollen. Hij voelde zijn borst weer, hij was geen machine. Het was één ding om met een slakkengangetje over de trimbaan van Ruddalen te lopen. Meteen in volle vaart rennen was iets heel anders. Dit was de tweede keer dat hij dat deed. De mensen achter de ramen zouden zich nu echt afvragen wie die idioot daarbeneden was. Winter was ervan overtuigd dat ze naar hem keken. Waarom rent hij? Waar gaat hij naartoe? Waar komt hij vandaan?

Keek de jongen naar hem? Winter zag hem nu niet. De jongen was opnieuw verdwenen, als een wezen dat zich liet zien om een reden die niet te begrijpen viel. Maar er was wel een reden. Die zou Winter moeten begrijpen. Misschien deed hij dat ook. Het was omdat hij met de jongen wilde praten. Wanneer hij weer op adem was gekomen, wanneer hij zijn arm kon beetpakken, lichtjes. Hem misschien kon beschermen. Als hij hem mocht beschermen. De jongen leek zich nu vrijelijk te bewegen, maar dat was misschien niet voor eeuwig.

Winter stopte, ademde heftig, veegde over zijn voorhoofd, overwoog een Corps op te steken, wat op dit moment verdomd slecht zou zijn voor zijn lichaam. De volgende keer kom ik hier in mijn trainingspak naartoe. Na een warming-up bij de winkel.

Hij begon langzaam in die richting te lopen. Hij bleef staan en stak een Corps op. In de verte reed een taxi langs, onderweg naar het zuiden. Hij herkende hem.

'Rijdt hij daar rondjes?'

Ringmar liep naast Winter door het park bij het politiebureau. Nou ja, park... Ze kwamen langs de gevel aan de kant van het oude Ullevi-stadion en keerden om. Het duurde maar een paar minuten. Langs de gebouwen en de hoek om. Het kon een gewoonte worden.

'Je had niet hoeven komen,' zei Winter. 'We hadden kunnen bellen.'

'We hadden toch afgesproken dat ik zou komen. Wat kan een mens zich nog meer wensen dan op een fraaie zomerse dag met een goede vriend door een mooi park te wandelen?'

'Vrij veel,' zei Winter.

'Reinholz,' zei Ringmar. 'Die taxichauffeur. Hij heeft daarginds vast een heleboel ritten. Nu waarschijnlijk ook.'

'Hm.'

'Leek het daar niet op?'

'Nee.'

'Maar hij was het wel?'

'Het was niet zo ver weg, en ik herkende zijn profiel.'

'Van de chauffeur?'

'Van de auto. En van de chauffeur. Bovendien zag ik het nummer.'

'Knap, hoor.'

'Ik had een kijker bij me.'

'Uiteraard.'

Ringmar dacht na over het leugentje. Hij zag een taxi voorbijrijden, onderweg naar het nieuwe Ullevi-stadion.

'Wil je hem ophalen?' vroeg Ringmar.

'Misschien was hij gewoon nieuwsgierig,' zei Winter.

'Dat zei ik toch.'

'Of hij moest er iets doen. In de nacht van de moord.'

'Hij wist wat hij zou aantreffen?'

'Nee.'

'Hij wist wie er zouden zijn?'

'Ja.'

'Allemaal?'

'Nee.'

Ze pasten hun gebruikelijke methode weer toe. Voorbijvliegende gedachten, alle mogelijkheden, alle onmogelijkheden. Losse aannames, die soms sterker bleken dan ze hadden gedacht.

'Jimmy Foro?'

'Ja.'

'Hoe heet hij… Hiwa?'

'Misschien.'

'Hussein?'

'Nee.'

'Waarom zeg je nee?'

'Ik zie Hussein daar niet. Niet op dat moment.'

'Hoe bedoel je?'

'Hij… ik weet het niet. We laten hem los.'

'Misschien is hij er wel geweest,' zei Ringmar. 'Op een eerder moment.'

'We laten hem even los,' herhaalde Winter. 'Laten we het straks over Hussein hebben.'

'En Said? Wist Reinholz dat Said daar zou zijn?'

'Misschien.'

'De moordenaars?'

'Misschien.'

'Hij verwachtte dat de moordenaars er zouden zijn?'

'Misschien.'

'Maar niet dat ze moordenaars waren?'

'Nee.'

'Er ging iets fout.'

'Misschien. In elk geval voor Reinholz. Niet voor de anderen.'

'Het was van meet af aan gepland? De moord was gepland? De anderen wisten wat er zou gebeuren, maar hij niet?'

'Dat hangt ervan af wat je met "van meet af aan" bedoelt.'

Ringmar gaf geen antwoord. Het was een lastige vraag. Het kon om uren gaan, om weken, om jaren.

Ze waren naar het Shell-benzinestation gelopen en keerden bij de wasstraat om. Die deed hen denken aan Jimmy's zaak, ongeveer dezelfde afmetingen, maar vergroeid met het grotere pand van het tankstation zelf.

'En het doel van Reinholz' bezoek?' vroeg Ringmar.

'Hij was koerier.'

'Halen of brengen?'

'Halen.'

'Moest hij nog iets anders ophalen? Iets anders dan de goederen?'

'Misschien.'

'De moordenaars? Moest hij de moordenaars ophalen?'

'Hm.'

Ze draaiden bij de parkeerplaats weer om en liepen in westelijke richting.

'Hadden ze een tijd afgesproken?' vroeg Ringmar.

'Ze moesten daar toch weg zien te komen, of niet?'

'Met een eigen auto.'

'Nee, geen auto.'

'Hoe weet je dat?'

Winter antwoordde niet.

'Oké. Laten we zeggen dat ze wegholden. Over de velden of via het wandelpad naar de flatgebouwen.'

Winter knikte.

'Met lichte voetstappen,' zei Ringmar.

'Nee.'

'Er waren überhaupt geen lichte voetstappen?'

'Jawel.'

'De taxichauffeur noemde het zo.'

'Ik denk dat hij de waarheid sprak.'

'Waarom?'

'Waarom niet?'

'Als hij meer weet dan hij zegt…'

'Hij had verwacht iets anders aan te treffen,' zei Winter. 'Toen ik met hem sprak, was het een opluchting voor hem dat hij iets kon zeggen wat juist was.'

'Wat juist was?'

'Wat waar was. Of in elk geval waarheidsgetrouw, op grond van wat hij daadwerkelijk had gehoord.'

'Waarheidsgetrouw,' zei Ringmar. 'Dat is een merkwaardig woord. Getrouw de waarheid. Wat betekent dat?'

'Ben je daar na alle jaren in de verhoorkamer nog steeds niet achter?'

'Ik ben geen goede ondervrager,' zei Ringmar.

'Je bent beter dan je denkt.'

'Hoe weet jij dat?'

'Deze zaak zal dat aantonen.'

'Zaak? Je gebruikt enkelvoud, Erik.'

'De zaken dan. Maar alles houdt met elkaar verband.'

'Wanneer is dat niet het geval?'

'Het was niet filosofisch bedoeld, Bertil.'

'Wanneer halen we die man dan op?'

Winter keek op zijn horloge.

Hij keek naar de hemel.

'Wilde Angela vanmiddag niet naar het strand?' vroeg Ringmar.

'Dat willen we allemaal,' zei Winter. 'Maar de dag is nog jong. Vandaag wordt het geen avond.'

'Reinholz gaat nergens naartoe. Hij smeert hem niet. Anders had hij dat allang gedaan.' Ringmar keek naar de hemel. 'Het kan een lange avond worden, een lange nacht.' Hij draaide zich om naar Winter. 'Op dit moment is het rustig. Misschien is het niet zo'n gek plan om een paar uur vrij te nemen. Het duurt wellicht wel even voordat dat weer kan.'

'We halen Reinholz meteen op,' zei Winter.

★

'Kom naar huis, dan gaan we een paar uurtjes weg,' zei Angela door de telefoon. 'De meiden hebben het nodig en jij ook. Je bent vanochtend al om vier uur weggegaan. Als je iemand moet verhoren, kan dat vanavond ook.'

Hij antwoordde niet. Ringmar had nog niet gebeld om het verhoor te regelen. Het was alsof Ringmar op een mededeling wachtte, maar niet van Winter.

'Dat kun je beter 's avonds doen dan 's middags,' zei Angela. 'Dan worden ze flink door elkaar geschud. Het is zelfs beter dan 's ochtends.'

'Oké,' zei hij.

En het strand was beter dan al het andere. Hij sneed de baguette door en reikte naar de ansjovisolie. Een eigen uitvinding.

'Ik hoop dat ik geen slecht geweten hoef te hebben,' zei ze.

Hij hield de glazen fles tegen het licht, bracht hem weer omlaag, trok de kurk eruit en rook aan de olie. Die was goed.

'Nu giet ik een beetje op het brood,' zei hij.

'Je hebt niet gehoord wat ik zei.'

'Nee.'

'Goed zo.'

'Kun je me de peterselie en het potje met tijm even aangeven?'

Ze reikte over de deken en gaf hem de verse kruiden aan.

Winter hoorde de kinderen in het water achter zich. Meeuwen krijsten. Hier lachte niemand hol en eng. Het zand was warm. Dit was zijn zand, als iemand überhaupt zand kon bezitten, zoals iemand een boom kon bezitten. Maar dit was hun grond, de grond van de familie Hoffmann Winter. Angela heette nu Angela Hoffmann Winter. Dat klonk als een Pruisische wandeling, had hij gezegd. Gelukkig zei je niet mars, had zij gezegd. En het hangt van de uitspraak af.

Het klinkt net als een Duitse biatleet, had hij gezegd.

Achter hem schreeuwden Elsa en Lilly Winter. Dat kwam door de golven. Hij had de kustboot gehoord en gezien. Wit en mooi. Alles was hier mooi: hij, zij, de kinderen, het water, de lucht, de rotsen en het zand. Het was een

Zweeds paradijs. Ze waren zelf een Zweeds paradijs. Wij zijn het paradijs, dacht hij. Dit land.

De jongen fietste door zijn wereld. Hij probeerde te denken aan wat hij had gezien. Het was net een film geweest.

En iets anders. Het was als een herinnering waarvan hij niet wist dat hij die had. Misschien had iemand het hem verteld, maar hij dacht van niet. Kun je je iets herinneren wat er niet is geweest, dacht hij.

Hij wilde het zich niet herinneren.

Hij wilde het niet weten.

Hij wilde het vertellen.

Hama Ali Mohammad leefde in twee werelden. Overdag was er een wereld en 's nachts was er een andere.

Hij was niet iemand die zich liet vernederen. Dat had hij al in een vroeg stadium besloten. Toen hij zo groot was dat hij dat soort dingen kon beslissen. Niemand zou hem een loer draaien. Dat soort dingen doorzag hij meteen. Ze betekenden niets. Het enige wat iets betekende was geld. Zonder geld had je geen wereld, in elk geval niet in de ogen van Hama Ali. Geld om te stelen. Er was genoeg voor iedereen. Voor iedereen, voor zover hij wist.

En toen kwam hij in contact met de politie. Hij werd een broer van de politie, zou je kunnen zeggen. Hij had 'Lack, shoo!' gezegd tegen een wijkagent uit Angered toen hij het plein overstak en de man had in het Arabisch geantwoord dat hij ook lelijk was. Ali Hama had nog iets gezegd. En zo was het. Hij wilde een eigen geheim hebben. Dat was spannend.

En nu had hij iets gehoord waarvan hij niet wist wat hij ermee aan moest. Het veroorzaakte meer spanning dan hij wilde hebben. Het was een psychose. Een heftige psychose.

Hij wilde het niet weten.

Hij wilde het niet vertellen.

Hij was heel bang.

Hij vloog.

★

Er was een ander gesprek gepland vóór de ontmoeting met Reinholz, de taxichauffeur. Winter beschouwde het niet als een verhoor. Hij dacht meestal niet aan een verhoor als een verhoor. Het ging zelden om sterke lampen in het gezicht; dat was een stereotiep beeld dat je zelfs in films bijna nooit meer zag.

Mozaffar Kerim meldde zich stipt op tijd bij de ingang van het politiebureau.

Winter nam de lift naar beneden, begroette hem en ging samen met hem naar de afdeling Onderzoek.

Kerim vroeg hem in de lift waar het eigenlijk om ging.

'Slechts een paar details,' zei Winter. 'Het duurt niet lang, hoop ik.'

'Neem plaats,' zei Winter toen ze in de kamer waren.

Zelf ging hij tegenover Kerim zitten.

Kerim zat op het puntje van zijn stoel, alsof hij elk moment naar buiten kon gaan. Het was duidelijk dat hij het liefst heel ergens anders was.

'Waarom zei je dat je de familie Aziz nauwelijks kende?' vroeg Winter.

Kerim schrok op. 'Sorry?'

Winter herhaalde de vraag.

'Ik begrijp niet… wat je bedoelt.'

'Zal ik de vraag nog een keer herhalen?'

'Ik ken ze niet,' zei Kerim.

'Probeer het nog een keer,' zei Winter.

'Ik… ik ken ze niet, niet op die manier.'

'Welke manier is dat?'

'Ik heb niet… met ze gewerkt.'

'Wat betekent dat?'

'Ik heb niet voor ze getolkt.'

'Op welke manier ken je de familie Aziz dan wel?'

Kerim antwoordde niet.

'Laat ik de vraag anders stellen. Heb je iemand van de familie Aziz al eens eerder ontmoet? Of vaker?'

'Ik ken ze geen van allen.'

'Dat is niet wat ik vroeg, Mozaffar.'

'Waarom stel je al deze vragen?'

'Ik stel maar één vraag. Ik wil maar op één vraag antwoord hebben.'

Kerim leek na te denken. Hij keek door het raam. Misschien verlangde hij gewoon naar buiten, wilde hij de vraag vergeten, Winter vergeten.

'Wat is het probleem, Mozaffar? Waarom wil je niet antwoorden?'

'Ik heb alleen Hiwa ontmoet,' zei Kerim zachtjes.

'Waarom heb je dat niet eerder gezegd?'

Kerim haalde bijna onmerkbaar zijn schouders op.

'Hoe heb je hem ontmoet?'

'In een café.'

'Welk café?'

'Limonell.'

'Waar ligt dat?'

'Er zijn er meerdere.'

'Verdomme, Mozaffar! Over welk café heb je het?'

'Limonell op de Kanelgatan. Dat is nu dicht.'

'In Gårdsten?' Winter keek naar de plattegrond die aan de muur van zijn kamer hing. De noordelijke stadsdelen. 'Daar woonde Jimmy Foro.'

Kerim gaf geen antwoord.

'Waarom ontmoetten jullie elkaar daar?'

'Dat kwam toevallig zo uit.'

Hier komt hij niet mee weg, dacht Winter. Hij wil iets vertellen door het niet te vertellen.

'Waarom ontmoetten jullie elkaar?'

'Dat was... puur toeval, zoals ze zeggen.'

'Hoezo?'

'Ik was daar. En we raakten aan de praat.'

'Waarom was je daar?'

'Ik woon er vlakbij. Ik ging er wel vaker heen. Naar Limonell.'

'Waarom was Hiwa daar?'

'Dat weet ik niet. Dat heeft hij me niet verteld. Ik heb er niet naar gevraagd.'

'Waar hadden jullie het over?'

'Niets bijzonders.'

Ik moet daar later maar op terugkomen, dacht Winter. In gedachten zag hij de plek voor zich, het pleintje, als je het zo kon noemen. De Kanelgatan. Een buurtwinkel, dat zou voor Jimmy dichterbij zijn geweest.

'Waarom wilde je dat niet meteen vertellen?' vroeg hij.

'Ik dacht dat het niet belangrijk was.'

'Je bent niet dom, Kerim. Je weet dat we alles over die mensen willen weten.'

'Sorry.' Hij zei het heel zachtjes. Het leek bijna alsof hij het meende. Misschien was dat ook wel zo.

'Kende je Jimmy Foro?' vroeg Winter.

'Nee.'

'Hij woonde ook in de buurt.'

Kerim maakte een nauwelijks merkbaar gebaar met zijn schouders.

'Dan beginnen we weer bij het begin,' zei Winter.

Ringmar belde om halfacht.

'Is de tolk er nog?'

'Nee, die is een halfuur geleden vertrokken.'

'En?'

'Hij is bang.'

'Waarvoor?'

'Dat wilde hij niet zeggen.'

'Heb je het gevraagd?'

'Nee, nog niet. Hij moet eerst wat meer vertellen. Uit zichzelf.'

'Doet hij dat?'

'Als hij een tijdje heeft mogen nadenken.'

'Wat valt er na te denken?' vroeg Ringmar. 'Waar zou hij over moeten nadenken?'

'Dat weet ik niet, Bertil. Maar er is iets met deze man… ik heb er een gevoel over. Het zal mijn oude intuïtie wel zijn.'

'Hm.'

'Ik heb geen logische verklaring, nog niet in elk geval.'

'Een verklaring waarvoor?'

'Voor wie hij is. Wat hij is.'

'Hij is toch tolk? Dat hebben we gecheckt.'

'Wat hij hierin is… wat zijn rol is.'

'Zie je het als een rol?'

'Soms.'

'Hoofdrollen, bijrollen,' zei Ringmar.

'Hij kende Hiwa.'

'Hoe?'

Winter antwoordde niet.

'Erik?'

'Ja, ik heb je gehoord.' Winter pauzeerde even. 'Ik kreeg de indruk dat ze… geliefden waren.'

13

Jerker Reinholz leek zich incompleet te voelen zonder zijn taxi, als een half individu. Er zijn mensen die hun hele leven in de auto doorbrengen, dacht Winter. De stad wordt iets wat altijd alleen maar voorbijkomt.

Maar vervolgens komt ze tot stilstand.

'Waarom was je daar gestopt?' vroeg Winter.

Niet zijn kamer nu. Een van de verhoorkamers. Het kleine raam stond open. Hij hoorde het geruis van de avondspits in de buurt van Heden, verkeer dat onderweg was van en naar pretpark Liseberg. Vorige keer werd ik misselijk in de draaiende theekopjes. Nee, het was iets anders, die kopjes zijn er niet meer. Het was iets nog onschuldigers. De oldtimer? Nee, niet zo onschuldig.

'Gestopt? Dat heb ik toch verteld?' zei Reinholz. 'Wat is dit?'

'Wat voor merk rook je?'

'Eh... hoezo?'

Winter keek naar de cassetterecorder. Die draaide.

Hij herhaalde de vraag.

'Marlboro.'

'Met of zonder filter?'

'Eh... wat?'

'Rook je ze met of zonder filter?'

'Bestaan ze dan zonder filter?' vroeg Reinholz.

'Niet in de winkel van Jimmy Foro.'

Reinholz zei niets. Het was alsof hij het niet had gehoord. Hij dacht aan iets anders. Misschien aan wat hij net had gezegd of waar ze het eigenlijk over hadden.

'Er waren helemaal geen Marlboro's in het schap,' zei Winter.

'O, nee? Dan waren ze zeker op.'

'Doorgaans had Jimmy ze wel?'

'Ja... dat dacht ik. Ik heb ze er weleens eerder gekocht... daarom was ik ook gestopt. Om sigaretten te kopen.'

Winter zei niets.

Ze konden beiden de vogels buiten horen. Het lied hield even op maar werd vervolgens weer hervat, alsof de zanger af en toe even uitrustte.

'Ik dacht echt dat ze daar Marlboro verkochten,' zei Reinholz. 'Waarom zou ik anders zijn gestopt?'

'Vertel,' zei Winter.

'Wat? Waarom ik anders zou zijn gestopt?'

Winter zei niets, antwoordde niets. Soms was dat een goede verhoormethode: geen vragen stellen. En vooral geen antwoorden geven.

'Dat was de enige reden dat ik stopte,' zei Reinholz. 'Wat zou ik daar anders moeten?'

'Begin bij het begin,' zei Winter. 'Vanaf het moment dat je afsloeg naar de winkel.'

'Maar dat heb ik al gedaan!'

'Dit zijn standaardvragen,' zei Winter.

'Ja, ja.'

'Vanaf het moment dat je afsloeg,' herhaalde Winter.

Daarginds was niets geweest. De dageraad zou komen. Snelwegen van het zuiden naar het noorden, koplampen op het asfalt. Een waardeloos licht dat kwam en ging, dat oploste in de ochtendschemering. De wind kwam uit het westen en voerde het geluid van een trein met zich mee. Zijn auto stond voor de winkel. Een vrijstaand pand. Alleenstaand. Hij had sigaretten nodig. De winkel bestond voor het merendeel uit glas, niets bewoog, alles was stil.

Hij liep over de parkeerplaats. Hij was de parkeerplaats overgestoken. Hij liep over het terrein. Het geluid van zijn hakken had tot ver in de nacht doorgeklonken. Het was nog nacht geweest. In een ander deel van het jaar zou het echt nacht zijn geweest, ver voor de dageraad. Ergens weerklonk een echo.

'Waar kwam dat geluid vandaan?' vroeg Winter.

'Ik weet het niet... vanaf de andere kant van dat krot.'

'Hoe klonk het?'

'Als... geschreeuw.'

'Wat voor soort geschreeuw?'

'Geschreeuw... ik weet het niet... geschreeuw.'

'Kan het een vogel zijn geweest? Een meeuw?'

'Meeuwen... nee. Op dat moment zijn de vogels nog niet op. Het was te vroeg.'

'Weet je dat zeker?'

'Ik ben het gewend vroeg op te zijn... of laat, afhankelijk van hoe je het ziet. Ik werk vaak 's nachts. Ik weet hoe laat de meeuwen 's zomers komen.'

Winter knikte.

'Misschien was ik het zelf,' zei Reinholz.

'Kun je dat herhalen?'

'Misschien was ik degene die schreeuwde,' zei Reinholz.

'Terwijl je over de parkeerplaats liep?'

'Nee, nee. Daarna. Of… ongeveer op dat moment. Toen ik bij de… deur stond.'

'Maar je hoorde daarvoor toch al geschreeuw?'

'Dat weet ik niet zeker meer. Misschien was ik het zelf wel. De echo van mezelf.'

'Riep je naar iemand? Riep je terwijl je over de parkeerplaats liep?'

'Nee, nee. Waarom zou ik?'

'Omdat je iets hoorde.'

'Nee.'

'Of misschien zag je iets?'

'Nee. Wat had dat moeten zijn? Wat had ik moeten zien?'

'Zag je iemand wegrennen?'

'Nee, nee. Dan had ik dat wel gezegd. Waarom zou ik dat niet zeggen?'

'Misschien ben je het vergeten.'

'Zoiets zou ik nog wel weten.'

'Je weet niet meer of je schreeuwde. Of wanneer je schreeuwde.'

Reinholz mompelde een antwoord dat Winter niet kon horen.

'Kun je dat herhalen?'

'Je was er niet bij,' zei Reinholz.

'Nee.'

'Je weet niet hoe het was.'

'Ik kwam ongeveer een uur later,' zei Winter.

'Jij was daar niet in je eentje. Jij was niet alleen.'

'Nee.'

'Het was verschrikkelijk. Het was alsof ik alleen op de wereld was.'

'Wat bezorgt je dat gevoel?'

'Ik had dat gevoel op dat moment.'

'Waardoor kreeg je dat gevoel?'

'Alles wat ik zag. Dat rode… het was net een verdomde… zee. Als een verdomde rode zee.'

'Kon je dat vanaf buiten al zien?'

'Ik geloof het wel. Misschien dat ik daarom schreeuwde. Dat ik buiten dus al schreeuwde.'

'Herinner je je het nu? Dat je buiten al schreeuwde?'

'Dat moet haast wel.'

'En toen?'

'En toen wat?'

'Wat hoorde je toen?'

'Die voetstappen.'

Winter zei niets. Hij knikte naar Reinholz, ga maar verder.

'Ik realiseerde me dat er buiten iemand rondliep,' zei Reinholz. 'Dat was… verdomd eng. Alsof iemand het wíst. Begrijp je? Alsof iemand het had gezien. Het had gezíén. Begrijp je?'

Winter knikte. Hij begreep het. Hij zag dat Reinholz' oogwit rood was. De man zag er niet gezond uit. Misschien dronk hij te veel. Misschien reed hij te veel auto. Sliep hij te weinig. Dacht hij te veel. Zei hij de verkeerde dingen. Deed hij de verkeerde dingen. Kende hij de verkeerde mensen.

'Iemand holde weg,' zei Reinholz.

'Was het een kind?'

'Dat weet ik niet.'

'Je hebt eerder gezegd dat de voetstappen licht waren. Dat het lichte voetstappen waren.'

'Zo klonk het.'

'Maar je weet het niet zeker?'

Reinholz antwoordde niet.

Winter herhaalde de vraag.

'Misschien werd het geluid alleen maar gedempt,' zei Reinholz.

'Waardoor?'

'Tja… gras wellicht.'

'Zodat het licht klonk?'

'Ja.'

'Dat kunnen we daarginds testen.'

'Hoezo?'

'Om te horen hoe het klinkt.'

'Ga jij dan rennen?'

'Waarom niet?'

'En dan gaan we dat vervolgens vergelijken met een kind? Met de voetstappen van een kind?'

'Dat kunnen we doen, ja.'

'Ja, er zijn daar veel kinderen.'

'Hoe bedoel je dat, Jerker?'

'Hoezo? Gewoon, wat ik zeg. Er zijn daar veel kinderen.'

'Heb je die ochtend een kind gezien?'

'Het was nog geen ochtend, dat heb ik toch gezegd. Ik heb toch verteld wanneer het was. Ongeveer. De kinderen waren nog niet op, daar was het te vroeg voor.'

'Heb je kinderen gezien?' vroeg Winter.

'Nee, nee.'

'Kende je een van de mensen die binnen op de grond lagen?'

'Nu ben ik… wat bedoel je?'

'Of je een van de slachtoffers kende?'

'Die vraag heb ik al beantwoord.'

'Had je een van hen weleens eerder ontmoet?'

'Dat moet haast wel, nietwaar. Ik had er al eens eerder sigaretten gekocht.'

'Bij wie?'

'Hoe moet ik dat nou nog weten?'

'Is dat niet normaal? Dat je dat nog weet?'

'Normaal? Ze zien er allemaal het…' begon Reinholz, maar hij hield halverwege de zin op.

'Wat wilde je zeggen, Jerker?'

'Niets.'

'Dat ze er allemaal hetzelfde uitzien? Wilde je dat zeggen?'

'Nee, nee.'

'Wat bedoel je dan?'

'Ik bedoel alleen dat ik… dat ik ze niet zou herkennen. Of ik bij een van hen boodschappen heb gedaan of niet… ik weet het niet.'

Hij leek nog iets te willen zeggen. Winter wachtte.

'En… daarbinnen viel helemaal niets te herkennen.'

Winter zei niets.

'Mijn god,' zei Reinholz.

'Heeft een van hen weleens bij je in de taxi gezeten?'

'Niet dat ik me herinner.'

'Zou je je dat anders nog herinneren?'

'Hoe… hoe bedoel je?'

'Als je er even over kon nadenken?'

'Dat zou niet helpen. Als ik me niet herinner of ik bij iemand boodschappen heb gedaan, weet ik ook niet meer of ik iemand ergens naartoe heb gereden.'

'Het klinkt alsof je zeker bent van je zaak.'

Reinholz haalde zijn schouders op.

'Je begrijpt dat we alle hulp nodig hebben die we kunnen krijgen,' zei Winter.

'Uiteraard.'

'Een van mijn belangrijkste taken is om mensen te helpen zich dingen te herinneren. Een piepklein detail kan heel belangrijk zijn. Dat begrijp je?'

'Ja.'

'Ben je bang?'

'Hè?' Reinholz was teruggedeinsd, niet veel, maar voldoende. 'Bang?'

'Ben je bang voor iemand?'

'Wat is… wat is dat nou voor een vraag?'

'Heeft iemand geprobeerd je bang te maken? Omdat je bepaalde dingen hebt gezien?'

'Nee… waarom zou iemand dat doen?'

'Of omdat je iets weet?'

'Ik weet niets. Wat zou ik nou moeten weten?'

Hij keek Winter aan alsof de hoofdinspecteur hem echt antwoord zou kunnen geven. Alsof hij graag wilde samenwerken, als hij maar wist hoe. Op zich betekende dat niets. Er waren allerlei vormen van samenwerking. Er waren allerlei redenen.

'Ik weet niets,' herhaalde Reinholz.

'Waar was je naar op weg toen je bij Jimmy's stopte voor sigaretten?'

'Eh… op weg? Ik was op weg naar het centrum. Ik wilde nokken.'

'Nokken?'

'Nokken. Er een punt achter zetten. Naar huis gaan.'

Winter knikte.

'Mag ik nu naar huis?'

'Is er iemand die bang is voor jóú, Jerker?'

'Ik hoop dat je niet te ver bent gegaan,' zei Ringmar.

'Niet bij hem.'

'Hoe bedoel je?'

'Het is net alsof hij elke vraag had verwacht.'

Ringmar knikte.

'Je weet wat ik bedoel.'

Ringmar knikte.

'Ik heb dat soort lui wel vaker gezien,' zei hij.

'Er is iets met hem. Ik kan die vent niet zomaar loslaten.'

'Dan doen we dat niet.'

'We moeten proberen al zijn ritten na te gaan. Bij… ja, bij wie eigenlijk? Taxi Göteborg? Taxi Kurir? We moeten de klanten ook nagaan.'

'Niet iedereen betaalt met een creditcard,' zei Ringmar.

'Als ze al betalen,' zei Winter.

'Of ze doen het zwart,' zei Ringmar. 'Maar bij de grote bedrijven zal dat wel niet kunnen.'

'Over zwart gesproken,' zei Winter. 'Heb je zin om bij ons thuis een grote kop zwarte koffie te komen drinken?'

'Als ik er iets sterkers bij kan krijgen,' zei Ringmar.

Ringmar mocht zelf kiezen en op Winters discrete advies werd het een vijftien jaar oude Glenfarclas.

'Die is echt goed,' zei Winter. 'Robuust en lekker. Beter in balans dan die van eenentwintig jaar, vind ik.'

'Wat een geluk dat je deze in huis hebt,' zei Ringmar. 'De vijftien jaar oude, dus.'

'Je had de andere jaren ook lekker gevonden,' zei Winter. 'Ik heb er ook een die vijfentwintig jaar oud is.'

'Bijna twee keer zo oud.'

'De leeftijd is niet altijd doorslaggevend,' zei Winter.

Ringmar hield de robuuste fles omhoog. Het etiket liet een tekening zien van een toren, een spits, daken van schuren, velden, lucht en op de achtergrond een zacht glooiende berg.

'Heb je deze daar gekocht?'

'Uiteraard.'

'Uiteraard? Allemachtig, Erik.'

'Het is een heel leuke distilleerderij. Groot en modern. Een familiebedrijf trouwens, dat niet bij een of andere groep hoort. Speyside, natuurlijk. In de hooglanden. Vlak bij een dorpje dat Marypark heet, als ik het me goed herinner. Ook heel leuk.'

'Op het Jaegerdorffsplein zit ook een heel leuke slijterij.'

'Vind je?'

'Eigenlijk niet. Maar je hoeft er niet voor naar Schotland.'

'Dat is geen straf, Bertil. En op het Jaegerdorffsplein hebben ze geen Glenfarclas.'

'Mag ik proeven?' vroeg Ringmar. 'Of moet ik op een speciaal gevoel wachten?'

Angela begon te lachen. Ze boog zich naar voren en streek Ringmar over zijn wang. Ze zaten aan de keukentafel. Beneden liep iemand met gedecideerde passen over de binnenplaats. De echo steeg tussen de muren op, kwam langs hun keuken en ging verder naar de hemel. Die zou vannacht niet zwart worden. Over twee dagen was het midzomer. Daarna zou de duisternis Scandinavië weer langzaam binnenkruipen. Over een halfjaar was het Kerstmis. Maar dan begon alles alweer lichter te worden. Enzovoort, enzovoort. Zo verstreek een jaar heel snel.

'Misschien moet je dit alleen inademen,' zei Ringmar.

'Neem gerust een slok, Bertil,' zei Angela.

Ringmar hief zijn glas, Winter het zijne en Angela haar wijnglas. Ze dronken.

Ringmar zag eruit als een professioneel proever.

'Hm,' zei hij en hij zette het dunne whiskyglas neer. Het deed aan een hoog, smal cognacglas denken.

'Nogal... krachtig,' zei hij. Hij tilde het glas weer op en bewoog het voorzichtig heen en weer om de drank in beweging te krijgen. 'Nogal stroperig ook.'

Winter glimlachte.

'Kun je herkennen waar het naar smaakt?' vroeg hij.

'Rook,' zei Ringmar. 'Maar niet erg.'

'Goed.'

'Bijna een beetje zoet… niet direct zoet, maar eerder… ik weet het niet.'

'Dat komt door de sherryvaten,' zei Winter.

'Uiteraard,' zei Ringmar.

Angela lachte weer.

'Jij bent vandaag erg vrolijk,' zei Ringmar.

'Ik ben blij dat ik gezelschap heb,' zei ze.

'Dank je.'

'Zowel van jou als van Erik.' Ze keek hem even aan.

'Daar hebben we het over gehad, Angela,' zei Winter.

Ze nam nog een slok wijn. Het was een rode Cahors die zwart leek in de lichte nacht. De wijn leek in vrijwel elk licht zwart.

'Wat een verschrikkelijke moorden onderzoeken jullie,' zei ze na een korte stilte.

'Ik heb bijna nog nooit zoiets ergs gezien,' zei Ringmar.

'Weten jullie al iets over die andere werknemer?'

'We hoeven het nu niet over de zaak te hebben,' zei Winter.

'Ik wil er graag over praten,' zei Angela.

'We zijn overal naar hem op zoek,' zei Ringmar. 'Misschien is dat op dit moment wel het belangrijkste.'

'Wat kan er gebeurd zijn?' vroeg ze.

'Hoe bedoel je?'

'Wat kan er met… hoe heet hij ook alweer? Hussein? Wat kan er met hem gebeurd zijn?'

'Ja. Hussein Hussein.'

'Van alles,' zei Ringmar.

'Heeft hij geen familie? Hier in de stad, bedoel ik.'

'Dat weten we nog niet.'

'Waar komt hij vandaan? Of is hij hier geboren?'

'Nee, waarschijnlijk niet.'

'Is hij een vluchteling?'

'Waarschijnlijk wel, ja. Dat gaan we nu na.'

Angela keek naar Winter. Hij zat met het glas in zijn hand, maar dronk niet. Zijn blik was naar buiten gericht, naar de nacht. Hij keek weer naar binnen.

'Er zijn veel mensen bij betrokken,' zei hij en hij zette het glas neer. 'Veel te veel.'

'Hoe bedoel je dat, Erik?'

'Er zijn veel hypothesen.' Hij keek Ringmar aan. 'Dat weet jij ook, Bertil.'

'Dat is toch goed,' zei Angela.

'Dat weet ik zo net nog niet.'

'Zoals met de tolk,' zei Ringmar.

'Wat is er met de tolk?' vroeg Angela.

'We krijgen geen hoogte van hem. Of hoe je het maar moet zeggen.'

'Is dat raar? Dat jullie geen hoogte van iemand krijgen? Een getuige… of een verdachte? Is dat niet juist normaal?'

'Jawel,' zei Ringmar.

'Maar waarom ben ik in gedachten steeds bezig met de tolk?' vroeg Winter. 'Of met de taxichauffeur?'

'Omdat dat je werk is,' zei Angela. 'Moet je niet iedereen verdenken?'

Ringmar glimlachte.

'Dat klinkt niet echt leuk,' zei Winter.

'Het heeft je eerder ook geholpen, Erik,' zei Ringmar.

'Hm.'

'Wanneer je iets aanvoelt.'

'Hoe zit het met jou, Bertil? Heb jij niet een bepaald gevoel over hem?'

'Over de tolk?'

'Ja.'

'Misschien… we moeten maar afwachten. Maar ik weet niet hoe het met die liefde zit.'

'Wat is er met de liefde?' vroeg Angela.

'Erik denkt dat de tolk iets had met een van de slachtoffers,' zei Ringmar.

'Dat is tot nu toe alleen maar een gedachte,' zei Winter.

'Met de vrouw?' vroeg Angela.

'Nee. Met een van de mannen,' zei Ringmar.

'Kan zoiets ook een reden voor de moorden zijn geweest?'

'Dat is een van de dingen die we ons afvragen.'

Angela boog zich over de tafel naar voren. 'En wat zegt de tolk zelf?' vroeg ze.

'We hebben hem er nog niet naar gevraagd,' antwoordde Winter.

14

Het geschreeuw werd gedragen door de wind. Het kon van kilometers verderop komen. Daar hadden ze een uitdrukking voor: geroep vanaf de andere kant. Vanaf de andere kant van de wereld. Of vanaf deze. Maar toch een andere wereld. Iets was in hun herinneringen blijven hangen, maar alleen bij degenen die echt oud en echt jong waren. In die wereld bewoog de zon meer dan de mensen. Hier was het precies andersom. Als de zon brandde, duurden de uren twee keer zo lang. Als de zon onderging duurde dat maar even. Dan kleurde het zand rood. De woestijn was een zee. Ze hadden geen zeil. De rode zee bewoog niet. Er was geen wind. Er was niets waar ze hun hoop op konden vestigen. Ze waren al dood.

Ik was niet dood, niet zoals oom Ali. Hij lag onder het witte laken. Ik zag hem. Hij stond die ochtend op, ik zag hem naar de struiken lopen. Toen hij terugkwam, kon ik zijn gezicht niet zien omdat de zon precies op dat moment opging en me recht in de ogen scheen. Ik werd blind.

Wat is erger? Blind of dood? Ik weet het niet, op dit moment weet ik het niet. Ik wil niet zien wat ik nu zie. Maar het verleden kan ik me herinneren. En dan zie ik iets anders. Maar als ik dood ben, zie ik helemaal niets en dan herinner ik me ook niets. Ik ben niets meer. Of ik ben bij God. Dan kan ik misschien naar de aarde kijken. Als ik nu zou sterven, zou ik in dat geval recht naar beneden kunnen kijken en mijn zus, mijn broer en mijn moeder kunnen zien, maar ik zou hen niet kunnen helpen. Bovendien zou vader ons al hebben geholpen als hij dat had gekund, als hij op mij neerkeek. En dat moet nog erger zijn dan niets weten. Kunnen zien, maar niet kunnen helpen.

Niemand helpt ons nu.

Niemand hielp ons toen.

Waar alle anderen uit de overige dorpen zijn, weet ik niet meer.

Moeder zei dat iemand in het westen soldaten had gezien. Daar gaat de zon onder. Die gaat onder en de soldaten komen tevoorschijn. Mijn broer en ik zeiden tegen elkaar dat de soldaten onder het zand leven. In de grond.

Ze haten het licht. Ze haten ons. Ze haten alles.

We waren een paar dagen lang in de verkeerde richting gelopen, naar het westen. Dat was niet verkeerd omdat de soldaten daar misschien waren, maar omdat de grens daar niet lag.

Daar zouden we naartoe gaan. Ik had dat waarschijnlijk niet begrepen. De grens. Welke grens? Er is me altijd verteld dat er veel grenzen zijn. In het dorp zeiden ze altijd: 'Daar ligt de grens' en dan had iemand rondgedraaid, met uitgestrekte hand, en iedereen had gelachen. Het was alsof we geen grenzen nodig hadden.

Maar nu lachte er niemand. We hadden de grens nu nodig. Wat we zouden doen als we die bereikten, wist ik niet. Ik weet niet hoe ver de grens was. Morgen, zei iemand. Dat kon volgend jaar zijn, dat wist ik. Volgend jaar was ver weg.

15

De flat van Jimmy Foro zag er groter uit dan de vorige keer dat Winter er was. Dat was geen ongebruikelijk gevoel. Dat kwam door de tijd. Als er na een misdrijf een paar dagen waren verstreken, kregen de dingen als het ware een andere vorm, andere proporties. Alles legde zich te ruste. De kamers – net zoals de kamer waar hij zich op dit moment bevond – werden ruimer.

Winter hoorde het koele gebrom van de koelkast in de keuken. Alles was net als anders, alles deed het.

Zijn mobiele telefoon rinkelde. Ook het geluid was hier groter dan elders.

'Erik Winter.'

'Hoi, met Lars Palm. Hoofd Woondiensten bij woningcorporatie Hjällbobostäder. Je wilde me spreken?'

'Fijn dat je belt.' Winter legde uit wat hij wilde.

Terwijl hij sprak zag hij de jongen op de fiets, zijn rug. Hoe hij weer verdween.

'We hebben hier 2.200 flats,' zei Palm.

'Hm.'

'Als er mensen zijn die iemand kunnen opsporen, dan zijn het onze schoonmaaksters,' zei Palm.

'Jullie schoonmaaksters?'

'Onze schoonmaaksters weten alles over iedereen,' ging Palm verder. 'Velen van hen zijn er al vanaf het begin, toen deze wijk werd gebouwd.'

'Nee maar.'

'Zij zijn de reden dat we zijn wie we zijn, zou je kunnen zeggen. Die vrouwen houden alles bij elkaar.' Winter meende dat Palm lachte. 'Ze kalmeren de gemoederen. Zorgen voor orde. En zoals gezegd, ze weten alles over iedereen. Wie waar woont. Hoe iemand eruitziet. Waarom iemand zijn auto opeens ergens anders parkeert. Als de persoon in kwestie een auto heeft, natuurlijk. Zij weten waarom iemand plotseling bij iemand langsgaat.'

'Mooi.'

'Finse vrouwen, de laatsten die er nog zijn. Er zijn niet zoveel Finnen meer in dit deel van de stad.'

Finnen. Winter was net langs een portiek gekomen waar Finnen woonden. Akaciagården 18. Alleen maar Finse namen op de bordjes.

'Finse en Zweedse vrouwen,' ging Palm verder. 'Veteranen.'

'Mooi,' herhaalde Winter.

'Ik kan navraag doen.'

'Dat zou fijn zijn. Laat het me zo snel mogelijk weten. Het kleinste detail is van belang.'

'Een jongetje dus, dat in zijn eentje rondfietst?'

Winter had zijn uiterlijk en vermoedelijke leeftijd beschreven.

'Hij lijkt min of meer vergroeid met die fiets. En hij had een tennisbal, in elk geval de eerste keer dat ik hem zag.'

'Loopt hij gevaar?'

'Dat weet ik niet. Dat zou kunnen.'

'Hij kan thuis iets hebben verteld. Over wat hij heeft gezien of gehoord.'

'Dat zou kunnen,' zei Winter.

'In dat geval is het gezin weg.'

'Zo drastisch?' vroeg Winter.

'Als de jongen gevaar loopt, lopen ze allemaal gevaar. Als hij thuis iets heeft verteld, is er een kans dat ze meteen zijn vertrokken.'

'Dat kun jij natuurlijk controleren.'

'Of iemand de afgelopen dagen is verhuisd? Dat kan ik inderdaad.'

'Dan moeten we daar misschien mee beginnen,' zei Winter. 'En daarna de Finse vrouwen vragen.'

'Ik bel je,' zei Palm.

Op een zware kast van een meter hoog stond een ingelijste foto van Jimmy. Winter was ervoor gaan staan toen hij met Palm sprak. Het lijstje was goudkleurig. Ook Jimmy's glimlach liet goud zien.

Een glimlach die op bestelling aan alle studiofotografen werd geleverd. Wat betekende die? Waarom was hij er? Wie had hem nodig?

Winter boog zich verder naar voren. Jimmy's blik was op iets achter Winter gericht. Hij draaide zich om. Midden in een lege muur bevond zich alleen een raam. Winter zag buiten de weg, een parkeerplaats, gebouwen. Hij liep naar het raam. Over het open terrein liep een man. Winter herkende hem.

Mozaffar Kerim keek op van zijn koffiekopje.

'Mag ik gaan zitten?'

De tolk gebaarde naar de lege stoel tegenover hem. Maar hij was nu geen tolk, hij was slechts een eenzame man met een leeg koffiekopje in een leeg eettentje aan de Kanelgatan.

Winter ging zitten.

Er kwam een vrouw naar het tafeltje toe.

'Een kopje koffie graag.'

'Niets erbij?' vroeg ze.

Winter keek naar het lege bordje naast Kerims kopje.

'Ik neem wat hij had.'

'Een kaneelbolletje,' zei de vrouw.

'Dat is hun specialiteit,' zei Kerim. 'Die hebben ze overgenomen van Limonell.' Hij knikte in de richting van de deur. 'Café Limonell hiernaast. Mijn oude stamkroeg.' Hij glimlachte vaag. 'Die is nu dicht.'

'Er zit een Limonell in Hjällbo,' zei Winter.

'Vroeger had je er twee,' zei Kerim. 'Maar dat bracht kennelijk niet genoeg op.'

'Kaneelbolletjes en pizza's,' zei Winter. 'Waarom ook niet?'

Ze zaten in pizzeria Suverän.

De vrouw was weggelopen, ook met een glimlach. Van Kerims gezicht was die verdwenen.

'Kom je hier elke dag?' vroeg Winter.

'Als ik tijd heb.'

Winter keek om zich heen. 'Leuke tent.'

Kerim tilde langzaam zijn arm op en keek lang op zijn horloge, alsof hij zichzelf en Winter eraan wilde herinneren dat de tijd verstreek.

'Moet je ergens heen?' vroeg Winter.

Kerim schudde zijn hoofd.

'Geen werk vandaag?'

'Nog niet.'

'Hoor je dat pas kort van tevoren?'

De man gaf geen antwoord.

'Over het algemeen dus,' zei Winter. Hij dacht aan Kerims werk bij de familie Aziz thuis. Hij begreep dat de tolk daar ook aan dacht.

'Soms.'

'Denk je aan Hiwa?'

Kerim veerde op, alsof hij een elektrische schok had gekregen.

'Hoe... bedoel je?'

'Precies zoals ik het zeg. Denk je aan Hiwa?'

'Nee, ik dacht niet aan hem.'

'Waar dacht je dan aan?'

'Je... hebt toch zeker het recht niet om me te vragen waar ik aan dacht? Of mag de politie dat tegenwoordig? Een soort gedachtepolitie?'

'Niet op die manier,' zei Winter.

'Op welke manier dan wel?'

De vrouw kwam de koffie en het kaneelbolletje op een houten dienblad brengen en zette het bordje en de kop en schotel voor Winter neer. Daarna liep ze weer weg.

'Dat zie je niet vaak meer, dat je aan tafel wordt bediend,' zei Winter en hij keek de vrouw na. De zon die door de deur naar binnen viel, gaf pizzeria Suverän een gouden gloed.

'Oké, ik dacht aan hem,' zei Kerim.

Winter knikte en nam een hap van het bolletje.

'Hij was een vriend van me,' zei Kerim.

★

Aneta Djanali en Halders parkeerden voor de ICA-supermarkt. Toen ze uit de auto stapten, viel de warmte op hen.

'Dertig graden,' zei Aneta Djanali.

'Dat zag ik.'

'In het weekend wordt het ook zo warm.'

'Dan kunnen we haring in de tuin eten,' zei Halders.

'Nee, dank je.'

'Wil je niet buiten zitten?'

'Je snapt me best, Fredrik.'

'Je moet leren om haring te eten, Aneta. Je moet toch een keer Zweeds worden.'

'Ik dacht dat de halve bevolking ervoor bedankte.'

'Dat is niet mogelijk.'

'Nieuwe aardappels lust ik wel.'

'En aardappels in vloeibare vorm,' zei Halders.

'Eén zo'n borrel is genoeg.'

'Dat is geen borrel. Eén borrel is geen borrel.'

'Heb je trouwens boodschappen gedaan?'

'Drank? Wat dacht jij?'

'Komt Bertil ook?'

'Ja. Bertil en Birgitta en Erik en Angela.'

'Leuk.'

'De kerngroep van de afdeling Onderzoek hoeft toch zeker niet gescheiden te zijn alleen omdat het midzomeravond is?'

'Dat bedoel ik.'

Er holde een piepkleine hond over het parkeerterrein, een vuilnisbakkenras met een zwaar lijf en korte pootjes. Hij leek niet erg gevaarlijk. De hond keek rond, naar alle kanten, alsof hij iemand met een riem zocht, een baasje of een vrouwtje, of een hondenvanger, en verdween vervolgens om de eerste de beste hoek.

'Pas op voor de wolf,' zei Halders.

116

'Dat is verboden,' zei Aneta Djanali. 'Loslopende honden.'

'Dat moet je tegen Fikkie zeggen.'

'Daar heb je de eigenaar.'

Er kwam een man over de parkeerplaats aangehold. Hij had ook een zwaar lijf en korte beentjes. Hij riep naar hen: 'Hebben jullie net een hond gezien?'

'Bedoel je de rottweiler?'

'Hè? Nee... een klein... ik weet niet wat voor ras het is.' Hij leek zelf verbaasd over zijn woorden. Zijn tempo was nu langzamer, maar hij stond niet helemaal stil. Het was net alsof hij op een loopband stond te joggen.

'De hond is om die hoek verdwenen,' zei Halders wijzend.

'Bedankt,' zei de man en hij verdween in dezelfde richting.

'Een klein drama. Er spelen zich altijd kleine drama's af,' zei Halders.

'Het drama waarom wij hier zijn, is iets groter,' zei Aneta Djanali.

'Laten we gaan,' zei Halders.

Ze liepen naar het flatgebouw. Dat leek bleek in het felle zonlicht, alsof de zon de oorspronkelijke kleur van het pleisterwerk gedeeltelijk had weggevreten. Het is net als in het zuiden, dacht Halders. Als de zon lang genoeg schijnt, verbleekt alles.

'Dit is de eerste keer dat ik hier ben,' zei Aneta Djanali.

'In Rannebergen? Dat meen je niet.'

'Jawel. Ik ben hier met de auto weleens langsgekomen, maar ik heb nooit reden gehad te stoppen.'

'Dat heb je nu wel, Aneta.'

Ze stonden voor de portiekdeur. Halders pakte de sleutels.

Aneta Djanali haalde diep adem.

'Er is nu niet veel meer te zien,' zei Halders. 'In de flat.'

'Dat maakt voor mij niet uit, dat weet je, Fredrik.'

'Je had niet mee hoeven komen.'

'Hou op.'

Ze liepen de trappen op.

In het trappenhuis hoorden ze flarden van muziek. Iets oosters, dacht Halders, wat dat ook betekent. Het Oosten is groot. De halve wereld.

Hij deed de deur open.

Binnen was het koel, maar er hing een speciale lucht. Misschien was het verbeelding. Hij keek naar Aneta. Zij rook het ook.

Aneta Djanali zag een paar vliegen op het keukenraam. Ze waren dik en roerloos. Ze vlogen niet weg toen ze dichterbij kwam.

Buiten speelden kinderen. Ze had hen niet gezien toen ze de portiek binnengingen.

'Het is 's ochtends vroeg gebeurd,' zei Fredrik achter haar.

'Toen er niemand buiten was,' zei ze, terwijl ze naar de kinderen in de speeltuin bleef kijken. Een jongen schommelde, een meisje groef zich steeds dieper in de zandbak in, richting China. Kwam je in China uit als je maar bleef graven? Waarschijnlijk wel, China bedekte een groot deel van het noordelijk halfrond. Van Rannebergen naar China. Of Iran. Dat was ook geen klein land. Veel woestijn, veel zand. Het echtpaar Rezai kwam uit Iran. Misschien lag het op de plek waar het kind naartoe ging. Het kind of haar ouders konden daarvandaan komen: zwart haar, een bleek gezicht, grote donkere ogen, een neus met profiel. Dat kon ze allemaal zien, zeer duidelijk. Het raam was heel schoon.

Winter had het kaneelbolletje weggelegd. Het was lekker, maar te groot. De serveerster was teruggekomen en had nog wat koffie bijgeschonken. Kerim had geen tweede kopje gewild. Hij had zelf het woord 'bijschenken' gebruikt. 'Het is een grappig woord,' had hij gezegd. 'Eenvoudig en vanzelfsprekend.' Hij had naar Winters kopje gekeken, naar de koffie die was bijgeschonken. 'Het is net een woord dat een kind zou kunnen verzinnen. Begrijp je?'

'Ik begrijp precies wat je bedoelt.'

'Wanneer je als tolk werkt, denk je aan dit soort dingen.'

Winter knikte.

'Waarom woorden klinken zoals ze klinken. Waarom dingen heten zoals ze heten. Hoe de woorden zijn ontstaan. Dat vind ik interessant.'

'Dat vind ik ook,' zei Winter. 'Ik denk er vaak over na.'

'Schrijf je?'

'Sorry?'

'Schrijf je de woorden waar je over nadenkt op?'

'Nee, jij wel?'

'Soms.'

'Misschien moet je dat inderdaad doen.'

'Doe het dan.'

'Oké.'

'Heb je kinderen?'

'Twee meisjes.'

'Gefeliciteerd.'

'Dank je. En jij?'

'Of ik kinderen heb? Nee.'

Zijn blik was naar buiten gegleden. Daar waren ook geen kinderen. Winter kreeg de indruk dat Kerims ogen naar kinderen zochten.

'Daar zijn veel kinderen,' zei hij en hij keek Winter weer aan.

'Hoe bedoel je?'

'Die zich niet laten zien. Die zich verborgen houden. Of die verborgen worden gehouden.'

Winter knikte.

'Hoe lang moet dat zo blijven?'

'Dat weet ik niet.'

'Eerst maakten ze die wet waardoor alle mensen die zich verborgen hielden tevoorschijn konden komen en hun aanvraag opnieuw konden laten toetsen. Vervolgens scherpten ze de wet aan en moesten de mensen zich weer verstoppen.'

'Ik weet het.'

'Waarom heeft de regering dat gedaan?'

'Dat moet je mij niet vragen, Mozaffar. Eerlijk gezegd ben ik net zo verbaasd als jij.'

'Heb je dat gezegd?'

'Ja. Ik heb zelfs gezegd dat ik kwaad ben.'

'Tegen wie heb je dat gezegd?'

'Tegen iedereen die het maar wil horen.'

'Helpt dat?'

'Nee.'

'Houdt het ooit op?'

'Ja.'

'Wanneer?'

'Dat weet ik niet.'

'Wanneer gaat de overheid die arme mensen nou eens echt begrijpen?'

'Dat weet ik ook niet.'

'Wat weet je eigenlijk wel?'

Wie stelt hier de vragen, dacht Winter. Wie heeft hier het overwicht? Is het een van ons?

'Dus ik heb geen kinderen,' zei Kerim. 'Niet hier.'

'Woont jouw familie ergens anders?'

'Nee. Zo bedoelde ik het niet.'

De jongen had het niet durven vertellen. Hij begreep wat er dan zou gebeuren. Hij dacht dat in elk geval te begrijpen. En dat wilde hij niet.

Maar hij wist dat het gevaarlijk was. Het was het beste om alles te vergeten, te fietsen en te vergeten. De schoolvakantie was begonnen en hij had alle tijd. Als hij maar moe genoeg was, zou hij alles misschien vergeten.

De man die hem achterna had gezeten, had hij niet meer gezien.

Hama Ali Mohammad had zijn mobieltje verloren en voelde zich naakt.

Er werd gepraat over de man die was verdwenen. Hussein. Dat was zoeken naar een naald in een hooiberg, zoals de Zweden zeiden. Zoeken naar Mohammad in Arabië. Of naar Mister Singh in India.

Was dat de man die bij de Nigeriaan had gewerkt, had iemand gevraagd.

Dat gerucht ging, maar er gingen altijd geruchten.

Het was geen gezanik. Hama Ali kende niet alle details, maar het was heel akelig geweest. Zeker geen gezanik.

Hama Ali wachtte. Zonder mobiel was het zwaarder om te wachten. Niets te doen. Binnen was het in elk geval koel. Buiten was het net een hel. Dat kwam goed uit.

Nu zag hij hem langskomen. Hij stak zijn hand op. *Ey.*

★

'Je zei dat Hiwa je vriend was.'

'Ja.'

'Op wat voor manier was hij je vriend?'

'Is er meer dan één manier?'

'Dat weet ik niet.'

'Nu zeg je dat alweer, dat je het niet weet.'

'Op welke manier waren jullie bevriend?' herhaalde Winter.

'We spraken hier af, bijvoorbeeld.' Kerim spreidde zijn handen. 'Of daar, in het café, toen dat er nog was. Maar dat heb ik al gezegd.'

'Waarom wilde je dat eerder niet vertellen?'

'Je vroeg er niet naar.'

'Ik vroeg niet naar het café.'

'Ik vond dat niemand er iets mee te maken had.'

'Hiwa is vermoord,' zei Winter. 'Doodgeschoten.'

Kerim antwoordde niet.

'Je had de eerste moeten zijn die naar me toekwam om me alles te vertellen wat je over hem wist.'

'We zitten nu hier,' antwoordde Kerim.

'Waarom wilde je niets zeggen? Ben je bang?'

'Iedereen is wel ergens bang voor.' Kerim keek Winter niet aan. 'Hier is iedereen bang.'

'Dat geloof ik niet. Je verschuilt je daarachter.'

Kerim antwoordde niet.

'Was Hiwa ergens bang voor?' vroeg Winter. 'Wist hij iets?'

'Wat had hij moeten weten?'

'Iets wat hij niet had moeten weten,' zei Winter.

Kerim antwoordde niet.

'Wat wist hij?' vroeg Winter.

De vrouw achter de toonbank keek naar hen. De afstand was zo groot dat ze niets kon horen, maar het was Winter opgevallen dat Kerim een paar keek schuin haar kant had opgekeken.

'Wil je ergens anders heen?'

'Nee, nee.' Kerim schudde zijn hoofd. Hij begon stilletjes te huilen.

Winter wist niet of de vrouw het zag. Ze stond nu met haar rug naar hen toe.

Kerim pakte een zakdoek en snoot onopvallend zijn neus. Hij keek op. 'Nog meer tranen,' zei hij.

'Soms zijn er een heleboel nodig,' zei Winter.

'Wat weet jij daarvan?'

'Ik ben ook een mens.'

'Je probeert bij me in het gevlij te komen.'

'Dat is een gewone verhoortechniek.'

'Je probeert grapjes te maken.'

'Dat blijft meestal bij een poging. Ik zie jou niet lachen.'

Kerim keek naar buiten. Er kwam een auto langs. Een auto reed weg. Winter had niemand zien instappen.

'Hiwa was ergens bang voor,' zei Kerim zonder zijn blik te verplaatsen.

Winter zei niets, wachtte, volgde Kerims blik naar de witte leegte buiten.

'Ik weet alleen niet wat.'

'Wat zei hij?'

'Hij sprak er niet over.'

'Hoe weet je het dan?'

'Hij veranderde.'

'In welk opzicht?'

'Dat kan ik niet precies aangeven.' Kerim keek Winter nu recht aan.

'Wanneer begon hij te veranderen?' vroeg Winter.

'Een maand geleden ongeveer, denk ik. Ik weet het eigenlijk niet. Misschien ook wel eerder, of later.'

'In welk opzicht veranderde hij?'

'Hij... leek nerveus.'

'Hoe dan?'

'Ik... weet het niet. Er was iets... wat ik niet herkende. Hij was anders... dan anders.'

'Hoe was hij anders dan?'

'Vrolijk. Hij was meestal vrolijk.'

'Was hij dat niet meer?'

'Jawel... maar niet op dezelfde manier.'

'Wat was er dan anders?'

'Hij maakte niet zoveel grapjes meer.' Winter meende een glimlach op Kerims gezicht te zien, maar het kon een dun straaltje zon zijn geweest dat even op zijn mond had geschenen. 'Hij maakte vaak grapjes.'

'Waarover?'

'Over van alles en nog wat. Politiek bijvoorbeeld. Vluchtelingen. Saddam. Amerikanen. Turken. Zweden. Somaliërs. Van alles en nog wat.'

'Maar toen leek het alsof er minder dingen waren om grapjes over te maken?'

'Ja.'

'Hij werd bang.'

'Ja...'

'Vertelde hij je dat hij bang was?'

'Nee.'

'Misschien was het niet zo.'

Kerim keek Winter aan. 'Hoe bedoel je?'

'Misschien was het inbeelding.'

'Nee... dan zou ik het nu niet zeggen.'

'Maar je wilde helemaal niets zeggen toen hij net was overleden.'

Kerim deinsde terug.

'Jij bent ook bang, Mozaffar.'

'Nee.'

'Je bent voor hetzelfde bang als Hiwa.'

'Nee. Wat zou dat moeten zijn? Ik weet immers niet wat het is.'

'Wat hem doodde.'

Kerim antwoordde niet.

'Ik begrijp niet dat je het ons niet vertelde.' Winter boog zich over de tafel. 'Ik.'

Kerim antwoordde niet.

'Misschien heb je het wel geprobeerd,' zei Winter.

Kerim keek op. Hij had zijn lege kopje bestudeerd.

'Misschien heb je het wel geprobeerd, maar begrepen we het niet.'

'Ik... ik weet niet wat ik moet zeggen.'

Winter zag dat de vrouw vluchtig naar hen keek. Misschien ontmoette haar blik die van Kerim.

Hier hadden Kerim en Hiwa gezeten. Een van hen was nu dood. Maar ze hadden hier gezeten. Ze hadden ervoor gekozen hier te zitten. Hier hadden ze zich niet bedreigd gevoeld. Misschien werd Kerim hier niet bedreigd. Hij had er niet bang uitgezien toen Winter was binnengekomen. Hij zag er nu niet bang uit. Opgelucht misschien. Of bang. Misschien was hij bang, maar kon hij dat niet laten zien. Wie mocht het niet zien? De vrouw. Winter keek nog eens naar haar. Ze stond weer met haar rug naar hen toe. Ze leek iets op het plein te bestuderen. Daar bewoog niets. Nergens bewoog iets. Het was stil. Doodstil.

'Wat deed Hiwa?' vroeg Winter.

'Ik begrijp je niet.'

'Hield hij zich bezig met drugs? Illegale levensmiddelenhandel? Diefstal?'

'Nee, nee. Wat is dat... illegale levensmiddelenhandel?'

'Dat weet je best.'

Kerim schudde zijn hoofd. 'Hij hield zich niet met dat soort dingen bezig. Dat geloof ik niet. Dat is niet mogelijk.'

'Helemaal niet?'

'Als je aan iets crimineels denkt, dan weet ik er niets van af.'

Dat antwoord kon van alles betekenen.

'Zou Hiwa iets crimineels hebben kunnen doen?' vroeg Winter.

'Zoals gezegd, volgens mij niet.'

'Waarom niet?'

'Zo zat hij niet in elkaar.'

'Misschien had hij geen keuze.'

Kerim gaf geen antwoord.

'Misschien dwong iemand hem ertoe.'

'Dat weet ik niet.'

'Daarom was hij bang.'

'Ik weet het niet.'

'Ik wil dat je me helpt om zijn andere vrienden te vinden.'

'Ik… ik weet niet wie dat zijn.'

'Dat geloof ik niet.'

'Het is waar.'

'Hoe goed kende je Jimmy en Said?'

Kerim deinsde weer terug. 'Wie?'

'Je weet over wie ik het heb, Mozaffar.'

'Het… kwam nogal onverwacht.' Hij friemelde aan zijn kopje. 'Daarom schrok ik een beetje. Maar ik kende ze niet.'

'Net zoals je Hiwa eerst niet kende?' vroeg Winter.

16

Angst, hij dacht aan angst. Het was internationaal gangbaar. Een handelswaar die steeds meer opleverde. Succesvolle angst. Succes gestoeld op angst. Winter reed weer in noordelijke richting. Zijn raam was open en hij rook de blauwe en gele geuren van het groen. Oeroude geuren. Angst. Voorbij de angst komen, de angst van de mensen. Die naderen. Die van achteren aanvallen, of van een andere kant. Van voren was het moeilijker. In zekere zin was angst open en verwachtte hij een frontale aanval. Dat was dus een verkeerde benadering en wat dat betreft was angst voorspelbaar. Dat komt omdat angst niet natuurlijk is, dacht Winter en hij reed over een rotonde. Angst is opgelegd, komt van buitenaf. Van iemand anders. Van wie? Angst is overal aanwezig. Het gevoel is universeel, hoort bij de globalisering. Ze gebruikten halfautomatische hagelgeweren voor de moorden. Angst hield wapens vast, joeg angst aan, maakte mensen misschien wel doodsbenauwd. Angst komt terug, is gebaseerd op herhaling. Het gevoel kan elk moment terugkeren, 's nachts, 's ochtends, 's zomers, in de herfst. Nu is het zomer, maar de zomer is nog maar net begonnen. Misschien de angst ook. Morgen is het midzomeravond. Dan is iedereen vrolijk.

In de ochtend leek het Hammarkulleplein grijs. Er kwam een man langs met een koffer op wielen. Hij knikte naar Winter, als tegen een vreemde. Winter knikte terug.

Nasrin Aziz stond voor Maria's Pizzeria & Café te wachten. Ze stak een sigaret op en blies uit in de richting van de roltrappen naar de tramhalte. Ze hoestte.

'Dat is sterk spul,' zei Winter en hij knikte naar het pakje sigaretten dat ze nog steeds in haar hand hield.

'Dat moet jij zeggen.'

'Sorry?'

'Jij rookt sigaren.'

'Hoe weet je dat?'

'Ik zag je door het raam. Toen jullie bij ons thuis waren. Toen je wegging.'

Nasrin nam weer een trek en blies de rook uit, die als een nevelflard door de lichte lucht dreef. Opeens leek het herfst op het plein. Er stonden een paar mensen bij de roltrappen. Een vrouw van in de vijftig leek om geld te bedelen. Ze zag er Zweeds uit.

'Weet je moeder dat je rookt?' vroeg Winter.

'Ga jij het haar vertellen?' Nasrin keek Winter aan met een blik die opstandig leek.

'Nee, nee. Dat zijn mijn zaken niet.'

'Waarom vraag je het dan?'

'Dat weet ik niet.'

'Ze weet van niets,' zei Nasrin en ze nam nog een diepe trek. Vervolgens liet ze de halve sigaret op de betonplaat vallen en trapte er met haar hak op. De dunne leren schoenen hadden lage hakken. 'Ze weet niets.'

'Waarvan?'

'Alles,' zei Nasrin. 'Ze weet nergens iets van.'

'Wie dan wel?'

Ze antwoordde niet.

Winter begreep misschien waar Nasrin het over had. In veel allochtone gezinnen wisten de ouders niets. Ze hadden geen contact met de wereld om hen heen. Ze hadden geen taal. Buiten hun woning hadden ze helemaal niets. Ze waren bang. De kinderen waren buiten, in de vreemde, angstaanjagende wereld. De kinderen gingen die wereld in en uit, ze passeerden de grens honderden keren per dag. Soms kwamen ze niet terug.

'Wie van jullie gezin weet wel wat er gaande is?' vroeg Winter.

'Wist,' zei Nasrin en ze keek Winter aan. 'Wist wat er gaande was. Blijven we hier buiten staan?'

Nasrin wilde niet bij Maria's Pizzeria & Café naar binnen gaan. Ze liepen over het plein. De bedelares was verdwenen.

'Dus Hiwa was bij jullie thuis degene die wist wat er gaande was?'

Ze antwoordde niet, keek recht voor zich uit, frummelde aan haar schoudertas zonder die te openen om bijvoorbeeld nog een sigaret te pakken. Winter had geen zin in een Corps. Dat zou niet goed voelen. Dit meisje zou niet moeten roken, haar huid was er te mooi voor, te jong, net als haar longen en de rest. Ze was te jong, het was te vroeg, het was niet juist, het zou verboden moeten zijn.

'Wat wist hij?'

Ze antwoordde nog steeds niet. Ze liepen in de richting van de school. Ze kwamen kinderen tegen die iets naar haar riepen, maar ze antwoordde niet.

'Zit Azad op deze school?' vroeg Winter, terwijl hij naar het schoolgebouw knikte waar de zon nu op scheen.

'Soms,' antwoordde ze.

'Spijbelt hij?'

'Soms,' herhaalde ze. 'Ga je dat melden of hoe dat ook heet? Ga je melden dat hij spijbelt? Hoewel de school nu dicht is. Het is zomervakantie.'

'Dat is toch de taak van zijn onderwijzers?'

'Bij wie moeten ze dat dan doen?'

'Bij je moeder.'

'Zij weet niets. Zei ik dat niet?'

'Hoe lang spijbelt hij al?' vroeg Winter.

'Waarom vraag je dat?'

Ze was blijven staan. De school lag achter hen, evenals pizzeria Gloria. Links lagen de kantoren van de huurdersbond en een winkel die Rosa Affären heette. In de etalage zag Winter kleding en speelgoed, misschien tweedehands. Het leek een leuke plek voor kinderen. Hij zag er een paar naar binnen gaan. Een meisje draaide zich om en keek naar hen. Een paar meter verderop zag Winter een bord met het woord 'dokter'.

'Wat zegt Azad?' vroeg Winter.

'Waarover?'

Open vragen. Soms werkte het, soms niet. Het antwoord kwam bijna als een echo terug. Alles kon veel langer duren. Maar het kon de moeite waard zijn.

'Over het feit dat Hiwa is doodgeschoten.'

'Wat moet hij zeggen?'

Winter antwoordde niet.

'Maakt het voor iemand van ons iets uit?' vroeg ze.

'Waarom werd Hiwa doodgeschoten?' vroeg Winter.

Ze stonden nog altijd stil. Plotseling begon ze terug te lopen naar het plein.

'Wat wist Hiwa?' vroeg Winter. 'Wat was er gaande?'

Ze begon te huilen.

De kerk zag er koel uit. De meeste dingen om hen heen leken warm, maar de kerk niet, en de toren evenmin. Die kwam wellicht te dicht bij de hemel.

'Wat had hij moeten weten?' vroeg ze.

'Iets wat hij niet moest weten,' zei Winter.

'Wat dan? Wat zou dat geweest moeten zijn? Wat kan het geweest zijn?'

'Wat zei hij tegen jou? Wat zei Hiwa?'

'Tegen mij? Dat soort dingen vertelde hij me niet.'

'Helemaal nooit? Er was niets waarover hij zich... opwond? Wat hem zenuwachtig maakte?'

'Nee.'

'Iets waardoor hij zich anders gedroeg? Waardoor hij zijn gewoonten veranderde? Iemand… anders werd?'

Ze antwoordde niet.

'Het is heel belangrijk,' zei Winter.

'Wat had hem kunnen doden? Wat was zo belangrijk dat ze zoiets konden doen?'

'Ze?'

'Hè?'

'Je zei "ze".'

'Hij. Zij. Ze. Ik weet het niet. Ik bedoel… wie zou het hebben geweten?' Ze pauzeerde even. 'Waar gaat het om?'

'Dat weet ik niet, Nasrin. Misschien om drugs. Misschien om wat anders. Criminaliteit. Iets wat hij wist. Wat hij niet had moeten weten.'

'Zou ik dat niet weten? Natuurlijk had ik dat begrepen.'

Ze waren de kerk gepasseerd. Hij hoorde het geluid van startende auto's. Voor hen lag een groot parkeerterrein.

'Hoe had ik het niet kunnen weten?' zei Nasrin.

'Soms zijn er geheimen die je niet kent,' zei Winter.

'Daarom zijn het ook geheimen,' zei ze. 'Maar iemand anders zou iets hebben gezegd. Iemand anders had zijn mond niet kunnen houden.'

'Wie niet?'

'Geen van zijn vrienden hield zich bezig met criminele activiteiten. Jullie hebben toch met ze gepraat?'

'Daar zijn we mee bezig.'

'Dan weet je het. Ze zijn niet crimineel.'

'Dat klopt niet helemaal,' zei Winter.

'Hoe bedoel je?'

'Een aantal van hen is al eens door de politie gehoord.'

'Door de politie gehoord? Wat betekent dat? Niets, toch? Hier is iedereen weleens door de politie gehoord!'

'Hiwa's vrienden waren niet allemaal onschuldig,' zei Winter.

'Ik wil het niet horen,' zei ze.

'Ze zijn bang.'

'Waarvoor?'

'Voor dat wat Hiwa het leven heeft gekost.'

Winter liep met Nasrin mee terug naar huis. Op het plein rook het naar metselspecie. In de oostelijke hoek werd gewerkt. De arbeiders hadden nu even pauze. Winter zag een stapel betonplaten voor een onbeweeglijke cementmolen liggen. Op de eerste verdieping hing aan een balkon een Zweedse vlag slap naar beneden.

Azad kwam samen met twee vriendjes over het plein aangefietst. Hij stopte als een steigerende pony toen hij Winter zag. Zijn vriendjes fietsten verder, langs Winter en Nasrin. Azad leek zich om te willen draaien toen hij zijn zus zag. Nasrin leek zich om te willen draaien. Wat is er met dit gezin aan de hand? Ze zijn bang. Maar niet voor mij. Ze waren al bang. Het is niet omdat ze uitgewezen kunnen worden. Niet op dit moment, niet in de afgelopen dagen. Of deze maand. Er is iets gebeurd. Hiwa is ergens in beland waaruit hij niet kon ontsnappen. Waarom komen we daar verdomme niet achter? Is iedereen hier bang? Komt het daar allemaal door? Is de stad gebouwd op angst? Wij hebben de stad gebouwd. Wij, de havermoutpap-met-melk-Zweden. De gehaktballetjes-met-aardappels-Zweden.

'Azad!'

Hij hoorde Nasrins stem. De jongen fietste alweer terug in de richting waar hij vandaan was gekomen. Hij stopte en draaide zich om. Zijn haar zat op zijn voorhoofd geplakt. Nasrin liep snel naar hem toe.

'Wat doe je in de zon? Je raakt helemaal bezweet.'

Azad antwoordde niet. Hij keek vanonder zijn natte pony naar Winter.

'Moet jij zeggen!' vroeg hij terwijl hij zijn ogen op zijn zus liet rusten. 'Jij loopt ook in de zon.'

'Ik moest een paar vragen beantwoorden.' Ze wierp een korte blik op Winter.

De jongen keek ook weer naar Winter, met ogen die zeiden dat hij de vragen van de *akash*, de smeris, nooit zou beantwoorden.

'Ik heb ook een paar vragen voor jou, Azad,' zei Winter.

Azad wilde geen pizza. Hij wilde ook niets anders.

'Ik neem kebab,' zei Winter. 'Ik heb honger.'

Nasrin nam alleen een kopje koffie.

'Ik lunch niet,' zei ze.

'Waarom niet?'

'Omdat ik niet nog dikker wil worden.'

Azad sloeg zijn ogen ten hemel. Winter begreep waarom. Nasrin was tenger, dun zelfs, en de sigaretten hielden haar gewicht laag, samen met de ontbrekende lunches.

Winter zag dat Azads blik in de richting van de draaiende spies met vlees ging. Als Winters bord op tafel werd gezet, zouden zijn ogen die kant op worden getrokken. Het zou een subtiele vorm van marteling zijn, maar daar was Winter niet op uit.

'Ik beloof dat ik geen vragen zal stellen zolang we eten,' zei hij en hij knikte naar Azad. 'En daarna ook niet trouwens.'

'Waarom moeten we hier dan zitten?' vroeg de jongen.

'Omdat ik honger heb, dat zei ik toch?'

De jongen keek weer naar de geweldige spies. Een man sneed er mooie dunne schijven af. Winter had om vers gesneden kebab met alles erop en eraan gevraagd. Hij ging ervan uit dat het pitabroodje warm was.

'Heb jij geen honger, Azad?'

Winter meende dat Nasrin lachte, maar misschien was het een hoest of een nies. Ze hield haar hand voor haar mond.

'Nasrin?'

'Wat is er?' vroeg ze en ze haalde haar hand weg.

'Wil jij iets eten?'

'Op dit tijdstip eet ik niet, dat heb ik al gezegd.'

Winter begreep dat hij haar niet op andere gedachten zou kunnen brengen. Ze zou tijdens de maaltijd naar buiten staren of weggaan als het te moeilijk werd.

'Azad?'

De jongen zei niets. Dat was ook een duidelijk antwoord.

Toen hij in de auto zat en naar het zuiden reed, luisterde hij naar het pianospel van Lars Jansson. De tonen waren zacht, net als de regen buiten. Hij had het met Nasrin over muziek gehad. Ze had een Koerdische zanger genoemd die in Zweden had gewoond maar nu weer naar huis was gegaan, naar Koerdistan, het Irakese deel, maar ze wist niet precies waar. Hij heette Zakaria, een van de jongeren. Hij zong liefdesliederen. Ze noemde de zangeres Niyan Ebdulla, en Alan Omer. De muziek die opstond toen ze op de plek arriveerden waar Hiwa was gestorven, noemde Winter niet. Dat was een andere Koerdische zangeres geweest, Sehîn Talebanî. De man die in de oosterse muziekwinkel aan de Stampgatan achter de toonbank stond, had haar stem vrijwel meteen herkend. Hij had de cd gepakt: *Bô tô Kurdîstan*. Voor jou, Koerdistan. Op het hoesje stond een foto van een stad. Een fontein op de voorgrond, bergen op de achtergrond. Winter was rustiger dan hij zich lange tijd had gevoeld. Het had door de kebab met alles erop en eraan kunnen komen, maar hij dacht van niet. Het kwam door de muziek.

17

Hij reed verkeerd op de Peppargatan, de straat die naar peper was vernoemd. Ooit was het de gewoonte geweest om overal roze peper bij te serveren, al was dat eigenlijk geen peper. Toen was ik nog jong. Ik vond het niet lekker, maar misschien moet ik het weer eens proberen. Bij kalfsrack misschien. In een stoofschotel.

De pizzeria leek net zo verlaten als gisterochtend. Maar het was geen lunchtijd.

Binnen was dezelfde vrouw aan het werk. Ze stelde zich voor als Maia. Winter vroeg niet naar haar achternaam.

'Herken je mij?' vroeg hij.

'Ja. Je was hier gisteren ook.'

'Ik was niet alleen. Herkende je de man bij wie ik aan tafel zat?'

'Ja. Dat is een van onze stamgasten.' Ze glimlachte. Haar tanden leken wit in het tegenlicht. 'Een van de weinige.'

'Hoe heet hij?'

'Dat… weet ik niet.'

Winter haalde een foto tevoorschijn.

'Herken je hem?'

Ze bestudeerde het gezicht van Hiwa Aziz. Dat had bij hem thuis aan de muur gehangen en hing daar nog steeds. Hiwa leek naar iets te kijken wat ver weg was. Het was de meest recente foto die er van hem was en die was slechts een halfjaar geleden in een studio gemaakt.

'Nee, hem herken ik niet,' zei ze en ze keek op.

'Weet je dat zeker?'

'Zo zeker als ik maar kan zijn,' zei ze. Ze wierp nog een blik op de foto en gaf die toen weer aan Winter. 'Wie is het?'

Misschien leest ze geen kranten. Misschien kijkt ze niet naar politieberichten op tv. Misschien praat ze niet met haar buren.

'Hij werkte bij Jimmy Foro,' zei Winter.

'Wie is dat?'

'De man die is doodgeschoten.'

'O, die.'

'Samen met de man op deze foto.'

'O, is hij dat!'

'Hij kwam hier soms.'

'O ja?' Ze pakte de foto weer aan toen Winter haar die aanreikte, bestudeerde nogmaals het gezicht en gaf de foto terug. 'Maar ik herken hem nog steeds niet.'

'Misschien werkte je niet wanneer hij hier kwam.'

'Ik werk altijd.'

'Is het dan niet gek dat je hem niet herkent?'

'Misschien had hij een baard,' zei ze.

'Kijk nog eens goed.'

Ze keek nog eens goed. 'Misschien dat hij het is. Maar dan had hij wel een baard.'

'Praatte hij met de man die hier gisteren ook was?'

'Ik… geloof van wel.'

'Je weet het niet zeker?'

'Ik denk dat hij het was.'

'Hoe vaak kwam hij hier?'

'Een paar keer misschien. Ik weet het niet meer. Een keer of drie.'

Winter knikte. 'Hoe zit het met Jimmy Foro?' vroeg hij.

'Die was zwart. Ik herinner me zijn gezicht. Hij is hier nooit geweest.'

'Waarom niet?'

'Hoe moet ik dat nou weten?'

'Heb je hem ooit gezien?'

'Ja… ik wist zijn naam niet, maar hij liep hier weleens langs. Ik herkende hem geloof ik van de foto's in de kranten. Maar daar kon je niet op zien dat hij zo lang was.'

'Ongewoon lang?'

'Als hij het was, dan was hij heel lang. Langer dan jij.'

'Was hij alleen?'

'Toen ik hem zag, bedoel je?'

'Ja.'

'Ik geloof het wel. Het is maar een enkele keer geweest. Toen was hij alleen.'

'Heb je met hem gepraat?'

'Nooit.'

Shirin Waberi zei dat ze zeventien was en Winter kon niet bepalen of dat waar was. Ze leek eerder vijftien, veertien. Maar op dit moment ging het niet over haar leeftijd.

Shirin was een van de vriendinnen. Ze zat in dezelfde klas als Nasrin Aziz, dus haar leeftijd moest kloppen.

Ze had Hiwa gekend.

En zijn vriend Alan Darwish.

'Alan en Hiwa gingen niet meer met elkaar om,' zei ze zachtjes. Winter had ernaar gevraagd.

Ze zaten op een bankje voor de kerk van Hjällbo, in de schaduw van een grote boom waarvan Winter de naam niet kende.

'Waarom gingen ze niet meer met elkaar om?'

'Dat weet ik niet.'

'Wat was er gebeurd?'

'Dat weet ik niet. Dat zeg ik toch.'

'Heb je het aan Nasrin gevraagd?'

'Nee.'

'Heb je het met haar over iets anders gehad?'

'Zoals?'

'Dat maakt niet uit.'

'Ik heb haar niet meer gezien sinds... het is gebeurd.' Shirin streek een lok van haar wang. Haar haar glansde in de zon.

'Wanneer hebben jullie elkaar voor het laatst gezien?'

'We hebben elkaar niet meer gezien... sinds de vakantie is begonnen.'

'Was er wat gebeurd?'

Ze keek hem voor het eerst aan. Sinds de vakantie is begonnen. Winter geloofde het niet. Hij wist niet waarom hij het niet geloofde. Misschien omdat ze hem aankeek toen ze het zei.

'Hoe bedoel je? Er is niets gebeurd.'

'Zijn jullie niet van die vriendinnen die elkaar elke dag zien?'

Ze antwoordde niet.

'Waren Alan en Hiwa vrienden die elkaar elke dag zagen?'

'Dat weet ik niet.'

'Heeft geen van beiden gezegd waarom ze niet meer met elkaar omgingen?'

'Nooit.'

Nooit is een sterk woord. Winter stond midden in Jimmy Foro's flat. Nooit als in nooit meer of nooit van zijn leven. Buiten krijste een zeevogel. Het was een oneindig geluid, het zou nooit ophouden zolang de aarde rond was. Alles kan gebeuren zolang de aarde rond is.

Hoe ver hadden Jimmy en zijn vrienden met eventuele amateuractiviteiten kunnen komen? Die waren het absoluut niet waard om voor te sterven. Niets was het waard om voor te sterven, en voor sommige dingen gold dat nog meer dan voor andere. Langs de verste muur stond een ladekast met een kleine Zweedse vlag erop. Was die vlag het waard om voor te sterven?

Of een vlag met andere kleuren? Sterven voor je land? Wat was een land eigenlijk? Van wie was een land? Wat was een volk? Het Zweedse volk? Wat was dat? Hier in het noorden ging de dood niet om kleur. Dood ging om geld, en geld was kleurloos. Wie voor geld doodde, was kleurenblind. Hij had geen gevoelens. Dat was een voorwaarde. Heb ik gelijk? Wraak is het territorium van de gevoelens. Vergelding. Kan die zonder gevoelens plaatsvinden? Misschien. Als een hogere wet. Wie maakte die wet? De dood zelf? Winter probeerde in Foro's flat iets te horen, maar er was niets. Het had deze plek verlaten. Hij moest ergens anders gaan zoeken.

Zijn mobieltje ging.

Hij hoorde Ringmar niezen voordat hij iets zei.

'Gezondheid,' zei Winter.

'Dank je. Waar ben je?'

'In Foro's flat.'

'Nog iets ontdekt?'

'De flat is net zo dood als zijn eigenaar.'

'Torsten heeft niets nieuws gevonden.'

'Dat had ik ook niet verwacht.'

'Misschien hebben we een spoor van Hussein Hussein.'

'Laat maar horen.'

'Hoewel hij zich misschien Ibrahim noemt.'

'Uiteraard.'

'Of Hassan.'

'Op dit moment kan me dat geen bal schelen, al noemt hij zich Jokkmokks-Jokke, Bertil. Vertel wat je wel weet.'

'Het komt van een informant van Brorsan Malmer. Brorsan ken je. Een oude rot in Angered. Hij had via via iets opgevangen waarvan hij dacht dat het misschien interessant voor ons kon zijn.'

'Waarom dacht hij dat?'

'Eh… dat weet ik niet. Dat moet je Brorsan vragen.'

'Oké, oké. Wat zegt de informant?'

'Een man die zich Ibrahim of Hassan noemt, of mogelijkerwijs Hussein, houdt zich in de regio verborgen en…'

'Dat kunnen er twee zijn,' zei Winter, 'of drie.'

'Ja… maar kennelijk loopt deze man, steeds dezelfde man, daar rond en gebruikt tegenover verschillende mensen verschillende namen.'

'Dus hij loopt rond? Ik dacht dat hij zich verborgen hield?'

'Laten we zeggen dat hij zich verborgen lijkt te houden, oké? Je moet het allemaal maar met Brorsan bespreken, dan kan hij het zijn informant weer vragen. Maar we moeten het wel natrekken.'

'Je had het over de regio. Heb je een nadere geografische aanduiding?'

'Nee.'

'Hoeveel mensen houden zich daar niet verborgen? Of in de hele stad trouwens? In het hele land?'

'Ik weet het, Erik.'

'Kunnen we niet dichterbij komen?'

'Ik heb het Brorsan gevraagd. Hij zei dat de man bang leek.'

'Iedereen is bang.'

'Brorsan heeft geprobeerd hem een beetje te pushen, maar hij kreeg er niet meer uit.'

'Waarom zei hij dan überhaupt iets?'

'Dat heb je me al gevraagd, Erik.'

Winter vroeg het Brorsan. Hij zag de blauwe hemel achter Brorsans kale schedel. De schedel leek net een planeet zonder leven, in een onbegrijpelijk blauw universum. De planeet roteerde toen Brorsan zich omdraaide om te zien waar Winter naar keek. Hij zag wat Winter zag: het plein van Angered. Veel mensen. Het centrum van Noord-Göteborg. Het was niet noodzakelijk om naar het zuiden te gaan.

Ze zaten bij Jerkstrands konditorei. Brorsan had dat voorgesteld.

'Spreek je hier meestal af met je informanten?' had Winter gevraagd.

'In de beste van alle werelden,' had Brorsan geantwoord.

'Kan ik hem ontmoeten?'

'In de beste van alle werelden.'

'Ik krijg misschien meer uit hem los. Ik ben een nieuw gezicht.'

'En tegelijk verlies ik het mijne. Wil je dat ik mijn bronnen kwijtraak?'

'Wat heeft het voor zin ze te runnen als ze niets zeggen?'

'Dat is niet fair, Winter.'

'Maar hij vertelt niets.'

Brorsan antwoordde niet. Hij keek dwars door twee mannen heen die waren binnengekomen en aan een tafeltje bij de uitgang gingen zitten. Ze waren buiten gehoorsafstand. Winter begreep dat Brorsan hen had herkend of hen zelfs kende. Ze hadden alle twee een korte zwarte baard en droegen relatief mooie pakken. Hun gebrek aan belangstelling voor de beide agenten in burger verried hen. Een van de mannen stond op om bij de toonbank iets te bestellen. Hij liep langs hun tafeltje en wierp Winter een onverschillige blik toe.

'Is het een van deze twee?' vroeg Winter toen de man was doorgelopen.

'Zo stom is hij niet.'

'Wie zijn dit?'

'Betrekkelijk kleine handelaren. Een beetje drugs, een beetje diefstal, een beetje mishandeling, alles wat maar een beetje verleidelijk is.'

'Dat klinkt als aardig wat.'

Brorsan haalde zijn schouders op.

De man liep weer langs Winter, nu met twee schoteltjes met een koffie-broodje. Hij ging aan tafel zitten en zei iets tegen de andere handelaar.

'Ze zijn hier om te kijken hoe jij eruitziet,' zei Brorsan.

'Dan mag ik je wel bedanken,' zei Winter. 'Jij hebt deze plek voorge-steld.'

'Je mag me later bedanken.'

'Waarom zou Hussein Hussein onze man zijn?'

'Je moet begrijpen dat mijn man het sowieso niet had verteld als het niet een zekere substantie had,' zei Brorsan.

'Waarom doet hij het überhaupt?'

'Laten we zeggen dat hij me dat verschuldigd is.' Misschien glimlachte Brorsan, maar het viel niet goed te zeggen omdat zijn mond net een dunne streep leek. 'Hij is me flink wat schuldig.'

'Maar hij was bang.'

Brorsan knikte.

'Waarvoor?'

'Hiervoor, denk ik. Voor wat er is gebeurd. Voor de mensen die het heb-ben gedaan. Het was moeilijk om iets over de man te zeggen die zich schuil-houdt. En dat hij hem in verband met jouw zaak noemde, betekent dat er wat in zit.' Wellicht glimlachte Brorsan weer. 'Hij weet dat hij me iets heel goeds moet geven... wil het... tja... wil het met hemzelf ook goed gaan.'

'Maar waar zit hij? Hussein?'

'Dat wist hij niet.'

'Geloof je dat?'

'Nee. Of liever gezegd, hij weet meer dan hij zegt.'

'En Hussein zou dus hier ergens zijn? In de noordelijke stadsdelen?'

'Hm.'

'Is dat verstandig?'

'Misschien heeft hij geen keuze. Hier is hij thuis. Elders is er geen be-scherming.'

'Oost west, thuis best.'

'Ik denk het wel, ja.'

'Wat voor bescherming heeft hij hier dan?'

'Dat weet ik niet. Het kan ook andersom zijn. Iemand is naar hem op zoek, iemand anders dan wij. Als hij uit zijn schuilplaats tevoorschijn komt, breekt de hel los. Dan kan hij zich beter stilhouden tot het rustiger is.'

'Het wordt niet rustiger,' zei Winter.

'Ik spreek in relatieve termen.'

'Je moet hem iets meer pushen, Brorsan. Iets meer dreigen met dat waar je mee dreigt.'

'Dan ben ik hem kwijt.'

'Zo is het leven.'

'Je staat bekend als filosoof, Winter. Bij het hele korps.'

De beide mannen bij de deur stonden op en verlieten Jerkstrands. De ene wierp Winter een blik toe. Iets in zijn ogen was niet onverschillig. Mooi, dacht Winter. Misschien zien we elkaar nog eens. Wellicht zelfs binnenkort.

'Wat gaan die twee nu doen?' vroeg hij Brorsan, die de mannen nakeek toen ze het plein overstaken en langs de viswinkel liepen.

'Verslag uitbrengen.'

'Aan wie?'

'De grote handelaar.'

'Wie is dat?'

'Er zijn er meerdere. Ik weet niet zoveel over die twee, ze zijn hier nieuw. Ik weet niet of dit iets voor ons betekent. Voor jou.'

Winter wendde zijn blik af van de twee mannen en keek weer naar Brorsan.

'Wanneer zie je hem weer?'

Brorsan keek op zijn horloge.

'Over een uur. Misschien.'

'Bel me daarna direct.'

★

Twee uur later ging de telefoon. Winter stond op en zette Michael Brecker midden in een solo uit.

'Ja?'

'Hij is niet op komen dagen.'

'Is dat normaal?'

'Ik heb dat met hem nog nooit meegemaakt.'

Het woord 'nooit' dook op, het krachtige woord. Brorsan klonk verbaasd, of iets sterkers. Bezorgd.

'Ik heb even gewacht voordat ik je belde omdat ik eerst nog even wat rond wilde bellen.'

'En?'

'Niemand heeft hem sinds gisteravond gezien.'

'O?'

'Ik heb hem gisteren gesproken, aan het eind van de middag, of eigenlijk het begin van de avond. Vervolgens was hij even thuis, maar 's avonds is hij weer weggegaan. En hij is niet teruggekomen.'

'Is dat gebruikelijk?'

'Dat hij 's nachts niet thuiskomt?'

'Ja.'

'Dat is niet ongebruikelijk. Zijn familie is het gewend, of hoe je het maar moet noemen. Ze bellen me niet als dat gebeurt, om het zo maar te zeggen.'

Brorsan pauzeerde even. Winter kon zijn ademhaling horen. Die klonk gekweld, alsof Brorsan naar de telefoon was gerend, of ermee had rondgehold terwijl hij op zoek was naar zijn informant. Misschien zocht hij een soort vriend. Misschien was het een groter verlies dan Winter begreep.

'Maar hij is nog nooit weggebleven als we een afspraak hadden. Nog nooit.'

Nooit. Nu was het woord krachtiger dan ooit.

'Dus nu zijn we op zoek naar twee mensen,' zei Winter.

'Dit moet wel heel groot zijn als mijn man ervoor kiest de benen te nemen,' zei Brorsan.

'Het is groot.'

'God, alles staat voor hem op het spel.'

'Misschien staat zijn leven op het spel,' zei Winter.

Brorsan antwoordde niet. Winter wist wat hij dacht.

'Ik ga hiermee verder,' zei Brorsan. 'Ik zal de boel eens flink opporren. Er zijn diverse mensen die ik iets kan vragen, die me iets schuldig zijn.'

'Zorg ervoor dat ze niet allemaal verdwijnen, Brorsan.'

'Probeer je lollig te zijn, Winter?'

'Hoe kan ik je helpen?' vroeg Winter ter afleiding.

'Ik heb op dit moment geen hulp nodig. Ik bel je nog.' Vervolgens verbrak Brorsan de verbinding. Winter drukte op de afstandsbediening en Brecker ging verder met *African Skies*. Winter liep terug naar zijn bureau en pakte een van de papieren van de stapel documenten. Hij belde een intern nummer en zette de cd zachter.

'Öberg.'

'Hoi, Torsten. Hoe gaat het met Hussein?'

'We weten nog niet of hij in Rezais flat is geweest. Maar we blijven ermee bezig.'

'Hij komt daar nooit,' zei Winter. 'Tenzij hij de flat als schuilplaats uitkiest.'

'Dat zouden jullie moeten ontdekken, nietwaar?'

'Ik zit aan iets anders te denken. Ik vraag me af hoeveel mensen er onlangs in Husseins flat geweest kunnen zijn.'

'Dat onderzoeken we, Erik.'

'Oké. Heb je nog iets van de jongens in Borås gehoord?'

'Nee. Het ligt nu bij het Gerechtelijk Laboratorium.'

'Wat denk jij?'

'Het kan iets opleveren. Ze zijn slim. Lundin is een sluwe vos.'

'Goed.'

'Waar denk je aan in verband met Husseins flat?'

'Brorsan Malmer is een bron kwijtgeraakt. De man is verdwenen.'
'Wie is het?'
'De naam is voor iedereen behalve hemzelf geheim. Maar als hij wegblijft, krijgen we hem natuurlijk te horen.'
'En die bron heeft Hussein misschien gekend?'
'Hij wist mogelijk wie het was, en dat hij zich schuilhield.'
'Waar?'
'Dat weten we niet. Dat wilde hij niet zeggen.'
'In Bergsjön?'
'Waar dan ook.'
'Waarschijnlijk niet in zijn geboortestreek, hè?'
'Dat weet ik niet.'
'Oké. We gaan het hier verder na.'
Brecker was nu bij *Naked Soul*, naakte ziel. Winter zette het geluid weer harder en liep naar het raam. Hij keek uit over het zogenaamde park en de Ullevigatan, de rivier de Fattighuså en de Stampgatan aan de andere kant. In oostelijke richting kwam een tram langs, een langzame blauwe flits in het geel. Buiten waren de meeste dingen blauw en geel, het was fiftyfifty verdeeld. Het gras was eerder geel dan groen. De lucht zou morgen ook blauw zijn, midzomerblauw.

Ze reden naar Järkholmen voor een avondduik. Winter droeg de beide meisjes als een kameel vanaf de parkeerplaats naar het kleine badstrand tussen de hutjes en liep met kleren en al het water in. Elsa en Lilly schreeuwden van schrik en vreugde tegelijk. Veel kleren hadden ze trouwens niet aan. Hij voelde het zout op zijn lippen toen het water in zijn gezicht spatte. Er kwam een zeilboot voorbij, onderweg naar open zee, naar een feest. Twee meisjes aan boord zwaaiden naar zijn dochters, misschien ook naar hem.

Brorsan Malmer belde toen ze naar huis reden.
'Van de aardbol verdwenen.'
Winter wierp een blik op Angela.
'We moeten een opsporingsbericht laten uitgaan,' zei Winter.
'Ik wil graag dat je tot morgen wacht.'
'Waarom?'
'Op dit moment zou het meer kwaad doen dan goed.'
'Waarom?'
'Dat heb je zelf gezegd. We willen niet dat ze allemaal verdwijnen, toch?'
'Kun jij dan wel verder?'
'Ja. Ik heb mankracht. Kortedala helpt ook, en de mensen hier.'
'Halen jullie op die manier niet een heleboel overhoop?'

'Ik heb een spoor. Als we nu met een opsporingsbericht komen, loopt dat in het honderd. En ik onthul mijn bron en dan ben ik die voor altijd kwijt.'

'Misschien dat een opsporingsbericht hem kan redden,' zei Winter.

'Nee.'

'Hoe heet hij?'

'Waarom niet Marko? Maar dat moet je voor je houden.'

'Uiteraard.'

'Ik bel je nog.' Brorsan verbrak de verbinding.

'Wat was dat?' vroeg Angela.

'Een bron die van de aardbodem is verdwenen.'

'Is dat ongewoon?'

'Op dit moment wel.'

'Wat ben je van plan?'

'Het rustig aan te doen met de whisky vanavond.'

'Mag ik je eraan herinneren dat het morgen midzomeravond is, Erik?'

'Op midzomeravond drink ik bijna nooit whisky, dat weet je toch.'

Winter deed het rustig aan met de whisky, hij raakte de fles zelfs helemaal niet aan hoewel die een zeer uitnodigend licht uitstraalde, alsof die was omringd door een zegekrans wanneer de zon op de drankflessen scheen. Het was net een truc van een fotograaf van drank en etenswaren.

De meisjes waren nog voor ze terug waren op het Vasaplein op de achterbank in slaap gevallen. Hij had voor de portiekdeur geparkeerd en ze weer als een kameel naar binnen gedragen en met de lift naar boven gebracht. Winter dronk een flesje bier aan de keukentafel. Hij had zich al een paar dagen niet duizelig gevoeld. Hij had er niets over tegen Angela gezegd en dat was maar beter ook. Vanuit een hoek beneden die hij niet kon zien, zong iemand zeemansliederen: *De Oude Noordzee, Matroos Jansson*. De warmte hing nog tussen de huizen. Er was geen wind, er was nooit wind. De zon was met hem meegekomen uit Marbella. Die zou niet verdwijnen zolang hij bleef. Hij wist niet hoe lang hij zou blijven. Er was Angela een permanente baan onder de zon aangeboden, een leidinggevende functie. Het was een onmogelijke keuze. Hij had hier zijn leven, zijn onderwereld. Zijn criminelen, zijn eigen informanten. Zijn eigen afgrond. Zijn stadsdelen.

De telefoon in de hal verbrak de stilte.

Hij was nog maar één keer overgegaan toen Angela opnam; ze was onderweg van de kinderkamer langs het telefoontafeltje gekomen. Elsa wilde nog steeds dat Lilly bij haar op de kamer sliep. Lilly had er niets op tegen. Soms kon Winter ze samen horen praten. Elsa legde iets uit. Lilly had nog niet zo'n grote woordenschat, maar die was desondanks voldoende.

Angela kwam de keuken binnen en gaf hem de telefoon aan. 'Het is Bertil.'

Winter pakte de hoorn aan.

'We denken dat we de auto hebben gevonden, Erik.'

'De auto?'

Misschien kwam het door de zon, het zand, de zee. Op dit moment had hij geen idee over wat voor auto Bertil het had.

'De vluchtauto.'

18

De bewakers of soldaten of wat het ook waren, begonnen te schieten zodra we de grens naderden. Ze kwamen in auto's die helemaal onder het zand zaten, waardoor het net heuvels leken die zich in het omringende zand voortbewogen. Alsof de woestijn wolken uitspuugde die nog meer zand voortbrachten.

We schreeuwden. Ik hoorde overal geschreeuw en vervolgens ging iedereen op de grond liggen.

Ik lag bijna boven op mijn zus en voelde plotseling iets warms onder mijn schouder. Het deed geen pijn, het was alleen warm.

Ik hoorde moeder schreeuwen. Ik zag haar. Ik weet niet of ze naar mij of naar mijn zus schreeuwde of dat ze gewoon schreeuwde. Iedereen schreeuwde.

Er stapte een soldaat uit de auto of tank of hoe ze het ook noemden. Die stond vlakbij. Ik kon de benzine ruiken, samen met andere geuren die het ademen pijnlijk maakten. De bewaker droeg een uniform dat blauw, groen of bruin kon zijn. Ik kon de kleur niet goed zien omdat de zon net onderging en de kleuren dan altijd anders werden.

In de verte zag ik vlaggen als in een briesje bewegen. Ze waren rood en misschien wit, en het waren er drie of vier. Daar lag de grens. Ik kon niet zien wat er aan de andere kant lag, maar daar moest het anders zijn. Het kon er niet zo zijn als hier. In dat geval hadden we niet geprobeerd de grens over te steken.

Ik kon niet zien van welke kant van de grens de soldaten kwamen. Misschien kwamen ze vanaf de andere kant.

Een van de oude mannen was met opgeheven armen gaan staan. Hij riep iets. Wellicht dat de bewaker iets riep. Ik lag nog steeds op de grond, maar ik probeerde toch te zien wat er gebeurde. Ik geloof dat ik tussen mijn vingers door keek.

De soldaat schoot de man neer. Hij stond maar een paar passen van hem vandaan, hij hief zijn geweer en schoot. Op een afstand van slechts een paar passen. De oude man zakte in elkaar, hij wierp zijn armen niet in de lucht en werd evenmin achteruit geslingerd of zo. Hij zakte gewoon in elkaar.

De soldaat deed een stap naar voren en schoot weer.

Ik hoorde een van de oude vrouwen schreeuwen. Ik zag haar hand, als het haar hand tenminste was.

De soldaten leken nu overal te zijn. Ik hoorde weer schoten. Ik drukte mijn gezicht in het zand. Het was scherp. Mijn schouder was niet langer warm. Ik durfde niet te kijken, naar geen enkele kant. Mijn zus zei niets. Ik dacht dat ze niet meer ademde. Ik dacht dat ze dood was. Ik dacht dat ik weldra ook dood zou zijn. We zijn allemaal dood, dacht ik.

19

De auto had betere tijden gekend. Hij zou nooit meer rijden. Hij zou zelfs nooit meer rollen, de banden ontbraken, het chassis was weggebrand, alles was verbrand. De auto was terug in de prehistorie of bevond zich midden in de ondergang van de wereld, *Mad Max*, lege woestijnen, zand, hitte. Het was nog altijd intens warm op de parkeerplaats, maar zand was er niet veel. De zon was gezakt, de warmte bleef hangen. De duisternis trok op. Vaak werd gezegd dat de duisternis viel, maar voor Winter was het altijd andersom geweest. De duisternis kroop uit de aarde omhoog en alles werd stukje bij beetje verduisterd. Toch bereikte de duisternis de hemel nooit helemaal. In het westen bleef het altijd licht, en vooral nu. Het licht bereikte zelfs het bos in het midden van Bergsjön. De weg was een pad geworden dat ten slotte was geëindigd en daar, naast twee dennen die net een tweeling leken, stond de uitgebrande auto. Er was zo ver mogelijk mee gereden.

Winter was twee keer om de auto gelopen, op een afstandje. Ringmar had het terrein laten afzetten. Het zag er absurd uit, alsof de afzetting voor elanden of reeën was bedoeld. Maar er waren hier andere mensen geweest, ze waren gekomen en vervolgens gegaan. Het was misschien een kilometer naar het centrum van Bergsjön, meer niet. Maar het hadden er tien kunnen zijn. De stilte reikte mijlenver, als je je zo'n stilte kon voorstellen. De vogels waren eventjes ingedut voor het ochtendconcert. Het midzomerlied. Het snapslied.

Winter keek naar de technisch rechercheurs. Torsten Öberg was er zelf ook. Soms hing alles van hun werk af, soms was dat minder belangrijk dan je dacht. Soms hing alles van hem af, Winter. Het was een mal woord, afhangen. Wat als het werk niet alleen van hem afhing maar hij het ook kon afhangen, als hij het als een zware overjas kon uittrekken.

De schoenhoesjes lagen binnen de afzetting op een paar meter van de auto. Het blauwe plastic lichtte op. Het was een licht dat hier niet thuishoorde. Het hoorde niet thuis in het bos. Het zag er vals uit.

'Iemand heeft iets verloren,' zei Ringmar, die zag dat hij het zag.

'Dat had hij moeten merken,' zei Winter en hij keek op. 'Hoe zit het met de afdrukken?'

'Een paar zachte en mooie, zegt Torsten.'

'Goed.'

'Alleen zijn het er een beetje te veel.'

'Je zei een paar.'

Ringmar gebaarde in de richting van het pad en het bos om hen heen. Winter kon tussen de stammen door kijken als door open jaloezieën.

'De afgelopen dagen hebben hier mensen gelopen. Dit is een wandelgebied.'

'Door wie is dit gemeld?'

'Anoniem. Vanuit een telefooncel.'

'Waar?'

'In het centrum van Angered.'

'Dat is hier best ver vandaan. Een man of een vrouw?'

'Een man, volgens Angered. Hij klonk nogal jong, zeiden ze.'

'En hij belde daarheen? Naar het politiebureau van Angered?'

'Hij belde kennelijk de centrale en vroeg om doorverbonden te worden met het wijkbureau van Angered. In die bewoordingen.'

'Hm. Het was een bewuste keuze. Hij voelde zich daar veilig. Hij wilde het bij iemand melden die hij kende.'

'Waarom?' vroeg Ringmar.

'Waarom heeft hij überhaupt gebeld?' zei Winter en hij knikte weer naar de schoenhoesjes. Hij mocht nog niet achter de afzetting komen. Dat zou te veel sporen kunnen vernielen.

'Volgens mij zit er bloed op,' zei hij.

Het was bloed. Weten waar het vandaan kwam, was een kwestie van tijd. Winter wilde het snel van het Gerechtelijk Laboratorium horen.

'Morgen is het midzomeravond,' zei Torsten Öberg. Hij keek op zijn horloge. 'Nog even en dat is vandaag.'

'Probeer het nog een keer,' zei Winter. 'Heb je verder nog iets in de auto gezien?'

'Nee, daar hebben we niets gevonden.'

'Ze zijn het. Ze moeten het gewoon zijn.'

Öberg antwoordde niet.

'Wat zeg jij?'

'Het lijkt er wel op.'

'Waarom laten ze dit ding hier achter?'

'Waarom zouden ze hem meenemen?' zei Öberg. 'De brand had hem moeten vernietigen. Dat was in elk geval de bedoeling.'

Winter keek weer naar het uitgebrande wrak. Een japanner. De auto leek net een kleine tank die in het verkeerde vuurgevecht was beland. Als ze grotendeels waren afgebrand, zagen de meeste vierwielers er hetzelfde uit. Dat was met alles zo. Ook met mensen.

'Waarom hebben ze hem hier gedumpt?' vroeg hij.

'Meneer Hussein Hussein woonde hier in de buurt.'

'Zou jij een vluchtauto in je eigen achtertuin dumpen?'

'Waarschijnlijk niet.'

'Ik denk ook niet dat Hussein dat zou doen.'

'Als hij er toch vandoor zou gaan, maakte dat misschien niets meer uit,' zei Ringmar, die tijdens het gesprek naast Winter had gestaan. 'Het was niet langer zijn achtertuin.'

'Maar waarom zou je de moeite nemen om hierheen te rijden?' vroeg Winter. 'Naar een donker bos? En dan de bak verbranden en teruglopen?'

'Goede vragen.'

'Hij was het niet,' zei Winter.

'Hij is meteen na de moorden vertrokken?'

'Misschien was hij er niet eens bij,' zei Winter.

Winter en Ringmar zaten in Winters Mercedes op de parkeerplaats voor het kantoor van de stadsdeelraad Bergsjön. Het was na middernacht. Midzomeravond was begonnen. Winter realiseerde zich opeens dat de meeste mensen die hier woonden, zich waarschijnlijk over de Zweedse midzomerviering verbaasden. Het was een heidens feest. Het had niets met een god te maken, alhoewel, misschien met Bacchus, en Dionysus, maar dat was aanvankelijk niet de achterliggende gedachte geweest. Toen ging het om het licht. Het ging nog steeds om het licht. Het zat in de aarde, onder het asfalt, en nu steeg het weer op, als een nevel. De nacht was warm en de dag zou heel warm worden. Lang en warm, dacht hij, en die begint nu.

'Resumé,' zei Ringmar. 'Iets om een nachtje over te slapen.'

'Ga jij slapen?'

'Als we genoeg energie willen hebben voor Fredriks midzomerfeest, dan zal dat wel moeten.'

'Shit, ja, dat is morgen.'

'Vandaag, Erik.'

Winter zag een man over het plein lopen. Hij bleef voor de glazen wanden staan en keek naar binnen, alsof hij wilde weten of het feest al was begonnen. Maar restaurant Bergsjö zou vanavond dicht zijn, net als de meeste eetgelegenheden. Midzomeravond vierde je in besloten kring, in familiekring, bij voorkeur buiten. Winter was niet in een feeststemming. Hij had weer pijn in zijn hoofd, een duidelijke pijn boven zijn oog. Hij had niets tegen Angela gezegd. Hij wist hoe zij zou reageren.

De man liep verder in de richting van het Rymdplein. Hij draaide zich één keer om naar Winters auto, hij moest de angstaanjagende silhouetten van Winter en Ringmar hebben gezien, want hij versnelde zijn pas en was weldra half hollend uit het zicht verdwenen. Winter dacht aan de jongen in Hjällbo. Morgen zou hij misschien met de schoonmaaksters van woningcorporatie Hjällbobostäder gaan praten. Nee, vandaag. Morgen was het nog steeds vandaag.

'Oké, resumé.'

Winter overwoog het raampje open te draaien, een Corps op te steken en de rook de nacht in te blazen, maar dan zou zijn auto gaan stinken en hij moest aan zijn kinderen denken. Elsa's zitje lag op de achterbank. Hij had dat van Lilly van de voorstoel gehaald. Morgen zou hij met hen om de meiboom dansen en de meisjes zouden alle twee een bloemenkrans op hun hoofd dragen. Dat gold eveneens voor Angela, en misschien ook voor hemzelf. Ik hoop dat Fredrik een boom heeft geregeld. Ik wil dansen. Stoere kerels dansen, in elk geval met hun kinderen.

'We weten nog niet waar dit om draait,' zei Ringmar. 'Of beter gezegd: we weten dat het om moord gaat, maar we weten niet waarom.'

'Er zijn deze keer ongewoon veel waaroms,' zei Winter.

'Ongewoon veel moorden.'

'Tegelijk, ja.'

'Dat bedoelde ik ook, Erik.'

Winter draaide het raampje open, maar stak geen Corps op. Ze waren alleen. Het voelde ongewoon eenzaam tussen de stille panden.

'Hoor je dat?' vroeg hij en hij draaide zich om naar Ringmar.

'Wat?'

Winter antwoordde niet. Hij probeerde iets te horen wat er niet was.

'Wat moet ik horen?' zei Ringmar nog eens.

'De stilte,' zei Winter. 'Het is helemaal stil, en daar gaat het in deze zaak om.'

'De stilte.'

'De stilte, ja. Heb jij ooit meegemaakt dat het zo stil was tijdens een onderzoek, Bertil?'

Ringmar antwoordde niet. Als antwoord was dat genoeg, hij was stil genoeg.

'Hier zitten we dan, midden in de levendige noordelijke stadsdelen, met hun spannende etnische groepen, hun zesentachtig nationaliteiten, hun kleurrijke criminele organisaties en gevestigde bendes die beschikken over een efficiënt informatienetwerk, een goede planning en zeer goede contacten met iedereen die mogelijk iets zou kunnen weten. En te midden van dit alles vinden de meest spectaculaire moorden in de geschiedenis van de stad plaats. De moorden die de meeste aandacht krijgen, in elk geval van de media. Waarschijnlijk wordt er in elk gezin van Gårdsten via Bergsjön tot aan Rannebergen over gesproken.' Winter pauzeerde even. Misschien hoorde hij ergens op een dak een ventilator aanslaan, een zacht geruis als van een wind. 'En waar heeft dat tot op heden toe geleid, Bertil?'

'Stilte.'

Winter knikte. Hij opende het portier, stapte uit, pakte het doosje sigaren, stak een Corps op, nam een trek, blies uit en zag de rook naar de hemel stijgen. De eerste trek van de dag, aangenaam, puur en onschuldig. Als een ochtendscheet, aangenaam als een bries.

'En die stilte hangt samen met de activiteiten van die mannen,' zei Winter. 'Wat zij uitspookten was een soort privéaangelegenheid en daarom is deze stilte privé. Begrijp je wat ik bedoel, Bertil?'

'Ik denk het wel.' Ringmar was ook uitgestapt en strekte naast de auto zijn armen boven zijn hoofd.

'Er is geen enkele gevestigde organisatie bij betrokken, in elk geval niet rechtstreeks. En niet van meet af aan.'

'Misschien wel helemaal niet.'

'Dat weet ik niet, Bertil. Ik begrijp niet wat er met Brorsans informant aan de hand kan zijn. Waarom verdwijnt die man?'

'Als hij is verdwenen, Erik. En als het ermee te maken heeft.'

'Ik denk dat iemand het weet, buiten natuurlijk de moordenaars. En buiten die jongen, als hij een getuige is. En dat denk ik.'

'Dat weet ik, Erik.'

'Misschien is hij binnenkort ook verdwenen. Als hij dat nu al niet is.'

'Is dat wat ze positief denken noemen?'

Winter antwoordde niet. Hij luisterde niet. Hij dacht aan de stilte.

'Ik heb nog nooit zo sterk het gevoel gehad dat we afhankelijk zijn van het veiligstellen van sporen,' zei hij. 'En toch zou het kunnen dat we daarna weer terug zijn bij af.'

'Kom op, Erik. Heb jij niet ooit gezegd dat je bereid moet zijn weer bij het begin te beginnen? Dat dat doodnormaal is voor een rechercheur?'

Winter nam opnieuw een trek. De smaak was mild, het was een vriendelijke sigaar. De rook verdween snel, alsof de lucht warmer was geworden. Misschien was dat ook zo. Hoe dan ook was het ruim twintig graden.

'Ik heb al een hele tijd geen Monopoly meer gespeeld,' zei hij.

'Je speelt het nu.'

'In dat geval hoop ik dat ik hotels op de duurste straten kan zetten en daar laat ik niemand langs.'

'Waarom niet op het Rymdplein?' vroeg Ringmar.

'Hier komt toch niemand langs,' antwoordde Winter, maar op hetzelfde moment wist hij dat dat niet waar was.

★

Winter sloeg op de Bergsjövägen links af in plaats van rechts.

'Ik dacht dat we naar huis gingen,' zei Ringmar.

'We nemen een andere route,' zei Winter.

'De noordelijke, begrijp ik.'

Winter antwoordde niet. Ze waren nu op de Gråbovägen. Hij reed door het stille nachtlicht. Ze kwamen geen auto's tegen. Het is net alsof we helemaal alleen over de wereld rijden, dacht hij. Nu gebeurde het, nog maar drie dagen geleden. Misschien op dit tijdstip, één uur 's nachts, toen het uur van de wolf begon. Het was overal stil. Toen kwamen de wolven. Misschien reden ze net als ik over deze weg, zagen ze wat ik nu zie, hoorden ze hetzelfde niets. Misschien sloegen ze af waar ik nu afsla, stopten ze waar ik nu stop en keken ze naar het merkwaardige gebouwtje waar wij nu naar kijken. Misschien stapten ze uit, net als wij nu, en begonnen te lopen, net als ik nu.

Hij zag hen over het asfalt lopen. Hij was er al eens eerder naartoe gegaan, vaak zelfs, maar nu was het anders. Hij wilde het niet meer doen, hij deed het deze keer alleen om te zien of... of het net zo was als vroeger. Maar dat was het niet. Niets was nog als vroeger. Hij was vannacht net als anders naar buiten geslopen, maar het was niet zoals vroeger. Net als de andere keren waren papa en mama niet wakker geworden, maar dat betekende niet zoveel meer. Hij wou dat ze wel wakker waren geworden. Ik wou dat ik het nooit had gedaan. Dat ik daar nooit was geweest. En dat ik niet was teruggegaan. Maar ik wilde teruggaan. Omdat ik niet kon geloven wat ik had gezien. En toen holde ik. Ik was vergeten dat ik mijn fiets bij me had! En toen fietste ik. Niemand zag me, ik geloof niet dat iemand me zag, geen enkele keer als ik hier wegholde en fietste. Ik moet hier niet zijn, ik weet niet waarom ik hier weer ben. Eerst was het stil, misschien wil ik dat het net zo stil en rustig is als vroeger, ook toen de winkel open was, toen zij er waren, toen iedereen er was, toen het licht was. En nu komen die anderen. Ik kan niet zien wie het zijn. Ze zijn met z'n tweeën. Ik moet gauw wegfietsen.

★

'Wat was dat?'

'Wat?'

'Ik hoorde iets achter de winkel,' zei Winter.

'Ik heb niets...'

'Sst!'

Nu hoorde Ringmar het ook.

Er bewoog iets.

Winter holde er al heen.

Ringmar zag zijn rug, ging er achteraan, van nul naar honderd in zes seconden. Ze waren aan de andere kant van het gebouw, Ringmar kon Winters rug nog altijd zien, maar ook iets anders, als een vluchtend lichtvlekje op de donkere streep asfalt en het donkere gras aan weerszijden.

'Dat was hem!' zei Winter. Ringmar hoorde zijn ademhaling. Hij zag het vlekje achter een haag verdwijnen. Vijftig meter verderop, zeventig meter, en toen was het vlekje weg.

Ze stopten gelijktijdig. Winter sloeg met zijn hand door de lucht alsof hij een onzichtbare tegenstander had. Hij draaide zich woest om naar Ringmar.

'Geloof je me nu, Bertil?'

'Waarom sluipt hij hier rond?'

Ze stonden weer op het open parkeerterrein voor de winkel.

'Dat weet ik niet, Bertil. Iets hier trekt hem.'

'Wat zou dat zijn?'

'Angst, misschien. Ik weet het niet. Ik zal het hem vragen als ik hem spreek.'

'Hm.'

'Hij is hier nog steeds, nietwaar? Het moet dezelfde jongen zijn. Het gezin is niet halsoverkop gevlucht. Ik zal hem vinden. Het liefst vandaag.'

'Het wordt een lange dag, Erik.'

'Door hierheen te rijden heb ik bevestigd gekregen dat de knul hier nog steeds is, toch?'

Ringmar antwoordde niet.

'Zeg niet dat het iemand anders was.'

'Dat zou ik nooit zeggen, Erik.'

'Ik kan nauwelijks wachten tot het ochtend is,' zei Winter.

'Zullen we voor die tijd nog proberen een beetje te slapen?' vroeg Ringmar.

Hij droomde uiteraard over fietsen, een heel Tour de France-peloton. Alle fietsers hadden hetzelfde gezicht en ze waren geen van allen ouder dan elf jaar. Ze verdwenen allemaal om dezelfde hoek, maar niemand kwam aan de andere kant tevoorschijn. Er gebeurde nog iets anders in die droom, hoewel hij toen hij wakker werd, was vergeten wat.

Iedereen lag te slapen toen hij van huis wegging. Vier uur slaap moest genoeg zijn. Hij voelde zich niet moe. Misschien kwam dat vanmiddag, maar dan maakte het niet uit. Hij kon de vermoeidheid van zich af dansen.

Toen hij thuiskwam, had hij nog steeds hoofdpijn gehad, maar die was verdwenen nadat een Ibuprofennetje zijn werking had gedaan. Angela had iets gemompeld, maar was niet helemaal wakker geworden. Ze had haar slaap nodig, ze was een jonge moeder. Hij was niet zo jong meer. Maar hij zou nog niet met pensioen zijn als Elsa eindexamen deed, misschien zelfs niet als ze promoveerde. Als ze al wilde studeren. Misschien wilde ze wel zingen. Of dansen. Lilly kon goed twisten. Angela draaide Chubby Checker voor de meisjes, *Let's twist again*. Steeds weer.

De straten waren schoon en stil toen hij in noordelijke richting reed. Er was geen spoor meer te bekennen van de duisternis die er had gehangen toen hij een paar uur geleden over dezelfde straten was gereden. De lucht was schoongepoetst, en de aarde ook. Klaar voor de dag. Hij opende zijn raampje en merkte hoe de geuren zacht en onopvallend naar binnen zweefden, geen overdrijvingen. Dit was Scandinavië.

Hij zette de radio aan. Er waren nergens verkeersopstoppingen omdat er geen verkeer was. Wie de stad kon verlaten, had dat al gedaan. Midzomeravond was een heilige dag. Het zou mooi weer worden, vertelde de vrolijke vrouwenstem op de radio. Ze klonk zo verdomd vrolijk dat de helft genoeg zou zijn geweest. Ik heb nooit van vrolijke stemmen gehouden en al helemaal niet op de radio en de tv. Wie neutraal is, stelt zich niet aan, om maar niet te spreken van mensen die chagrijnig zijn. Het is prettiger om naar een stuk chagrijn te luisteren, vertrouwder. Vandaag moet iedereen blij zijn. Hij stopte een cd in de speler en reed met Bobo Stensons muziek langs Gamlestaden. Het was ochtendmuziek, als een ochtendraga. *Oleo de mujer con sombrero*, dat was Spaans. Hij begreep de woorden, maar de beste jazzmuziek was een taal op zich. Het zwart-witte hoesje lag naast hem op de zitting: een vlakte, een strand, een woestijn, een groot, leeg landschap. *War Orphans*, hij had de cd zo'n tien jaar geleden gekocht. De wezen van de oorlog. Hij ging naar hen toe. Hij had het gevoel dat het een lange ochtend zou worden, misschien de langste.

Lars Palm stond voor zijn kantoor te wachten. Het hoofd Woondiensten zag er fris uit, alsof hij alle tijd had gehad de dag te beginnen. Winter zag verder geen mensen op het plein van Hjällbo, dat bij de kerk lag. Het was nog steeds heel vroeg.

'Sorry dat ik je uit bed heb gerukt,' zei Winter.

'Je was niet de eerste,' zei Palm met een glimlach.

'Woon je hier?'

'Zo ongeveer. Bij de sportvelden van Hjällbovallen. En jij?'

'Bijna bij het sportveld van Heden,' zei Winter.

'Aha. Ik heb altijd wat moeite met het verkeer in het centrum.'

'Wie niet,' zei Winter.

'Daarbij vergeleken is dit net het platteland,' zei Palm.

'Op sommige plekken wel, ja,' zei Winter.

'Ik heb Riita te pakken gekregen,' zei Palm. 'Ze is op dit moment aan het werk.'

'Op midzomeravond?'

'Maar een paar uur. Bij het Sandspåret. We kunnen er nu wel naartoe gaan.'

Onderweg kwamen ze langs Café Limonell. Dat zou over een uur opengaan.

'In Gårdsten hebben ze Limonell gesloten,' zei Winter.

'Dat wist ik niet.'

'Als het tenminste dezelfde eigenaar is.'

'Volgens mij wel. Op dit moment zitten er vooral veel Somaliërs, als gast dus.'

'O?'

'Die hebben de meeste tijd, om het zo maar te zeggen.'

'Ik begrijp wat je bedoelt.'

'Ze staan onder aan de ladder. Vroeger waren dat de zigeuners. Nu zijn het de Somaliërs.'

Winter knikte.

Ze liepen in zuidelijke richting en gingen via meerdere trappen naar beneden. De flatgebouwen vormden rechte colonnes op het veld.

'Het ziet er bekend uit,' zei Winter.

'Ja, je bent nu al een paar keer in deze buurt geweest.'

'Zo bedoel ik het niet. Ik herken het híér.'

20

Riita Peltonen zag er jonger uit dan Winter had verwacht. Hij wist eigenlijk niet goed wat hij had verwacht, misschien iemand die zo uit Oost-Karelië was gestapt, eind negentiende eeuw. Het was heel makkelijk om bevooroordeeld te zijn, vooral hier, in deze stadsdelen, waar het beeld van mensen nooit met kennis te maken had. En als dat wel het geval was, betrof het kennis van anderen, die in de meeste gevallen onjuist was.

Hij wilde Riita zelf spreken, en zelf de vragen stellen.

Ze sprak Zweeds met een zangerig accent. Dat had hij in elk geval wel verwacht. Dat was geen vooroordeel. Finland-Zweeds was gewoon een mooie taal. Die deed hem denken aan midzomer, voordat het hartje zomer was.

Riita Peltonen zei: 'Hier zijn veel jongens met een fiets.'

'Dat begrijp ik.'

'Hoe ziet hij eruit?'

Winter probeerde de jongen te beschrijven.

'Zo zien ze er meestal uit,' zei ze en ze glimlachte.

'Hij lijkt 's nachts op pad te zijn. Is dat gebruikelijk?'

'Tja... dat ligt aan de situatie thuis. Of de ouders gezag hebben, of hoe je het ook moet noemen. Sommige ouders hebben niet veel gezag.' Ze keek naar Palm, en toen weer naar Winter. 'En andere hebben juist veel te veel gezag.' Ze haalde haar schouders op. 'Dat is geen van beide goed.' Ze glimlachte weer vaagjes. 'Precies ertussenin is volgens mij het beste.'

'Soms,' zei Winter. 'En soms wil je misschien ten volle leven.'

'Dat is niet Zweeds,' zei ze. 'Om ten volle te leven.'

'Maar deze jongen mag kennelijk doen wat hij wil,' zei Winter. 'Hij fietst rond.' Winter gebaarde met zijn hand. 'Ik heb hem hier gezien.'

'Hier?' Ze keek om zich heen. 'Hier, op dit plein?'

'Ja. Tussen deze flatgebouwen, en daarna ging hij verder die kant op.' Hij knikte in de richting waar Palm en hij vandaan waren gekomen. 'Hij fietste de helling naast de trappen op.'

'Ik moet het aan mijn collega's vragen,' zei ze. 'Op grond van wat jij net hebt verteld, kan ik niet zeggen wie hij is.'

'Dat begrijp ik.'

'Er zijn veel jongens… nu de scholen dicht zijn zie je ze overal. Als je een uurtje blijft wachten, komen ze naar buiten.'

'Hij had een tennisbal,' zei Winter. 'Hij stuiterde met een tennisbal.'

'Waarom wil je met hem praten?' vroeg ze. 'Ik weet natuurlijk dat het te maken heeft met die vreselijke… schietpartij. Maar wat heeft deze jongen daarmee te maken?'

'Dat weten we nog niet. Meer kan ik niet zeggen.'

'Heeft hij iets gezien?'

'Ik weet het niet,' antwoordde Winter. 'Ik hoop het.' Hij spreidde zijn handen. 'En aan de andere kant hoop ik van niet.'

'Verkeert hij in gevaar?' vroeg ze. 'Wordt hij door iemand anders ge-zocht?'

Riita Peltonen dacht als een rechercheur. Ze wreef haar hand door haar blonde haar waarin ook plukjes grijs te zien waren. Ze leek niet ouder dan vijfenvijftig. 'Is het zo belangrijk?'

'Dat denk ik, ja,' zei Winter.

'Ik zal mijn best doen.'

'Misschien is hij wel verhuisd,' zei Winter en hij knikte in Palms richting. 'Het gezin is misschien verhuisd. Zonder dat aan Lars en de woningcorpo-ratie mee te delen. Dat is mogelijk, toch?'

'Dat gebeurt wel vaker,' zei Palm.

'Wanneer zou dat gebeurd moeten zijn?' vroeg Riita Peltonen.

'De afgelopen dagen. Sinds de moorden.' Winter zag een vrouw met een zwarte sluier uit een portiek stappen. Ze wierp een blik op hem en keek toen weg, over de velden. 'Of vannacht.'

De vrienden van Hiwa Aziz woonden in de noordelijke stadsdelen. Maar het waren er niet veel. Je hebt niet veel vrienden nodig, dacht Winter, als het maar de goede zijn.

Alan Darwish zat tegenover hem. Pizzeria Gloria was een paar minuten geleden opengegaan; op weg naar het restaurant had Winter de eigenaar de zaak zien openen en hij had Alan van de andere kant zien komen, over het voetbalveld van de school. Een groepje kinderen trapte daar tegen een bal.

Alan wilde geen koffie. Winter bestelde een kopje voor zichzelf. Ze waren bij het raam gaan zitten. Het was nog steeds vroeg in de ochtend. Ham-markullen ontwaakte langzaam.

Alan was van Hiwa's leeftijd, twintig plus. Hij had zijn blik nog niet op Winter gericht en staarde nog steeds naar buiten.

'Hoe kende je Hiwa?' vroeg Winter.

'Hoe wisten jullie dat ik hem kende?' kaatste Alan terug, nog steeds zon-der Winter rechtstreeks aan te kijken.

'Was dat een geheim?'

'Hè... nee.'

'Hoe kenden jullie elkaar?' herhaalde Winter.

'We... van school. Daar hebben we elkaar leren kennen. We zaten in dezelfde klas.'

Winter knikte. Dat wist hij natuurlijk al.

'En daarna bleven jullie met elkaar omgaan?'

Alan knikte zonder iets te zeggen.

'Waar was jij toen hij werd vermoord?'

De man, of de jongen, of de jongeman, schrok even. Hij zag er ouder uit dan zijn twintig plus, ouder dan Hiwa, maar niet veel.

Het was een heel directe vraag.

'Ik... die nacht... ik was thuis.'

Winter knikte.

'Waarom vraag je dat?'

Winter kreeg zijn koffie. De man verdween weer. Buiten liepen een paar kinderen langs. Winter meende een jongetje met een veel te grote bril te herkennen. De jongen keek naar Winter alsof hij de blanke man herkende die tegenover een zwartharige zat.

'Wanneer heb je Hiwa voor het laatst gezien?' vroeg Winter zonder Alans vraag te beantwoorden.

'Dat was... ik weet het niet meer.'

'Een dag voor de moord? Een week ervoor? Twee weken?'

'Een... een week of zo. Een paar weken. Zoiets. Misschien... ik weet het niet.'

'Wat zeg jij als ik zeg dat het twee maanden daarvoor was?'

Alan antwoordde niet.

'Dat jullie elkaar twee maanden niet hadden gezien?'

'Wie zegt dat?'

'Klopt dat?' vroeg Winter. 'Hadden jullie elkaar zo lang niet gezien?'

'Dat kan ik me niet herinneren.'

'Je kunt je niet herinneren of het twee weken of twee maanden waren?'

'Nee.'

'Heb je een probleem met je geheugen, Alan?'

'Je... hoeft niet op die manier tegen me te praten.'

'Ik vraag je iets. Er is een verschil tussen twee weken en twee maanden.'

'Het... was geen twee maanden. Het was misschien... een maand.'

'Dat is hoe dan ook een lange tijd,' zei Winter. 'Dat is een lange tijd voor vrienden om elkaar niet te zien.'

Alan haalde zijn schouders op.

'Ik wil weten waarom het zo lang was, Alan. Wat was er gebeurd?'

'Wat... ik begrijp je niet.'

'Wat was er gebeurd? Wat was er gebeurd waardoor jullie elkaar niet meer zagen?'

'Hoe weet je dit? Wie heeft je dit allemaal verteld?'

'Maak je daar maar niet druk om, Alan. Zeg alleen of ik gelijk heb of dat ik ernaast zit.'

Alan antwoordde niet. Hij keek weer door het raam. Het groepje kinderen was langsgelopen, de jongen met de bril en de anderen. Winter volgde Alans blik. De bal vloog achter een schutting de lucht in. Je kon niemand zien trappen. Daar kwam de bal weer. Hij leek door de lucht te vliegen. Vandaag op zijn hoogst. Alan zag eruit alsof hij daarheen wilde vliegen, daar wilde blijven.

Dit is belangrijk, dacht Winter, dit is verdomd belangrijk. Hier is iets wat samenhangt met het andere. Ik wist niet zeker waar Shirin Waberi het over had en ik wist niet zeker of zij dat zelf wel wist. Nasrin had er evenmin iets over gezegd. Zij had ook niets over Shirin gezegd, dat was iemand anders geweest, Winter kon zich op dit moment niet herinneren wie. Er waren zoveel namen, en zoveel mensen die vragen stelden, buurtonderzoeken deden, telefoontjes pleegden, lijsten met namen, adressen en schoolfoto's onderzochten.

Er was iets misgegaan tussen Alan en Hiwa.

Er was iets gebeurd.

Ze hadden geen contact meer gehad.

Alan wilde niet vertellen waarom dat zo was.

Hij wilde helemaal niets vertellen.

Hij was bang.

Het kwam door iets wat Hiwa deed. Alleen. Of samen met anderen.

Als Winter ontdekte wat het was, zou hij veel weten.

Alan was zo bang dat hij stom was geworden. Waar hij bang voor was, had hem stom gemaakt.

Hij zag er nu bang uit.

Wat had Hiwa gedaan?

Het moest iets heel ernstigs zijn geweest.

Het had hem zijn leven gekost.

Alan dacht aan zijn eigen leven. Dat kon Winter aan hem zien, aan zijn gezicht.

Hiwa had geen gezicht meer. Waarom had hij dat verloren?

'Waarom waren jullie geen vrienden meer, Alan?'

'We waren vrienden.'

'Waarom zagen jullie elkaar niet meer?'

'Dat... gaat soms zo.'

'Wat deed hij, Alan? Wat deed Hiwa?'

Alan antwoordde niet.

'Vertel wat hij deed.'

'Dat weet ik niet.'

Het klonk niet overtuigend. Alan zocht buiten steun, zijn blik gleed daar voortdurend heen. De bal was niet langer in de lucht. Hij kon niet langer vliegen.

'Waar ben je bang voor, Alan?'

'Ik ben niet bang.'

'Vertel het dan.'

'Er valt niets te vertellen.'

Het kind met de bril stond weer voor het raam. Het jongetje staarde naar Winter alsof hij een beroemdheid was. Winter was in zekere zin ook een beroemdheid, maar nauwelijks voor deze jongen. Hij was slechts een vreemdeling, hij was anders.

Winter richtte zijn blik weer op Alan, die naar de tafel keek. Die was bedekt met een zwart-witgeruit kleed. Alles in deze tent was zwart en wit. Winter verwachtte bijna een Juventus-vlag ergens in een hoek te zien, maar er hingen helemaal geen versieringen aan de muren. Misschien waren dit de kleuren van een Arabische club, FC Bagdad, FC Amman. Er klonk muziek, uit een onzichtbare luidspreker, misschien Arabisch, misschien Koerdisch of Perzisch. Winter had de muziek voor zich liggen, hij zou ernaar luisteren, er meer van te weten komen. Muziek speelde een rol in deze zaak, bij deze moorden. De moordenaars hadden de muziek bij Jimmy niet uitgezet, de Koerdische muziek, de muziek voor Koerdistan. Voor jou, Koerdistan. Waarom voor jou? Waren de moorden omwille van Koerdistan gepleegd? Kwamen daar de weggeschoten gezichten in beeld? Hadden de slachtoffers Koerdistan geschonden? Maar niets duidde erop dat de moordenaars zelf de cd hadden meegenomen naar de winkel. De cd-speler, de cd en het hoesje vertoonden niet zulke sporen. Was het toeval? Hadden ze de muziek überhaupt gehoord? Voor de schoten, na de schoten? Hadden ze zich er druk over gemaakt? Nog niemand had gezegd dat Hiwa die muziek altijd draaide als hij in de winkel werkte. Maar het was Hiwa's muziek, als je het zo wilde zien, en die van Said. En die van de klanten. Het was niet Jimmy's muziek, hij had thuis geen Koerdische cd's gehad. In Saids flat hadden wel cd's van Koerdische zangers en zangeressen gelegen, maar misschien waren ze van Shahnaz geweest. Nu was die muziek verstomd. Winter herinnerde zich een naam, Naser Razzazi, kennelijk een van de grootsten. Hij had een cd gemaakt met de naam van een stad die Winter zich op dit moment niet kon herinneren. Die cd lag thuis bij het echtpaar Rezai.

Toen hoorde hij Alans stem: 'Ik weet niet wat ze deden.'

'Wat zei je, Alan?'

'Ik... weet niet wat ze deden.'

'Wat ze deden? Ze deden dus iets?'

Alan antwoordde niet.

'Wie zijn zé? Wie bedoel je met zé?'

'Ik… weet het niet.'

'Kom op, Alan! Je moet er iets mee hebben bedoeld.'

'Ik… zweer het. Ik weet niet wat ik bedoelde. Het… ze waren met meer mensen.'

'Wie zei dat ze iets deden?'

Hij antwoordde niet.

'Alan!'

De man bij de toonbank schrok even van Winters harde stem. Winter dacht dat de man Alan kende, of in elk geval wist wie Alan was. Winter had voorgesteld hier af te spreken.

'Niemand… maar er was iets… ik weet niet wat het was.'

'Hoe bedoel je?'

'Het leek alsof hij ergens mee bezig was. Business. Iets. Ik begreep niet wat het was.'

'Ik geloof je niet, Alan. Volgens mij wist je het wel.'

Alan schudde zijn hoofd.

'Ging het om Jimmy, Hiwa en Said?'

'Dat weet ik niet. Ik ken die anderen niet.'

'Heb je ze weleens ontmoet?'

'Soms… ik ben weleens in de winkel geweest. Said, misschien. Als hij het was.'

'Jimmy?'

'Soms.'

'Hussein?'

'Wie?'

'Hussein Hussein. Hij werkte daar ook.'

'Die ken ik niet.'

'Die werkte er ook. Misschien parttime, net als Hiwa. Vermoedelijk werkte hij ook zwart.'

'Maar hij… maar hij…' zei Alan zonder zijn zin af te maken.

'Maar hij was daar niet, nee.' Winter boog zich naar voren. 'Hij was daar niet toen de moordenaars kwamen.'

Plotseling keek Alan Winter recht in de ogen.

'Hoe… heet hij… Hussein? Heeft hij… het gedaan?'

'Dat weten we niet, Alan.'

Alan leek over de naam na te denken.

'Dat is een van de redenen waarom ik hier met jou zit te praten in plaats van thuis met mijn kinderen bloemen te plukken om de meiboom te versieren,' zei Winter.

Het leek alsof Alans ogen begonnen te glinsteren.

'Heb je hem ontmoet?' vroeg Winter.

157

'Voor zover ik weet niet.'

'Had hij iets te maken met Hiwa's bezigheden?'

'Ik weet het niet.'

'Noemde Hiwa zijn naam weleens?'

'Nee.'

'Weet je dat zeker?'

'Ik kan het me niet herinneren. Volgens mij niet... nee.'

'Waar was Hiwa mee bezig?'

'Ik weet het niet.'

'Ik weet dat je het weet, Alan. Daarom wilde je hem niet meer zien. Wat was het? Wat deed hij?'

Alan antwoordde niet.

'Hij werd erom vermoord, Alan! Het was zo verschrikkelijk dat hij erom vermoord moest worden. Ben je daar bang voor? Omdat je weet wie het heeft gedaan? Omdat ze achter jou aan zullen komen als ze ontdekken dat je het hebt verteld?'

Alans blik gleed door het raam naar buiten toen Winter dat zei, alsof hij wist dat daar iemand naar hen stond te kijken die wist dat hij hier zat, en dacht dat hij het vertelde. Alan zag eruit alsof hij een teken wilde sturen: nee, ik zeg niets.

'Weet Nasrin het?'

Alan veerde met een heftige beweging op. Niet alleen omdat hij verrast was. Winter kon niet zeggen wat het was, maar de man voor hem werd plotseling nog meer gespannen, nog meer als staal. Winter had opnieuw een mijnenveld betreden. Alweer een gebied van stilte.

'Weet... wat? Wat zou Nasrin weten?'

'Waar we het nu over hebben, Alan. Wat Hiwa en zijn medeplichtigen deden. Jij weet wat dat was, maar je wilt het mij niet vertellen.'

'Ik weet verder niets. Ik wil nu gaan.' Hij keek naar de man bij de toonbank, die terugkeek. Hij keek naar Winters koffiekopje. Winter had er helemaal niet uit gedronken, hij was het vergeten. 'Kan ik nu gaan?'

'Ik zou je mee kunnen nemen naar het politiebureau,' zei Winter. 'We zouden dit gesprek daar kunnen voortzetten.'

'Heet dat niet een verhoor?'

'Daar heet het een verhoor.'

'Hoe lang? Hoe lang kunnen jullie me daar vasthouden?'

'Twaalf uur.'

'Maar dan... mis je het midzomerfeest,' zei Alan, en Winter kon zien dat hij geen grapje maakte, Alan glimlachte niet. 'De bloemen en zo.'

Winter knikte.

'Ik wil daar geen twaalf uur zitten,' zei Alan.

'Goed.'

'Als het moet, dan moet het. Maar ik heb niets meer te zeggen.'

Winter stond op. Alan veerde weer op. Hij zag er niet uit alsof hij bereid was tot twaalf uur, zes plus zes.

'Denk aan waar we het over hebben gehad,' zei Winter. Hij haalde zijn portemonnee tevoorschijn en haalde er een kaartje uit dat hij aan Alan gaf. 'Hier heb je mijn mobiele nummer. Je kunt me dag en nacht bellen.' Winter probeerde te glimlachen. 'Ook vandaag. Op midzomeravond.'

Het leek alsof Alan probeerde terug te glimlachen. Hij nam het kaartje aan en stond op. 'Ik weet niets waarover ik zou kunnen bellen,' zei hij. Maar hij nam het kaartje mee.

Toen Winter weer naar het zuiden reed, dacht hij terug aan het gesprek. Alan had eruitgezien alsof hij iets te vertellen had, iets groots, en alsof hij iemand nodig had aan wie hij het kon vertellen. Hij had het kaartje mee-genomen. Winter herinnerde zich zijn gezicht toen hij dat deed. Alan zou nadenken. Hij zou bellen. Misschien vandaag. Hij moest vanmiddag bij Fredrik niet te veel brandewijn drinken. En ook niet te veel whisky.

Hama Ali Mohammad zat aan de rand van het park in het gras. Daar voelde hij zich veilig. Kinderen renden rond een meiboom en hij vond het er best leuk uitzien. Hij zag geen bekenden, hij zocht plaatsen op waar hij niemand kende, zoals hier in Gunnilse, de wijk van de doorsnee-Zweed; de mensen zagen hem, maar ze leken zich niets van hem aan te trekken. Kijk eens hoe lelijk hij is. Hij wist dat ze dat dachten, maar dat kon hem niets schelen. Het maakte hem niets uit.

Hama stond op en liep weg. Hij wilde zich niet in een grot verbergen.

Hij nam de bus en liep door de straten. Winkelcentrum Nordstan was nu net een woestijn.

De straten waren leeg, helemaal verlaten. De doorsnee-Zweden waren nu overal hun midzomerfeest aan het vieren. Dat kwam hem goed uit. Hij zou iets kunnen jatten. De wereld is vol geld. Hij was alleen.

Hij nam de tram.

Hier was dezelfde woestijn.

Hij zag een groepje mensen en verborg zich achter het gebouw. Hij kende hen, hij wilde hen niet kennen.

De zon was nu fel, alsof de oude, idiote dromen van zijn moeder waren uitgekomen, haar zieke verlangen naar het oude land. De woestijnzon, de kamelenzon. Er is goed nieuws en er is slecht nieuws. We beginnen met het slechte: we hebben alleen maar kamelenstront te eten. Wat is dan het goede nieuws? Daar hebben we heel veel van.

Toen zag hij hem in de schaduw langs de muur komen. Hij tilde zijn hand op. Hé, *homie*. Het was zoals hij had gezegd.

Hama liep de schaduw in.

21

Het politiebureau was op dit moment net zo verlaten als de rest van het stedelijke Zweden. Winter hoorde zijn eigen voetstappen in de gangen weerklinken. Dat was niet voor het eerst, maar het was zelden zo duidelijk als tijdens de grote feestdagen. Het was niet de eerste keer dat hij hier liep terwijl de rest van de fatsoenlijke mensheid met haar eigen soort omging. Maar hij ging nu ook met zijn eigen mensen om: de grote familie, verenigd in de misdaad, aan beide kanten van de grens. Het was tegenwoordig moeilijker de grens te vinden, die had zich sinds hij met dit werk was begonnen vele kilometers verplaatst. Bestond die grens nog? Waar loopt ze? Misschien bevonden ze zich nu in de grenzeloze samenleving. Grenzeloze liefde, grenzeloze haat.

De echo was in de bakstenen gangen gaan zitten. Winter hoorde het, en het had niets met hem te maken, met zijn voetstappen. Iemand kuchte in een van de kamers en het onprettige geluid verplaatste zich door de open deur en Winter herkende het.

'Ben je hier nu nog steeds?' vroeg hij in de deuropening.

'Nee, ik ben net gekomen,' zei Ringmar vanaf zijn stoel achter het bureau.

'Ik dacht dat je thuis bezig was je op te doffen.'

'Dacht je dat echt?'

'Nee.'

'Het duurt nog uren voordat ik mooi moet zijn,' zei Ringmar.

Winter keek op zijn horloge. 'Tweeënhalf.'

'We kunnen nog veel doen in die tijd,' zei Ringmar.

'Zoals wat?'

Ringmar gebaarde naar de documenten en foto's voor zich op het bureau. 'Deze puzzel.'

'Is het een puzzel?'

'Hoe zou jij het dan willen noemen?'

'Ik weet het niet, Bertil. Een massamoord.'

'Plus nog eentje. De vrouw in Rannebergen.'

'Komen er nog meer?'

'Als je alle onbekende factoren in aanmerking neemt… het zou kunnen.'

'Waarom?'

'Omdat we geen informatie krijgen.'

'En waarom krijgen we die niet?'

'Ze zijn bang. Alle mensen die hiermee te maken hebben zijn bang.'

'Waarom zijn ze bang?'

'Omdat ze het weten.'

'Wat weten ze?'

'Wat wij willen weten.'

'Het kan ook andersom zijn,' zei Winter.

'Hoe bedoel je?'

'Ze zijn bang omdat ze het niet weten.'

Ringmar antwoordde niet. Ze werkten al vele jaren samen en als ze probeerden hun gedachten de vrije loop te laten, leverde dat vaak resultaat op, op de een of andere manier leverde het resultaat op, ergens in de snelle uitwisseling van woorden en gedachten zaten antwoorden op de grotere vragen, misschien in het begin van het verhaal, of in het midden, of aan het eind, daar was iets naar boven gekomen en dat had hen vervolgens verder gebracht. Volgens de oude waardeloze politietraditie werden deze flitsende gesprekken niet schriftelijk vastgelegd, dat zou onmogelijk zijn, maar de dingen die waarde hadden, lagen opgeslagen in hun geheugen en wellicht kwam er vandaag ook iets naar boven. Of het was alleen maar een enorme tijdverspilling omdat er andere dingen waren om over na te denken, het midzomerfeest bijvoorbeeld.

'Het heeft de buurt kennelijk behoorlijk geschokt.'

'Het is een grote buurt.'

'Maar die is geschokt.'

'Iedereen?'

'Min of meer, als we de wijkpolitie mogen geloven. Ik heb Sivertsson trouwens net gesproken,' zei Ringmar en hij knikte naar de telefoon om te laten zien hoe hij contact had gehad met het hoofd van het wijkteam in Angered.

'Wat zei hij?'

'Wat ik zeg. De mensen daar zijn geschokt. De bendes zijn onrustig. Ze zijn gewend alles te weten en nu weten ze niet veel, als ze al iets weten. Als we geluk hebben, leidt dit tot een burgeroorlog, zei hij.'

'Zei hij dat zo?'

'Holger heeft gevoel voor humor. Ik denk dat hij iets bedoelde in de trant van *survival of the fittest*. Na de strijd blijven er niet veel over om in te rekenen.'

'Maar dat zijn dan wel de sterksten.'

'Dat is waar.'

'We kunnen kennelijk nooit om Darwin heen,' zei Winter.

'Daar komt alles toch op neer, Erik?'

'Zei hij nog iets over die informant van Brorsan?'

'Hij wist er niets van. Hij verwees naar Brorsan. Zo werken ze immers.'

'Brorsan zou me bellen. Dat had hij inmiddels al moeten doen.'

'Dat betekent waarschijnlijk dat zijn bron nog steeds verdwenen is.'

'We hebben een verdwenen moordverdachte, en we hebben een verdwenen informant.'

'Wat als het een en dezelfde persoon is?'

'Nee. Zo geheimzinnig is zelfs Brorsan niet.'

'Hij weet het misschien niet. Hij weet misschien niet alles over deze bron. Het gaat er toch om wat de persoon in kwestie te vertellen heeft?' Ringmar stond op. 'Heb je het hem gevraagd?'

'Daar heeft hij vast zelf over nagedacht.'

'Denkt hij even goed als wij?'

'Als jij, Bertil. Even goed als jij.'

Winter glimlachte en dat voelde goed. Zijn gezicht voelde strak aan, alsof zijn huid niet bereid was geweest tot een glimlach. De afgelopen dagen waren gespannen geweest. Hij had het gevoel dat hij de hele week niet had geslapen. Zo ging dat nu eenmaal. Werkdagen van zeventien, achttien uur, weken achter elkaar, zo ging het altijd in dit werk. Mensen die iets anders beweerden, konden naar de pomp lopen, mensen die zeiden dat politiemensen het werk achter zich lieten zodra ze hun kamer uitstapten. Mijn god, hij zat sowieso niet vaak in zijn kamer! Zijn kamer was op straat, in de huizen van onschuldige mensen, en in die van de schuldige, in het lijkenhuis, in de sectiekamer, op de velden, in de meren, in de sloten, in de bossen, in de huurhuizen, in de villa's, op de snelwegen, aan zee en op de top van de berg. Hij was overal.

'Ik sprak Sivertsson ook nog over iets anders,' zei Ringmar. 'Of liever gezegd, hij sprak er met mij over.'

'Als jullie maar weten dat jullie met elkaar spraken, Bertil. Waar ging het over?'

'Prostitutie.'

'Prostitutie?'

'Ja, of trafficking. Prostitutie, trafficking. Dat gebeurt in de hele stad, natuurlijk. En het is verdomd moeilijk aan te pakken, zoals je ook wel weet.'

'Trafficking, in het noorden van de stad?' zei Winter.

'Ze hebben geprobeerd een bende op te rollen, maar het is moeilijk. De meisjes worden van de ene flat naar de andere vervoerd, ze veranderen voortdurend van plaats.'

'Weten ze wie hierachter zitten? Wie die bende is?'

'Ze dachten dat ze het wisten.'

'Wat betekent dat?'

'Kennelijk gebeurt het op diverse plaatsen. Tegelijkertijd. Hij wist nog niet zoveel, maar iemand van de jongerengroep had iets opgevangen over meisjes die misbruikt worden. Heel jonge meisjes. Schoolmeisjes.'

'Schoolmeisjes? Van welke leeftijd?'

'Dat wist hij niet.'

'Van buiten? Worden ze vanuit het buitenland Zweden binnengesmokkeld?'

'Dat wist hij ook niet.'

'Wat wist hij eigenlijk wel?'

'Het was kennelijk vooral een gerucht. Dergelijke geruchten doen voortdurend de ronde, zei hij. Vooral over prostitutie. Het verschil is dat ze hier geen gezicht bij konden plaatsen.'

'Zei hij het zo? Gebruikte hij die woorden? Een gezicht plaatsen bij?'

'Ja…'

Winter schudde zijn hoofd. 'Wat gaan ze nu doen?' vroeg hij.

'Daar moest hij over nadenken, hij zou proberen meer te weten te komen.'

'Maar dit was iets anders dan die pooierbende die ze in de gaten hielden?'

'Kennelijk.'

'Nationaliteit?'

'De bende? Ik geloof dat hij Albanezen zei, en Balten.'

'Albanië en de Baltische staten? Dat zijn twee uiteinden van Europa. Wat een combinatie! Dat overspant meer dan de hele EU.'

'Criminelen liggen vaak een stap voor,' zei Ringmar.

'Maar dit is dus iets anders dan het bekende gespuis?'

'Misschien.'

'Hoe werd hij erover getipt?'

'Een bron, geloof ik.'

'Die vervloekte bronnen. Ik wil meer hebben dan een anoniem "misschien" van onzichtbare mensen.'

'Hm.'

'Maar we moeten er natuurlijk wel naar kijken. We moeten ernaar vragen.'

'Ja.'

'Aan wie zullen we het vragen, vind jij?'

'Ik zou het aan Hussein Hussein willen vragen,' zei Ringmar. 'Er zijn veel dingen die ik hem zou willen vragen.'

Het was bedompt op zijn kamer. Zo gaat dat met een ruimte waar je niet vaak komt. Een paar jaar geleden had hij besloten om zo weinig mogelijk tijd door te brengen in de kamer met het sombere uitzicht op de Fattighuså. Hij hoefde daar ook niet te zijn. De mensen met wie hij moest praten bevonden zich elders, waar ze thuishoorden, waar ze zich veilig voelden, of onveilig. Soms hield hij een verhoor in deze kamer, of een gesprek, als je het zo wilde noemen, maar meestal kon hij overal werken. In die zin was hij een freelancer. Hij kon thuis beter lezen dan op zijn kamer, in elk geval 's nachts als het stil was. Hij had kantoor gehouden in een café bij het Kungsplein, daar kon hij goed nadenken. Hij had goed kunnen nadenken in de cafés aan de Costa del Sol, maar dat waren andere gedachten dan die hij hier in het noorden had. Op dit moment herinnerde hij zich niet meer wat hij in de zon had gedacht, of liever gezegd in de schaduw, maar het waren goede gedachten geweest, helende en verzachtende gedachten. De gedachten die hem nu bezighielden waren niet helend, misschien, op heel lange termijn, voor de familie, de nabestaanden, als het hem lukte de daders te pakken, maar hij wist dat hij nooit veel troost kon bieden, hoe goed hij ook nadacht. Denken deed hij om een andere reden. Dat deed hij voor zichzelf.

Winter zette het raam open en ademde de aangename lucht in. Het uitzicht was waardeloos, maar de lucht voelde goed. Die was mild en teer, zo in de schaduw, het was een perfecte dag. Aan de andere kant van de rivier kwam een ratelende tram langs, op weg naar het noorden. Winter kon geen mensen in de wagon zien. Iedereen die in de noordelijke stadsdelen moest zijn, was daar al.

Hij drukte op de startknop van de cd-speler zonder te weten welke cd hij erin had laten zitten toen hij voor het laatst naar muziek had geluisterd. Dat moest een week geleden zijn geweest, of een halfjaar. Het was John Coltrane, wat een verrassing, in zeldzame samenwerking met een zanger, Johnny Hartman, een van de beste en een van de meest onderschatte zangers ter wereld. 'They say falling in love is wonderful,' zong Hartman, ze zeggen dat het heerlijk is om verliefd te worden. Op dat moment ging Winters telefoon op het bureau over.

'Ja?'

'Iemand die Erik Winter wil spreken,' zei een vrouwenstem van de centrale. Ze was nieuw, misschien een invalkracht, hij wist niet hoe ze heette, maar hij had naar haar geknikt toen hij langs was gelopen, en zij had midden in een gesprek teruggeknikt.

'Ik ben Winter. Wie is het?'

'Hij zei dat hij Brorsan heet. Hij belt vanuit Angered. Wil je het gesprek aannemen?'

'Ja.'

Winter wachtte op Brorsans donderende stem. Die had hij vaker door de telefoon gehoord, het leek alsof Brorsan er niet op vertrouwde dat de telefoonlijn het gesprek helemaal van Angered naar de Skånegatan zou voeren.

'Winter? Ben je daar?' schreeuwde Brorsan.

'Ja, ik ben er, Brorsan.' Hij moest de hoorn een paar decimeter van zijn oor houden als hij luisterde en hem vervolgens tegen zijn oor leggen als hij praatte.

'Ik heb eerst maar hierheen gebeld. Ik had zo'n vermoeden dat je er zou zijn, midzomer of niet.'

'Hoe gaat het met Marko?'

'Marko? Wie is dat?'

'Marko, je bron. Je zei dat we hem Marko konden noemen.'

'Ja, juist, Marko. Daarom bel ik. Hij is nog steeds spoorloos.'

'Verbaast dat je?'

'Hè? Ja, eigenlijk wel.'

'Zijn er nieuwe ontwikkelingen?'

'Nee. Zijn vriendin is niet blij. Ze geeft mij de schuld. Het is helemaal niet de bedoeling dat ze van mijn bestaan af weet.'

'Wat kan er gebeurd zijn?'

'Hij is dood, of hij is al in Kirkuk.'

'Kirkuk?'

'Of ergens anders in Koerdistan. Volgens mij is dat een stad in Koerdistan.'

'Is Marko Koerd?'

'Ja.'

'Dat was Hiwa Aziz ook.'

'Er zijn veel Koerden, Winter, vooral in Göteborg.'

'Waarom zou Marko dood zijn?'

'Omdat hij niets van zich heeft laten horen.'

'Is het zo ernstig?'

'Volgens mij heb ik je dat al uitgelegd, Winter. En ik denk ook dat het wellicht een ongelukkige samenloop van omstandigheden is, als je het zo kunt noemen. Dat mijn bron is verdwenen, heeft misschien niets met jouw zaak te maken.'

'Ik sluit niets uit, Brorsan.'

'Ik heb niets gehoord wat in die richting wijst. Helemaal niets.'

'In deze zaak hoort niemand iets, Brorsan.'

'Hoe gaan we nu verder?'

Voordat Winter het bureau verliet, ging hij nog even naar de technische afdeling. Hij wist dat Öberg daar zou zijn. Hij liet Johnny Hartman achter, terwijl die zijn *Autumn Serenade* zong. Maar het was nog lang geen herfst.

'Wij zijn momenteel kennelijk de enige mensen in het gebouw,' zei Öberg toen Winter het allerheiligste, het allerbelangrijkste, had betreden.

'Ja, Bertil is een kwartier geleden vertrokken.'

'Moet jij niet naar huis om midzomer te vieren?'

'Ik ga straks naar Fredrik en Aneta.'

'Halders? Zijn jullie zo close?'

'Hij mag me meer dan ooit. Dat komt waarschijnlijk omdat ik een half-jaar weg ben geweest.'

'Stel je voor hoe aardig hij je zou vinden als je een jaar wegbleef.'

'Ja, of nog langer.'

'Ik ga over vijf jaar met pensioen,' zei Öberg. 'Vijf jaar zijn zo voorbij. Hoe zit het trouwens met Birgersson? Is hij niet binnenkort aan de beurt?'

'Over een maand,' antwoordde Winter. Over ruim een maand zou afdelingshoofd Sture Birgersson het bureau voorgoed verlaten en in de geheimzinnige wereld verdwijnen waar hij zijn persoonlijke leven leidde. Niemand wist waar die wereld lag, zelfs Winter niet, zijn naaste medewerker. Vorig jaar was Winter één keer in de buurt gekomen van Birgerssons persoonlijke wereld. Birgersson had toen op zijn kamer bij het raam staan huilen en daarna had hij samen met Winter zijn tranen in een café gedroogd. Dat was een bijzondere gebeurtenis geweest. Birgersson had een vorm van zwakte getoond. Winter had graag gezien dat dat achttien jaar eerder was gebeurd. Dat had hem als jonge rechercheur misschien geholpen.

Öberg knikte naar de werkbank, waar een paar vergrotingen van een uitgebrand wrak lagen.

'De auto is interessant,' zei hij.

'Ik hoop het.'

'We hebben een stuk van een schoenhoesje gevonden dat niet is verbrand.'

'Mooi.'

'Maar ik kan niet veel zeggen over de voetsporen.'

'Nee.'

'Het Gerechtelijk Laboratorium in Linköping belt na het weekend.'

'Ik wacht ook op bericht uit Borås,' zei Winter.

'Wie niet?'

'Ik hoop dat we er iets aan hebben.'

'Ik hoop nooit op iets,' zei Öberg.

'Mag ik je iets vragen, Torsten?'

'Je mag me alles vragen wat met het werk te maken heeft, Erik.'

'Hoeveel mensen zijn hierbij betrokken? Met hoeveel moordenaars hebben we eigenlijk te maken?'

'Je begint meteen met de moeilijkste vraag.'

'Ik weet het.'

'Dat was precies wat ze wilden. De daders. Dat het moeilijk zou zijn. Kijk maar naar de munitie, en de wapens. De schoenhoesjes. De doden. De vrouw in Rannebergen.'

'Daar moeten we een verband tussen zien te vinden,' zei Winter. 'Tussen Hjällbo en Rannebergen.'

'Er is een verband. Het echtpaar Rezai.'

'Maar dat is niet voldoende. We moeten het verband begrijpen. We moeten sporen vinden, anders begrijpen we het misschien wel nooit.'

'We doen ons best, we doen ons best.'

'Maar waarom dat gedoe met de auto?'

'Ik weet het niet, Erik.'

'Het klopt niet met de modus operandi. Het is veel te stuntelig. De moorden waren enorm gewelddadig, bruut, een soort executie, maar ze waren zeker niet stuntelig.'

'Niet op het moment zelf. Maar er gebeurde misschien iets. Er ontstond paniek.'

'Veel later?'

'Misschien gebeurde er iets in de auto toen ze wegreden. Wellicht waren ze plotseling gedwongen zich van de auto te ontdoen.'

'Volgens mij wisten ze wat ze deden,' zei Winter. 'Het was onderdeel van het plan.'

'En daarom is het zinloos om met die sporen bezig te zijn, bedoel je dat?'

'Absoluut niet.'

'Wat bedoel je dan?'

'Ze wisten misschien dat we sporen zouden vinden, maar ze weten niet hoe we die zullen gebruiken.'

'Ik hoop dat jij dat weet, Erik.'

'Als ik ze in mijn hand heb, weet ik het.'

'De spullen in Jimmy Foro's flat hebben ons niet veel wijzer gemaakt,' zei Öberg. 'Die knoop bijvoorbeeld.'

'Die was ik bijna vergeten.'

'Over vergeten gesproken. Je vroeg hoeveel het er waren. Moordenaars.'

Winter knikte. Het deed pijn als hij zijn hoofd bewoog. De pijn boven zijn oog was teruggekomen, in twee tellen. De reflecties van de zon maakten het er niet beter op, die vlogen rond in Öbergs laboratorium en stuiterden heen en weer tussen de glimmende stalen werkbanken. Plotseling wilde hij hier ver vandaan zijn, in de schaduw, in een dans. Hij had plotseling vreselijk genoeg van de dood.

'Twee,' zei Öberg.

Het klonk als een slag, twee slagen, zwaar, informatie waarop Winter had gewacht.

'Hoe ben je tot die conclusie gekomen?'

'Het zijn nog steeds speculaties, oké?'

'Natuurlijk.'

'Op grond van verschillende factoren,' zei Öberg. 'De sporen in het bloed. Na het geslof met de schoenhoesjes. Kijk hier maar eens.'

Hij boog zich omlaag om een paar andere foto's van een plank onder de werkbank te pakken. Hij liep naar een andere bank waarop hij de foto's uitspreidde. Winter was achter hem aan gelopen. Hij zag de rode zee. Hij zag Öbergs witte viltstiftstrepen in het rood, als brandingsgolven. Ze liepen kriskras door elkaar, ze leken geen bepaalde richting te hebben.

'Ik ben niet zeker van de maten,' zei Öberg. 'Van de voeten. Dat kan ook niet met dat soort schoeisel. Maar het lijkt een wat grotere persoon te zijn en een wat kleinere.'

'Wat betekent dat?'

'Precies wat ik zeg. Iemand die groter was dan de kleinere.'

Mijn god, wat een absurd gesprek. En de hoofdpijn was niet verdwenen. Mijn hoofd voelt groter dan zonet, dacht Winter.

'Hoeveel groter?' vroeg Winter. 'Of kleiner?'

'Dat weet ik niet. In elk geval nóg niet.'

'Maar het waren twee personen?'

'Daar lijkt het op.' Öberg knikte naar de macabere foto's. 'Je kunt het bewegingspatroon zelf zien. Dat is afkomstig van twee paar voeten, voor zover wij kunnen zien. Het lijkt verdomme bijna alsof ze in een cirkel hebben gewaterskied.'

'En de slachtoffers?'

'Die hadden hun schoenen aan. Die sporen hebben we kunnen volgen. En daar waren niet veel stappen.'

'Hm.'

'Dan zijn er nog de schoten, en de hoeken van waaruit werd geschoten. Die lijken de stappen van de schoenhoesjes te volgen. Twee mensen die schoten.'

'Heb je nog andere sporen van schoenen gevonden?' vroeg Winter. 'Ik weet dat je dat wel zou hebben verteld, maar... nu de slachtoffers en de moordenaars in kaart zijn gebracht... zijn er dan nog andere voet- of schoensporen?'

'Je denkt aan Hussein Hussein?'

'Bijvoorbeeld.'

'Nee. Verder hebben we niets gevonden.'

Winter keek weer naar de foto's. Dat patroon kon van alles voorstellen, en niets riep goede associaties op.

'Nog meer wat erop wijst dat ze met z'n tweeën waren?' vroeg hij met een knikje naar de foto's. 'Dat patroon ziet er eigenaardig uit. Moesten ze zoveel bewegen? Zou het niet... economischer zijn geweest om meer stil te staan, en gewoon te schieten?'

'Of er meer is wat erop wijst dat ze met z'n tweeën waren? Ja... de positie van de slachtoffers... we weten natuurlijk niet precies wie als eerste werd gedood, maar volgens mij liggen ze in de volgorde waarop ze zijn overleden.' Öberg keek Winter aan. 'Het ging snel.'

'Wisten de moordenaars wie wie zou neerschieten? Ik denk nu even hardop. Hadden ze dat van tevoren afgesproken?'

Öberg antwoordde niet. Hij keek naar de foto's, alsof hij opeens helemaal opging in wat hij zag. Alsof hij het niet eerder had gezien.

Hij keek op.

'Je had het net over dat... eigenaardige patroon, zoals je het noemde. En de positie van de slachtoffers... daar had ik eigenlijk nog niet goed over nagedacht. Je moet er zelf ook nog maar een keer goed naar kijken.' Hij keek weer naar de foto's. 'Dan praten we daarna verder.'

'Waarover precies?'

'Hoe ze zich hebben bewogen, die figuren met de schoenhoesjes.' Hij wees met een lange wijsvinger. 'Hier. Hier. En hier. Bij de toonbank, waar Aziz ligt. Zie je dat? Daar kun je een soort kruis zien.'

'Ja, ik zie het. Daar dacht ik zonet aan. Wat betekent dat?'

'Het lijkt alsof ze elkaar in de weg liepen. De moordenaars.'

22

En toen trokken we de grens over. Ze zeiden in elk geval dat we die nu waren overgestoken. Het was ergens in de buurt van Zaxo, maar die naam zegt jou niets. Ik zou ook Batifa, Amêdî, Sersink, Kanîmasî kunnen zeggen. Ik zou welke steden dan ook kunnen noemen, maar die zouden jou niets zeggen. Ze zeggen niemand op de hele wereld iets, alleen ons. Die steden liggen in ons land dat niet bestaat. Dat kun jij nooit begrijpen. Alleen iemand die geen eigen land heeft waar hij heen kan, kan dat begrijpen.

Het landschap betekent niets voor jou. Ik zou kunnen vertellen hoe het eruitziet, maar wat heeft dat voor zin? Wil je dat ik het vertel? Je denkt misschien dat het met al het andere te maken heeft? Misschien is dat zo. Maar het ziet er niet uit als iets wat je hier kunt zien. Je hebt hier steen, ja, maar niet dat soort steen. Je hebt hier zand, maar dat hoort bij het strand. Daar bestaan geen stranden. Wij denken niet aan stranden, niet op die manier. Niet aan de zee, niet in die zin. Hier is de zee dichtbij.

We gingen er soms heen. Toen we naar dit land waren gekomen, deze stad, soms gingen we er 's middags weleens heen, eerst met de tram en daarna met de bus, en vervolgens moesten we een eindje lopen en dan waren we bij de zee. Dat is lang geleden. Het voelt voor mij als een ander leven. Maar nu zijn we daar al aanbeland, bij dat andere leven, toen we hier kwamen. Ik ben te snel gegaan met mijn verhaal. In de tussentijd gebeurden er andere dingen. Ik zei dat we net de grens waren overgestoken. We hadden toen geen papieren bij ons. Die hadden we weggegooid. Iemand zei dat we ze moesten weggooien, ze pakken je toch alles af en gebruiken de papieren opnieuw en iemand anders met een andere naam neemt onze naam aan en dan word je iemand anders, we zullen die grens de hele tijd passeren, heen en weer, onze namen zullen dat doen, en op die manier zouden we daar nooit wegkomen. Begrijp je? En toen we hier kwamen en geen papieren hadden, hadden we ook geen naam. We waren niets. Niemand geloofde ons. Iedereen dacht dat we onze papieren hadden weggegooid omdat we iemand anders waren, dat we mensen waren die eigenlijk helemaal niet uit ons land weg wilden, behalve om geld te verdienen, of misschien omdat het eten hier beter was, of het weer mooier en de bedden zachter. Niet omdat we gedwongen waren uit ons land te vertrekken dat niet ons land was. Omdat we gedwongen waren te vluchten. Te vluchten! Omdat we doodgingen! Omdat velen van ons doodgingen. Maar dan lijkt het net of mijn vader niet is gestorven, alsof hij niet dood heeft mogen zijn zoals je dood zou moeten zijn, maar hij leeft ook niet, en dat is het allerergste.

Toen volgden er vele dagen en nachten waarin we niet wisten waar we waren. Er waren nieuwe grenzen, oude grenzen. Mijn moeder werd ziek en op een nacht zei ze dat ze niet meer kon. Dat was in een trein, een goederenwagon, misschien een vrachtwagen. Een tent. Ik weet het niet. Misschien wisten zelfs de smokkelaars niet wat er toen zou gebeuren. We hoorden schoten in de nacht. We hoorden dat mensen verdwenen. We waren heel bang. We waren aldoor bang.

23

Er stonden verse veldbloemen op de tafel, die had Aneta geplukt. Zij had ook de tafel gedekt in de kleuren blauw en geel. Winter en Angela kwamen de heuvel opgelopen met de meisjes op hun schouder. Winter merkte dat Elsa steeds zwaarder werd. Mijn god, weldra zou ze zwaar genoeg zijn om naar school te gaan.

'Zijn jullie helemaal komen lopen?' vroeg Halders, die hen bij het hek begroette.

'Zo voelt het wel,' zei Angela, terwijl ze Lilly op de grond liet zakken. 'Hoi, Lilly!'

Ze verborg zich achter Angela's benen. Ik zou hetzelfde hebben gedaan, dacht Winter.

'Hoi, Elsa,' zei Halders en hij stak zijn hand uit.

'Hoi, oom Fredrik!' antwoordde Elsa en ze schudde zijn hand.

'Zo mag ik het horen,' zei Halders. 'Dat moet je je zusje ook leren.'

'Dat zal ik doen.'

Halders keek op zijn horloge. 'Over een uur moet ze het kunnen. Dan zien we elkaar hier weer.'

Elsa knikte en glimlachte. Ze kende Fredrik Halders inmiddels wel. 'Waar zijn Magda en Hannes?' vroeg ze.

'Die zijn bezig bij de meiboom. We gaan hem nu versieren. We hebben gewacht tot Lilly en jij er waren.'

Tussen al het groen waarmee de boom was versierd, zaten minstens zeven verschillende soorten bloemen.

Ze hielpen allemaal mee de boom op te tillen en in het gat te plaatsen dat Halders die ochtend samen met zijn kinderen in het gras had gegraven.

Ze deden minstens zeven dansspelletjes rond de boom, waarbij ze zongen en rondsprongen als een kikker, deden alsof ze graan zaaiden en hun kleren wasten. 'Zo doen we als we onze kleren wassen, zo doen we als we onze kleren wassen,' zongen ze. Dit was allemaal heel nieuw en spannend voor Lilly. Winter hielp haar met het wassen en zaaien. Ze schaterde het uit; het was het soort lach dat ijsbergen deed smelten.

Halders had Ödakra Taffel en Brøndums Kummenakvavit bij de haring. Dat waren de twee beste soorten gekruide brandewijn ter wereld. Iedereen zat rond de grote tafel in de tuin, maar de kinderen liepen voortdurend heen en weer. Aneta had knakworstjes gebakken en Magda had gehaktballetjes gemaakt. Halders pakte ongeklopte room voor bij de maatjesharing, die liet zich goed mengen met gesmolten boter en het nat van de haring en smaakte lekker bij de nieuwe aardappels en bieslook, het was in feite een beter alternatief dan zure room. 'Dat heb ik van mijn oma in Småland geleerd,' zei Halders. 'Proost!'

Ze toostten, maar eerst zongen ze een snapslied.

De brandewijn voelde als gloeiend ijs in Winters keel; de flessen hadden god mocht weten hoeveel uur in de vriezer gestaan en waren helemaal beslagen van de kou. Het kon levensgevaarlijk zijn om je glas in één teug achterover te slaan als de fles net uit de vriezer was gehaald. De drank kon als een loden gewicht dwars door alle vliezen van de maag stoten. In die zin was een Zweedse haringmaaltijd even gevaarlijk als het eten van blauwbaars in Japan. Je nam op eigen risico plaats aan tafel.

'Hoe smaakt de haring?' vroeg Halders ongerust toen ze begonnen te eten.

'Hij is echt lekker,' zei Ringmar met zijn vork in de lucht. Zijn vrouw Birgitta, die tegenover hem zat, knikte instemmend. Winter had Birgitta stevig omhelsd toen ze elkaar zonet begroetten. Ringmar en Birgitta waren laat gekomen. Birgitta had er moe uitgezien, maar nu leek ze vrolijker. Misschien kwam het door de brandewijn. Aneta had ook witte wijn op tafel gezet, maar iedereen begon met een glaasje brandewijn. Dat was een ritueel, het was meer dan een traditie. Dit was Zweden, een land stevig verankerd in de brandewijngordel.

'Het is niet makkelijk lekkere haring te vinden,' zei Halders. 'Het is een loterij. Merken die het ene jaar goed zijn, zijn het volgende jaar helemaal niet lekker.'

'Haring is sowieso niet lekker,' zei Magda en Elsa lachte.

'Stil jij,' zei Halders en hij glimlachte. 'Als je groot bent, zul je haring lekker vinden.'

'Nooit van mijn leven!'

'Hè bah, nee,' zei Elsa.

'Toen ik klein was, was ik net als jullie, maar moet je me nu eens zien!' zei Halders en hij hield een stukje haring omhoog in de midzomerlucht.

'Was jij toen ook een meisje?' vroeg Magda met een onschuldig gezicht, waarop iedereen in lachen uitbarstte.

'Daar zingen we nog een keertje op,' zei Halders en hij zette een nieuw snapslied in: '*Helan går, sjung hopp faderallan lallan lej!*'

'Er bestaat ook een Engelse versie van dit lied,' zei Winter toen ze hun glazen hadden neergezet en Halders zijn hand uitstrekte naar de flessen om zijn gasten nog een keer bij te schenken.

'Ik geloof dat ik daar iets over heb gehoord,' zei Halders.

'Luister,' zei Winter en hij begon te zingen: '*Hell And Gore, Chung Hop Father Allan Lallan Ley.*'

'Dat is toch bijna precies hetzelfde,' zei Hannes.

'Schrijf het maar eens op,' zei Ringmar.

'Proost!' zei Halders.

'Hoe bevalt het Moa bij de rechtbank?' vroeg Angela.

'Het lijkt goed te gaan,' antwoordde Birgitta Ringmar. 'Ze heeft het naar haar zin.'

'Ze zijn daar heel anders,' zei haar man.

'Ze praten in elk geval anders,' zei Winter.

'Eksjö, is het toch?' vroeg Angela.

'Ja.'

'Hoe lang duurt haar aanstelling nog?'

'Ik geloof tot het eind van het jaar. Daarna moeten zij en haar baas maar kijken hoe ze verder willen gaan.'

'Zouden de rechtbanken in de kleinere steden niet worden opgeheven?' vroeg Winter. 'Ik meen dat ik daar recentelijk iets over heb gelezen.'

'Het lijkt erop dat ze eindelijk hun verstand gaan gebruiken,' zei Ringmar.

'De sociaaldemocraten?' zei Halders. 'Nooit een keer.'

'Waar woont ze?' vroeg Angela.

'Ze heeft een leuk oud appartement in het centrum. Voor zover je daarvan kunt spreken in zo'n kleine stad als Eksjö. We gaan er over een paar weken heen. Het is er heel mooi. Een mooi oud stadje met houten huizen.'

'De enige stad in dit land die de sociaaldemocraten niet hebben weten te verpesten,' zei Halders.

'Is het in andere landen wel gelukt?' vroeg Aneta Djanali.

'Hè?'

'Je zei in dit land. In welke landen is het wel gelukt de steden te verpesten?'

'In Boven-Volta,' zei Halders.

'Dus jullie hebben tegenwoordig een jurist in de familie,' zei Winter.

'Dat kan van pas komen,' zei Ringmar.

'Ik hoorde dat Martin in Sydney werkt?'

'Ja... maar hij is tijdelijk naar Singapore verhuisd. Of liever gezegd, hij schijnt heen en weer te pendelen tussen Kuala Lumpur en Singapore en

Bangkok. Het is een hotelketen... Shangri-La, geloof ik.' Hij draaide zich
om naar Birgitta. 'Werkt hij voor de Shangri-La-hotels?'
'Volgens mij wel.'
'Jullie moeten er maar heen om dat te controleren,' zei Winter.
'Dat zijn we inderdaad van plan,' zei Ringmar. 'Misschien met Kerstmis.'
'Is hij nog steeds chef-kok?'
'Ja, zoiets. Al geloof ik niet dat hij nog zo vaak bij de potten en pannen
staat.'
'Wat spannend,' zei Aneta Djanali.
'Om niet bij de potten en pannen te staan?' zei Halders.
'Kunnen wij niet ook naar Kuala Lumpur gaan?' vroeg Aneta.
'Ik wil eerst een keertje naar Eksjö,' zei Halders. 'Ik wil met eigen ogen
zien wat aan de waanzin van de sociaaldemocraten heeft weten te ontkomen. Het klinkt als een bezoek aan een overgebleven stad uit de klassieke
oudheid. Of iets wat Djingis Khan heeft overleefd.' Hij hief zijn glas. 'Volgend jaar in Eksjö.'
'Volgend jaar in Eksjö,' riep iedereen en ze toostten weer. Het vreemde
met brandewijn bij de haring was dat de drank je nooit naar het hoofd
steeg. Misschien had het te maken met de consistentie van de haring, of
met het nat. Als je regelmatig een slok brandewijn nam en daar een goed
maar niet te sterk glas bier bij dronk, werd je niet dronken. Dat was vreemd,
maar waar. Een haringmaaltijd was in die zin de beste maaltijd die er bestond, lekkere vis in combinatie met lekkere drank.
Halders begon een nieuw snapslied te zingen.

Shoo man. Mag ik dat niet zeggen? Nee, oké. Iedereen praat voortdurend
Zweeds, en dit is mijn manier. Ik denk zo, snap je. Ik praat niet alleen maar
zo. Ik wil niet keurig doorsnee-Zweeds zijn. Maar oké. Ik dacht trouwens
dat je niet zou komen. Waarom ik dat dacht? Ik wist eerst zelf niet eens dat
ik hier zou zijn! Vanochtend wist ik het in elk geval niet. Wat ik heb gedaan?
Ik heb me schuilgehouden. Overal is het hartstikke leeg. Met iemand gesproken? Nee, ik heb met niemand gesproken, verdomme. Ik heb op jouw
poen gewacht. Mijn poen! Mijn geld! Het is van mij, dat heb je beloofd. Ik
heb mijn mond gehouden, toch? Heb ik iets gezegd? Ik wil het nu hebben.
Heb je het bij je? Wat zeg je? Ergens anders, waar dan? Daar? Oké, oké. Ik
moet je ook naar dat andere vragen. Nee, ik snap het, niet hier. Natuurlijk
snap ik dat! Maar de politie is nu overal, ze denken misschien dat... Ze
willen het mij ook vragen. Snap je? Ze vragen het aan iedereen, iedereen!
De hele buurt gonst ervan. Ja, ja, ik kom eraan. Ik kom eraan, zei ik toch.

Lilly lag een dutje te doen. Winter bleef op de rand van het bed zitten. Hij
was voorzichtig overeind gekomen na een poosje naast Lilly te hebben ge-

legen, zodat zij in slaap zou vallen. Ze had een tijdje liggen woelen. De kamer rook naar bloemen en zon. Hij vermoedde dat het Magda's kamer was, het zag eruit als een meisjeskamer. Boven het bed hingen posters met paarden aan de muur. Over een paar jaar zou hij zijn dochters misschien naar Alleby moeten brengen. De manege in Säve bestond al sinds mensenheugenis. Had Lotta daar niet gereden? Hij had zijn zus vanochtend gebeld en ze had gevraagd of ze volgend weekend bij haar kwamen eten. De laatste keer was alweer een tijdje geleden. Hij was in geen tijden in Hagen geweest. Hij reisde deze dagen niet naar het westen, alleen naar het noorden. Eerst lange tijd naar het zuiden, en daarna alleen nog maar naar het noorden.

Lilly mompelde iets uit een van de liedjes die ze rond de meiboom hadden gezongen. *Wat doen we als we naar de kerk gaan? Arm in arm, zo gaan we naar de kerk.* Dat was lang geleden. Hij miste de kerk, en niet alleen de kerkruimte. Hij zou er zo heen kunnen gaan. Het is er stil, ook als we zingen. Binnenkort is het de enige plek met waardigheid die we nog hebben. Het hoeft niet met God te maken te hebben. Ik heb God daar nog nooit gezien, zelfs niet op een afbeelding. Er zijn geen getuigen: beschrijf hoe hij eruitzag. Hoe was hij gekleed? Sprak hij met een dialect? Welk dialect sprak God? Welke taal? Kende hij ook Zweeds? Dat is een heel kleine taal in de wereld, maar de dominee in de Vasakerk richtte zich in het Zweeds tot God. Heer. Ik richt mij tot u. Ik leg ons lot in uw handen. God bestond voor wie dat wilde, een hij of een zij, altijd onzichtbaar, het was geen goed idee om afbeeldingen van goden te tekenen, dat wist de hele wereld.

Lilly draaide zich op haar rug en begon te snurken. Ze zou dezelfde problemen met haar poliepen krijgen als Elsa, misschien moest ze worden geopereerd, maar misschien ook niet. Hij moest opeens aan een operatietafel denken en dat was absoluut het laatste waar hij nu aan wilde denken. Een tafel, messen, nee verdomme, sterk licht dat pijn deed aan de ogen, zowel voor de chirurg als voor de patiënt. Door deze gedachten kwam zijn hoofdpijn terug, niet onmiddellijk, maar sluipend, een kleine wig boven zijn oog. Het begon te bonken en hij vermoedde dat de drank het er niet beter op had gemaakt, hoewel hij maar twee glaasjes brandewijn had gedronken, of misschien drie, en een flesje licht bier. Misschien zou een glas whisky straks helpen als Halders de barbecue klaarmaakte. Whisky helpt tegen de meeste dingen. Ik ga weer liggen. Als ik mijn ogen dichtdoe, gaat het vast over. Als het binnenkort niet overgaat, zal ik het Angela vertellen. Dat had ik misschien allang moeten doen. Of ik haal een middel tegen migraine bij de apotheek. Kun je dat op de muren spuiten? Het zit in de muren, en erbuiten. Je kunt met een spuit naar buiten gaan, dat is beter dan met pistolen. Beter dan met hagelgeweren. Ik wil niet aan hagelgeweren denken. Hij wilde niet denken aan de dingen die je met dergelijke wapens kon doen, maar het viel niet tegen te houden. Hij dacht aan de positie van de slachtoffers, en aan de eigenaardige voetstappen op Öbergs foto's. Waren de moordenaars het niet eens geweest over wie er moest worden doodgeschoten, of ging het om de volgorde van de moorden, of om de manier waarop het moest gebeuren? Hij dacht aan Said Rezais vrouw, Shahnaz. Zij had hoogstwaarschijnlijk iemand binnengelaten die ze kende, in de vroege ochtenduren, de wolfsuren. Of ze had helemaal niemand binnengelaten, de moordenaar was al binnen, haar echtgenoot. Ze was al dood. Winter was er niet honderd procent zeker van of de moord op Shahnaz na de moorden in Hjällbo had plaatsgevonden. Dat zou hij misschien nooit te weten komen, maar dat betekende nog niet dat hij niet zou ontdekken door wie ze waren gepleegd. Hij was ervan overtuigd dat hij daar achter zou komen. En hij wist nu al dat hij verrast zou worden, na het grondige en logische werk dat tot de verrassing zou leiden, zoals hij altijd werd verrast, soms plotseling, soms langzaam, verrast en verbaasd over de mens en zijn handelingen. Het kwaad? Alleen als je het over mensen had. Het had niet met God te maken. Dan bestond hij niet langer, hij had nooit bestaan. Het had waarschijnlijk ook niets met de Duivel te maken.

Lilly maakte smakgeluidjes, alsof ze nog steeds aan de grote tuintafel schuimgebak zat te eten, en Winters hoofdpijn nam af. Buiten hoorde hij een vrouw lachen, het klonk als Angela. Een kind riep, en lachte. Hij hoorde een zeevogel lachen. Er heerste een goede stemming, zowel op het land als in de lucht. Hij keek op zijn horloge. Het duurde nog uren voordat de zon voor korte tijd achter de horizon zou verdwijnen, als iemand die even een uurtje gaat slapen en daarna weer opstaat om naar zijn werk te gaan. Hij had dergelijke dagen, en weken, meegemaakt. Hij had net zo'n week achter de rug. Daarom viel hij nu in slaap. De brandewijn deed ook zijn werk. Hij droomde dat hij in een vreemd huis op een bed lag, terwijl zijn dochter naast hem lag te slapen. Hij werd wakker en wist nog wat hij had gedroomd. Hij had niet meer dan een paar minuten geslapen. Er was niets veranderd. Dit was de eerste keer dat hij de waarheid had gedroomd. Het moest iets betekenen wanneer dromen het leven en de tijd niet veranderen. Dan kon je niet ontkomen. De droom werd geen toevluchtsoord. Er waren mensen die ook in nachtmerries konden ontkomen, die zelfs troost vonden door in hun nachtmerries te vluchten. Hij was hen tegengekomen, en dat zou hij blijven doen. Het voelde niet goed om zo te denken, en zich af te vragen waarom hij zo dacht. Nu werd er buiten weer gelachen. Dat was goed. Hij zette een been op de vloer en stapte voorzichtig van het bed. Lilly bewoog weer, maar ze werd niet wakker. Het dansen en het schuimgebak hadden alle energie uit haar gezogen. Plotseling had hij vreselijk veel zin in iets heel zoets, zijn bloed eiste dat. Hij wilde een kilo schuimgebak hebben. Een bord baklava, en dat spul dat kunafa heette. Zoet als de hel.

Wat is dit voor plek? Het is donker hier. Kunnen we ons niet buiten vertonen? Of daarginds? Daar is immers niemand! Iedereen is weg en de grote witte man en al zijn broeders zitten ergens dronkenmanslieden te zingen. Dronkenmansliederen? Ja, ja, wat maakt het uit hoe het heet? Lieden of liederen? Heb jij daar soms iets aan gehad? Relaxen, ha! Heeft het jou geholpen te relaxen? Dat was bijna leuk. Net zo leuk als poen. Ik begin ongeduldig te worden. Ik heb een klus gedaan en daar wil ik voor betaald worden. Als je de poen hebt verstopt, moet je die nu gaan halen. Ik begrijp het, ja, ja. Ze konden ook bij jou thuis komen zoeken, dat begrijp ik. Wat was... hoorde je dat!? Is hier nog iemand? Ik hoorde iets! Een vogel, ja. Ja, ik hoor het. Daar krijste er een. Er kraakte iets, maar dat was zeker het hout. Of een olifant, of een kameel! Ik ken mensen die kamelen hebben gehad, jij ook? Wat? Wat? Nu hoor ik niet wat je zegt. Verdomme, er kraakte weer iets! Hoorde je dat? Het was een tak die kraakte, dat hoorde je toch zeker wel? Daar is iemand! Wie is het? Hallo? Hallo! Nee, ik moet het zien. Ik moet... ik geloof dat ik iemand zag... er is iemand!

Halders stak de barbecue aan met een elektrische aansteker.

'Geen spiritus en brandgel meer. Hier wordt de atmosfeer niet langer vergiftigd.'

'Om het over het eten maar niet te hebben,' zei Aneta Djanali.

'Dat moeten we nog zien,' zei Halders, terwijl hij naar de briketten keek waaruit de rook begon op te stijgen.

Ze zaten verspreid op stoelen op het gras. De zon was nog steeds sterk en warm, maar het licht was veranderd. De kinderen waren binnen. Ze hoorden hun stemmen in het huis. De oudere meisjes zorgden voor Lilly. Zij was inmiddels weer wakker.

'De volgende keer dat Martin in Zweden is, mag hij ons barbecueles komen geven,' zei Halders.

'Ik zal het hem zeggen,' zei Ringmar.

Niemand vroeg wanneer Martin voor het laatst thuis was geweest. Daar wilden ze het niet over hebben. Winter keek naar Ringmars profiel. Bertil had een jaar of vijf, zes geleden een conflict met zijn zoon gehad. Dat was nu uit de wereld, maar Bertil had het niet vergeten, dat had niemand van het gezin. Bertil was daarna nooit meer dezelfde geweest, als je zo'n domme uitdrukking kon gebruiken.

'Toen hij een jaar of twintig was, heeft hij een keer de kerstham op de barbecue gegrild,' zei Ringmar nu.

'Nee, dat meen je niet,' zei Aneta Djanali.

'Het is waar. Op de dag voor kerstavond zette hij de barbecue op de veranda, vulde die met briketten en legde er een ham van vijf kilo op. Hij kon de briketten er natuurlijk niet allemaal in één keer op leggen. Dan was de barbecue waarschijnlijk gesmolten!'

'Werkte het?' vroeg Winter.

'Het was de lekkerste ham die ik ooit heb geproefd,' zei Ringmar.

'Serieus?'

'Ik meen het. De rooksmaak. En de ham was heerlijk sappig.'

'Had hij de ham ook geglazuurd?' vroeg Halders.

'Natuurlijk.'

'Hield jij het vlees vast terwijl hij het insmeerde?'

'Daar kun je donder op zeggen,' zei Ringmar. Hij stond op en liep naar Halders om de nieuwe, dure barbecue te bekijken. Er was nu meer rook, straks zou hij goed gloeien. Het was de eerste keer dat hij werd gebruikt. Halders zag er nog steeds trots uit. Hij beschouwde zich als een meester van de barbecue en liet zich niet uit het veld slaan door het verhaal over Martin Ringmar.

'Bedankt voor de tip,' zei Halders. 'Op oudejaarsavond zal ik hier ossen-haas grillen.'

'Goed, Fredrik.'

'Ik eet bijna uitsluitend vegetarisch,' zei Aneta Djanali.

'Ik ben een vegetariër die vlees eet,' zei Halders en hij glimlachte naar Ringmar. 'Je bent welkom op oudejaarsavond.' Hij keek de anderen aan. 'Jullie zijn allemaal welkom.'

Allemaal hieven ze hun wijnglas om Halders te bedanken voor de uitno-diging, behalve Winter, die met een klein glas whisky toostte. Hij had een Corps aangestoken en de rook werd naar de rook van Halders' barbecue gezogen, alsof die gezelschap zocht.

'Wij zijn met Oud en Nieuw misschien in Azië,' zei Ringmar.

'Ja, ja, Kuala Lumpur, Singapore, daar hoef je ons niet jaloers mee te ma-ken, Bertil,' zei Halders.

'Hij grilt misschien ook wel ham in Kuala Lumpur,' zei Aneta Djanali. 'Kun je hem dat niet vragen?'

'Dat zal ik doen.'

'Volgens mij is het nu tijd voor een paar voorgerechtjes,' zei Halders. 'Daar zijn de kinderen dol op.'

Er lagen diverse vleessoorten op het rooster, maar het meeste was lam. Dat was goed. Winter stond naast Halders en nipte aan zijn whisky. Straks zou hij een deel van het vlees met marinade bestrijken. Halders nam een slok van zijn whisky. De zon was nu achter een paar heuvels verdwenen, maar het was nog steeds erg warm. De lucht was prachtig blauw, de mooiste kleur blauw die er bestond, een diepe kleur.

'Is dit een soort stilte voor de storm?' vroeg Halders.

'Aan welke storm denk je?'

'Waarschijnlijk aan dezelfde als jij.'

'Dat onderwerp hebben we vanmiddag vermeden, Fredrik. Misschien moeten we dat blijven doen.'

'Ja, je hebt gelijk.'

'Daar voelen we ons beter bij. Het is al intens genoeg.'

'Denk jij er dan niet aan?'

'Jawel.'

'Wat is dan het verschil?'

'Het verschil is dat we het niet hoeven horen.'

'Voor zover ik weet, kun je gedachten ook horen. Vanbinnen. Soms helpt het om over dingen te praten.'

'En soms niet.'

'Maar het zou niet juist zijn tegenover Birgitta en Angela.'

Winter antwoordde niet. Hij zette zijn glas op het bijzettafeltje en pakte een kommetje met marinade. Het rook naar kruiden en knoflook en misschien nog iets zoets. Hij had geen zin meer in iets zoets. Er was nog schuimgebak over geweest.

'Of tegenover de kinderen,' ging Halders verder.

Winter bestreek de lamsschijven met marinade. Halders legde op dat moment net een paar gemarineerde lamsracks op het rooster. Hij keek naar Winter.

'Het is te stil,' zei hij. 'Het is te rustig. Het is te mooi. Het voelt niet echt goed.'

24

Ze wachtten tot het middernacht was. De hemel was nog steeds prachtig blauw, maar inmiddels in een nog donkerder tint. Er bestaat ongetwijfeld ook een naam voor die kleur. De bomen in de tuin waren grote, geheimzinnige schaduwen. Alles was perfect. De kinderen lagen binnen te slapen en Angela zag eruit alsof ze elk moment kon indutten. Winter overwoog even om haar uit de tuinstoel te tillen waar ze in een ongemakkelijke houding in hing en haar naar binnen te dragen, waar hij haar op een vrij plekje kon neerleggen. Kleine kinderen kostten veel energie. Daar had zij de afgelopen week meer last van gehad dan hij, en hij het afgelopen halfjaar weer meer dan zij, hij wist hoe het was. Voor middernacht was je compleet afgedraaid, en al helemaal na een paar glazen wijn.

Halders keek uit over de hellingen van de wijk Lunden. In het dal lag het centrum van de stad. Overbodige straatverlichting glinsterde. Een paar auto's gleden langs het Ullevi-stadion.

'Mensen in het buitenland kunnen waarschijnlijk niet begrijpen dat Scandinavië ook zo kan zijn,' zei Halders.

'We hebben alles, of niet soms?' zei Winter.

'Inderdaad,' zei Halders.

'We begrijpen niet hoe goed we het hebben,' zei Winter en hij pakte het pakje Corps uit zijn borstzak.

'Ik begrijp het wel,' zei Aneta Djanali.

'Er is nog meer wijn,' zei Halders en hij strekte zijn hand uit naar een fles op tafel. 'De nacht is nog jong.'

'Wanneer wordt die oud?' vroeg Aneta Djanali. 'Wanneer is die niet jong meer maar oud, of van middelbare leeftijd?'

'Ben je nu serieus?'

'Jazeker. In Burkina Faso hebben we dat soort uitdrukkingen niet. "De nacht is jong." Daar valt de duisternis vroeg in de avond, altijd op dezelfde tijd, en de nachten duren het hele jaar door ongeveer even lang. Twaalf uur licht en twaalf uur duisternis.'

'Net als in Kuala Lumpur,' zei Halders. 'Of niet soms, Bertil?'

Hij kreeg geen antwoord.

'Bertil?'

Ze hoorden een gemompel vanuit de ligstoel waarin Ringmar was beland.

'Hij moet alleen even wakker worden,' zei Birgitta Ringmar en ze glimlachte.

'Slaapt hij al? Er staan ons nog allerlei avonturen te wachten.'

Dat had Fredrik niet moeten zeggen, dacht Winter. Nog geen tel later begon zijn mobieltje te rinkelen, dat naast het doosje sigaren in zijn borstzak zat.

Winter zag hoe het gezelschap schrok, en echt een centimeter omhoog veerde: wie kon dat zijn?

Het was de recherche.

Iemand had het alarmnummer gebeld. De meldkamer had een surveillancewagen gestuurd, die vervolgens de recherche had gebeld. En die had op haar beurt de twee technisch rechercheurs gestuurd die vanavond oproepbaar waren.

Nu waren ze onderweg.

'Er is een lichaam gevonden in Bergsjön,' zei hoofdinspecteur Johan Västerlid.

'Waar precies?'

Västerlid beschreef de locatie.

'De rechercheurs kunnen er elk moment zijn,' zei hij.

'Een man of een vrouw?'

'Dat weet ik niet.'

'Bel me zodra je meer weet,' zei Winter en hij verbrak de verbinding.

'Een lichaam in Bergsjön,' zei hij tegen het gezelschap.

'Dat begreep ik,' zei Halders. 'Het kan iedereen zijn.'

'Het kan Brorsans bron zijn,' zei Winter.

'Weet Brorsan het al?' vroeg Ringmar, die inmiddels wakker was.

'Nee, nog niet. In elk geval niet voor zover ik weet.'

'Wat gaat er nu gebeuren?' vroeg Angela.

'Ik wacht op een telefoontje van de rechercheurs,' zei Winter.

★

Lars Östensson, een oudgediende op de technische afdeling, belde.

'Het is een betrekkelijk jonge man,' zei hij.

'Hoe?' vroeg Winter.

'Het lijken steek- of snijwonden.'

'Is hij geïdentificeerd?'

'Nee.'

'Waar is het precies? Op dezelfde plek als waar we de auto hebben gevonden?'

'Nee. Verder naar het noorden.'

'Heb je Öberg op de hoogte gebracht?'

'Ja. Hij belde mij trouwens. De dienstdoende agent had hem geïnformeerd.'

'Wat doet hij?'

'Hij is onderweg hierheen.'

'Beschrijf het uiterlijk van het slachtoffer,' zei Winter.

Winter luisterde, bedankte Östensson en verbrak de verbinding. Hij toetste meteen een nieuw nummer in.

Brorsan Malmer nam op toen de telefoon twee keer was overgegaan.

'Verdomme, dat kan hem zijn,' zei Brorsan. 'Ik ga erheen.'

'Ik kom ook,' zei Winter. 'Wij komen.'

'Ben je nuchter?'

'Waarom vraag je dat?'

'Omdat het midzomeravond is.'

'Nu niet meer,' zei Winter en hij keek op zijn horloge.

Ze hadden vervoer nodig, maar Winter wist dat het onmogelijk was om tijdens midzomernacht op zo'n korte termijn een politiewagen te krijgen.

'Ik bel Lars,' zei Winter. 'Hij drinkt niet.'

Lars Bergenhem, zijn vrouw Martina en hun dochter Ada waren ook uitgenodigd door Halders, maar Ada had twee dagen geleden waterpokken gekregen. Ze hadden geen oppas willen vragen, omdat Ada nogal dreinerig was.

Bergenhem was er binnen twintig minuten. Halders, Ringmar en Winter stapten in. Tijdens het wachten hadden ze sterke koffie gedronken, niemand was dronken en niemand was helemaal nuchter. Ringmar was het meest vermoeid.

Winter knipperde een paar keer met zijn ogen toen ze naar het noorden reden. Hij voelde zich niet moe. Hij had nog steeds kracht. Een lichaam, een man. Wie? Dat zou misschien nog steeds onduidelijk zijn als ze het lichaam hadden gezien. Hij voelde een lichte rilling achter op zijn hoofd. Een nieuwe nacht op het werk. Wie zouden ze aantreffen? Zouden ze dichter bij de oplossing van het raadsel komen? Of zou deze nacht hen juist verder weg brengen? Dat had hij al eerder meegemaakt. Zaken leken te krimpen, kleiner te worden, maar dat was een illusie; ze krompen naar binnen toe, terwijl ze naar buiten toe wijder werden, steeds wijder, en ver de grenzen overschreden die hij had verondersteld. De grenzen verplaatsten zich.

'Waar zijn we nu?' vroeg Ringmar plotseling.

Winter keek naar buiten. Hij zag een rij fabrieken.

'Gamlestaden,' zei Bergenhem met enigszins verbaasde stem. Bertil herkende de wijk Gamlestaden toch zeker wel?

'Rij via Kortedala,' zei Ringmar. Hij rekte de klinkers een beetje uit, creeerde een grotere afstand tussen de letters.

'Doe ik,' zei Bergenhem.

Ze sloegen af bij een kruising die er in al haar eenzaamheid eigenaardig uitzag, alsof ze was verlaten door het automobilisme.

'Ljusårsgatan,' zei Halders, 'de lichtjaarstraat, wat een klotenaam.'

Ze zagen vooral bos en wegen, een paar donkere huizen, nog meer bos. Het kon overal in Zweden zijn, maar niet ergens anders.

Ze kwamen een auto tegen die zonder licht reed.

'Stomme idioot,' zei Halders. Hij klonk niet vrolijk. 'Stomme idioot.'

Niemand zei iets.

'Waarom zitten we hier?' zei Halders. 'We weten helemaal niet wie daarginds ligt.'

Niemand reageerde.

'Zo is het toch? Waarom zouden we zoveel geluk hebben dat het ons lijk is?'

Ja, waarom? Het kon iedereen zijn. Het kan met allerlei andere tragedies te maken hebben. Winter staarde strak voor zich uit naar de weg. Bergenhem reed snel en rustig. Ze waren er bijna.

'Ik voel gewoon dat dit met de andere moorden te maken heeft,' zei Ringmar. 'Dat geldt voor ons allemaal. Anders hadden we hier niet gezeten.'

'Hoe ver is het lopen vanaf de weg naar die plek?' vroeg Halders.

'Een paar honderd meter,' zei Winter. 'We snijden nu een stuk af.'

'Hoe bedoel je?'

'Er loopt een pad vanaf de andere kant. Vanaf het Rymdplein. Maar met de auto is het vanaf deze kant korter.'

'Hoe weet je dat allemaal?'

'Ik ben hier eerder geweest,' antwoordde Winter. 'Heel lang geleden.'

Hij was lang geleden in het bos geweest, had over de paden gelopen. Hij was slaags geraakt op het plein. Toen was hij volkomen nuchter geweest. We moeten vannacht uit de buurt blijven van de verslaggevers. Maar er zijn verzachtende omstandigheden. Bertil moet zich op de achtergrond houden. Hij heeft waarschijnlijk een glaasje te veel op. Wat een glaasje te veel dan ook is. Hij valt misschien in de auto in slaap. Lars kan over hem waken tot we terugkomen.

'Daar is het,' zei Lars, maar ze zagen de zwaailichten in de midzomernacht al. Het zag er op de een of andere manier uit als in een droom, het agressieve licht in de milde nacht, maar dit was geen droom. Winter dacht aan de droom die hij eerder had gehad, waarin de werkelijkheid niet werd

verdraaid maar precies zo werd weergegeven als ze was. Een midzomer-
nachtsdroom.

De eenheid die als eerste was gearriveerd, had een vrij groot gebied afgezet.
Winter zag Öberg binnen de linten, samen met een rug die hij op dit mo-
ment niet herkende. Öberg keek op en gebaarde hen te komen.
De man in het bos was niet veel meer dan een jongen.
Hij had een gemene wond.
Hij staarde met een verbaasde blik naar de hemel. Hij had hier niet moe-
ten zijn.
'Weten we wie het is?' vroeg Halders.
Öberg schudde zijn hoofd. 'Hij had geen papieren bij zich,' zei hij. 'Niets.
Geen portemonnee.'
'Het is in elk geval niet Hussein Hussein,' zei Ringmar. 'Niet zoals ze hem
tegenover ons hebben beschreven.'
'Deze man is veel jonger,' zei Winter.
'Maar hij ziet er wel uit als een Arabier,' zei Halders.
Öberg keek naar Halders alsof Halders iets racistisch of denigrerends had
gezegd, zoals 'Stockholmer' of 'stomme Skåning'.
'Is dat de doodsoorzaak?' zei Halders en hij knikte naar de hals van de
man.
'Voor zover ik dat hier en nu kan zien, ja,' zei Öberg. 'We krijgen meer te
horen als de patholoog-anatoom er is.'

De plek was net zo licht als overdag. Er waren niet veel lampen nodig. Öberg
en zijn team kamden het terrein uit. Er waren voetsporen in het mos te zien,
maar het waren er veel. Dit was geen onbekende plek. Winter hoorde in de
verte aldoor stemmen. Het bos leefde. Terwijl hij hier was, ontwaakte het
bos steeds meer, en de vogels begonnen te zingen als in een jungle.
'Hoe kwam de melding binnen?' vroeg Halders.
'Van iemand die vannacht een oriëntatieloop deed,' zei Winter, die een
aantal telefoontjes had gepleegd, onder andere met de centrale meldkamer.
'Wát zeg je?'
'Iemand die vannacht een oriëntatieloop deed. Misschien had hij een
lamp op zijn voorhoofd, dat weet ik nog niet. Waarschijnlijk was dat niet
nodig.'
'Wie doet er nou op midzomeravond een oriëntatieloop? Dat is pervers,'
zei Halders.
'Let op je woorden,' zei Ringmar.
'Hij is naar huis gerend en heeft daarvandaan gebeld. Ik heb gevraagd of
hij daar wil blijven wachten. Ik ga later met hem praten.'

'Wie hebben we hier dan?' zei Halders en hij keek weer naar het lichaam. De gezichtsuitdrukking van het slachtoffer was nog steeds even verbaasd, en wie zou niet verbaasd zijn? Halders wist niet hoe de drie doden in de buurtwinkel er hadden uitgezien op het moment dat ze stierven, het was de bedoeling van de moordenaars dat hij dat niet zou kunnen zien. Misschien waren Jimmy, Hiwa en Said niet verbaasd geweest?

'Ik ken iemand die het misschien weet,' zei Winter. Hij hoorde geluiden in het bos, iemand die onderweg was. Er was een kleine echo die niet ver reikte. 'Hij komt er nu aan, geloof ik.'

Brorsan had niet veel seconden nodig, bijna geen enkele. De wijkagent met de geheime contacten mompelde iets onverstaanbaars en knorrigs. Hij rook licht naar drank, en hij was niet de enige hier op de vindplaats, die vermoedelijk ook de plaats delict was.

'Die kleine stomme idioot,' zei Brorsan, zonder respect voor de doden. 'Ik had hem nog zo gewaarschuwd.' Hij keek op en richtte zich tot Winter. 'Echt.'

'Waarvoor? En wie is hij?'

'Hij heet Hama. Hama Ali Mohammad.'

'Is dit Marko?'

Brorsan knikte zonder iets te zeggen.

'Wie is hij eigenlijk?'

'Een heel kleine bandiet. Een dief, drugs op zeer kleine schaal. Een pooier. Een nietsnut. Of een werkloze, zoals dat tegenwoordig heet.'

'Een pooier?'

'Dat dacht hij in elk geval. Hij rommelde wat in de marge. Probeerde ertussen te komen, maar dat lukte niet zo best. Maar hij wist het een en ander.'

'Wat hij aan jou vertelde?'

Brorsan keek naar Hama Ali's verbaasde gezicht. Brorsan leek te denken: ja, je kijkt wel verbaasd, maar ik had je gewaarschuwd.

'Hij was jouw verklikker?' vroeg Halders.

'Ja,' antwoordde Brorsan, met zijn blik nog steeds op Hama's gezicht gericht. 'Maar dat maakt nu niet meer uit, of wel soms?'

'Waar had je hem voor gewaarschuwd?' vroeg Winter.

'Dat hij niet te dicht bij het vuur moest komen, als je dat zo kunt zeggen.'

'Het vuur?' Winter moest weer even aan een vlammende open plek in het bos denken. 'Dat is toch juist de bedoeling? Dat de bronnen zo dicht mogelijk bij het vuur komen?'

Brorsan antwoordde niet.

'Brorsan?'

'Hij deed ook iets met wapens. Was waarschijnlijk een loopjongen, een tussenpersoon, ik weet het niet precies. Dat waren we nog aan het uitzoeken. Ik zei tegen Hama dat hij zich daar niet mee moest inlaten.'

'Hoeren, maar geen pistolen?' zei Halders.

'Voor de wapenhandel hadden we andere bronnen met betere contacten dan deze kleine stakker,' zei Brorsan zachtjes en hij knikte naar het lichaam.

Hama was nu aan de marge van alles terechtgekomen, al zou hij nog even in het middelpunt van alle aandacht staan.

'In dat geval zouden we informatie van die kant op prijs stellen,' zei Halders.

Brorsan veerde op.

'Wat zei je?'

'We zoeken nog steeds naar hagelgeweren, en naar de weg die ze naar en van Jimmy's winkel hebben afgelegd.'

'Denk je niet dat ik doe wat ik kan? Dat wij doen wat we kunnen?'

Halders antwoordde niet.

Brorsan leek nog iets te willen zeggen, maar slikte zijn woorden in.

'Hoe past Hama in ons onderzoek?' zei Winter, maar meer voor zichzelf.

'Hij werd om een reden vermoord,' zei Brorsan. 'Er is vaak niet veel nodig, maar meestal is er een kleine reden.'

'Hij wist te veel?'

'Ja.'

'Over wapens?'

'Dat weet ik eerlijk gezegd niet, Winter. Ik zal daar weer in duiken. Als ik het al had losgelaten.'

'Kende Hama een van de doden?'

'Voor zover ik weet niet. Maar dat moet je nu maar gaan vragen. Aan zijn familie.'

'Waar woonde hij?'

'In Gårdsten.'

'In het westen of oosten?'

'Ten oosten van het westen, als je dat bedoelt. De Salviagatan, nee, de Muskotgatan. Ken je die omgeving?'

'Ja, maar niet precies die buurt. Ik weet meer over de straten rond de Kanelgatan.'

'Eh... ja, goed. Ze hebben veel exotische kruiden gebruikt toen die wijk werd aangelegd. Waarschijnlijk wisten ze dertig, veertig jaar geleden al wat eraan zou komen.'

'Wat deed hij hier?' Winter gebaarde met zijn arm. 'Op deze plek.'

'Iemand had hem vermoedelijk gevraagd te komen. Of andersom.'

'Kwam hij vaak in Bergsjön?'

Brorsan haalde zijn schouders op.

'Hij hing vaak overal wat rond.'

'Kende hij Hussein Hussein?' vroeg Winter voor zich uit in de warme, compacte lucht.

'Alles is mogelijk,' zei Brorsan.

Öberg stond over een stukje bosgrond gebogen. 'De moord is hier gepleegd,' zei hij en hij keek op. 'Er ligt zoveel bloed dat het nergens anders kan zijn gebeurd.'

'Hm.'

'Er is veel kracht gebruikt.'

'Maar toch,' zei Winter. 'Hama Ali was jong, maar hij was geen kleine kerel. Hij had zich op de een of andere manier kunnen verzetten. Maar voor zover ik kan zien heeft hij geen wonden op zijn handen, armen of schouders.'

'Nee.'

'Hoe kon hij zich dan zo laten verrassen?'

'Misschien had hij de moordenaar zijn rug toegekeerd,' zei Öberg. 'De wond lijkt van achteren te zijn toegebracht.'

Winter antwoordde niet.

Straks zou Hama Ali naar een wachtende lijkwagen worden gedragen. De vragen over wat hier was gebeurd konden misschien aan de hand van zijn lichaam worden beantwoord, maar misschien ook niet. Misschien lagen er antwoorden in de aarde, in het mos, in het struikgewas. Het rook naar aarde, of misschien was het bloed. Een geur van ijzer.

'Er hebben hier de laatste dagen veel mensen rondgedraafd,' zei Öberg.

'Het zal niet makkelijk worden een passenpatroon te maken,' zei Winter.

'Nee... maar misschien was de moordenaar hier niet alleen. Dat de jongen verrast werd, kwam misschien doordat ze met z'n tweeën waren, of met nog meer natuurlijk.'

'Dat is ook bij mij opgekomen,' zei Winter. 'Maar er is maar één wond.'

'Iemand die de aandacht afleidde?' zei Öberg.

'Werden ze misschien allebei verrast?'

'De moordenaar was niet genoeg verrast om niet toe te slaan.'

'Er was geen aarzeling,' zei Winter.

'Dit waren geen halve maatregelen, nee.'

'Hama werd hierheen gelokt om gedood te worden.'

'Jij zegt het, Erik.'

'Hij moet zijn moordenaar hebben vertrouwd.'

'Misschien had hij geen keuze. Hij was wanhopig.'

'Waarom, Torsten?'

'Geld, misschien. Ik weet het niet. Dat moet je met je medewerkers bespreken. Hebben Bertil en jij niet een bepaalde methode? Ik heb jullie een keer horen praten. De gedachten vlogen in het rond.'

Maar Winter had op dit moment niet veel aan Bertil. Die was naar huis gegaan. Zijn gezicht had er in het tere licht grauw uitgezien. Ik ben hier te oud voor, had hij gezegd, maar Winter wist niet precies waar hij op doelde.

Hij begon weg te lopen. Öberg volgde hem.

'Waarom hier?' zei Winter. Hij stopte en keek om zich heen. 'Het is een eindje van het pad vandaan, maar het is niet de meest afgelegen plek in het gebied.'

'Dat was misschien niet de bedoeling,' zei Öberg.

'Wat bedoel je?'

'Het was niet de bedoeling dat het afgelegen zou zijn. Het moest... zichtbaar zijn.'

Winter antwoordde niet.

'Iemand wil ons iets vertellen,' zei Öberg.

'Of aan iemand anders,' zei Winter. 'Iemand anders moet dit signaal krijgen.'

De patholoog-anatoom was inmiddels gearriveerd en met haar werk begonnen. Het was een vrouw die Winter nog nooit had gezien. Ze zag er niet veel ouder uit dan de jongeman naast wie ze was neergeknield. Nu kwam ze overeind en liep naar Winter en Öberg.

'Ik weet dat het moeilijk is, maar kun je nu al iets zeggen over het tijdstip van de moord?' zei Winter.

'Nee,' antwoordde ze, 'eigenlijk niet.'

'Heeft hij hier langer dan een etmaal gelegen? Is hij langer dan een etmaal dood?'

Ze keek achterom naar het lichaam. Hama leek op het mos te rusten. Alsof hij daar gewoon was gaan liggen.

'Naar het zich momenteel laat aanzien...' zei ze aarzelend, 'er is natuurlijk meer onderzoek nodig, maar... niet veel meer dan een etmaal.'

25

Winter had vanuit Bergsjön gebeld. Angela en de meisjes namen een taxi naar huis. Bergenhem zette hem af voor de voordeur aan het Vasaplein. Iedereen sliep toen hij in bed stapte. Angela mompelde een paar woorden en hij mompelde iets terug, al bijna in slaap voordat zijn hoofd het kussen raakte.

Hij werd wakker in een val. Hij was gevallen. Het was een droom die nu weg was. Hij kwam overeind, trok zijn korte broek aan en liep voorzichtig over de houten vloer in de slaapkamer. Hij deed de deur achter zich dicht en liep naar de keuken, waar hij een glas koud water uit de kraan inschonk dat hij opdronk.

In de woonkamer opende hij de balkondeuren aan de straatkant en stapte naar buiten. De tegels onder zijn blote voeten voelden warm. Het was bijna alsof hij op de kleine patio stond van het appartement dat ze in het centrum van Marbella hadden gehuurd, een paar honderd meter ten noorden van het Sinaasappelplein. Daar had hij 's nachts soms gestaan. Vooral om op hetzelfde moment aan niets en alles te denken. In sommige kringen werd dat het 'leven' genoemd. Dat je bij jezelf bleef. Dat is niet makkelijk. De meesten ontvluchten dat en ik was waarschijnlijk een van de mensen die daarin vooropliep.

Maar tegen het eind van het halve jaar in de zon was hij de raadsels gaan missen. Het leven was weliswaar op zich al een mysterie, maar hij was gewend aan alle deelmysteries die door de mensheid werden geschapen, vaak met een wapen in de hand, en dat miste hij. Hij was nog niet klaar om de onderwereld te verlaten. Hij was als een zwaargewicht die terugkeerde in de ring om weer een pak slaag te krijgen. Soms om een pak slaag uit te delen. Soms om de volgende zet te bedenken. Soms om een deel van de tegenstander te worden. In de afgrond van de tegenstander af te dalen. Zich in te leven in die afgrond. En die vervolgens te verlaten voordat het te laat was. Daarom had hij die vorig jaar verlaten, omdat hij bang was geweest dat het te laat was. Maar het is nooit te laat. Dat is een goede uitdrukking, die biedt troost.

Het is pas te laat als je dood bent en dan begint het misschien gewoon opnieuw. Voor miljoenen mensen op de wereld is dat ook een troost. De volgende keer wordt het beter. En sommigen proberen het al in dit leven. Ze laten alles achter, komen ergens waar niets is en beginnen opnieuw. Beginnen opnieuw in de noordelijke buitenwijken van Göteborg. Dat is geen meerderheid. Maar het is de minderheid waar ik mee te maken heb. Zij zijn mijn raadsels. Ik zal ze oplossen. Beneden reed een auto over het Vasaplein, die zijn weg vervolgde naar het noorden. Dat was het enige levensteken dat hij zag, als je een auto een levensteken kunt noemen. Hij zag de zon boven de daken van de huizen komen, verderop in Angered. Het leek alsof ze in de bergen ten noorden van Angered opging, alsof ze zich daar ophield. Rannebergen. Said en Shahnaz Rezai. Iraniërs uit de omgeving van Tabriz. Said vluchtte toen hij naar het front moest, hij wilde niet op zijn achttiende sterven. Iedereen die naar het front tegen Irak werd gestuurd, wist dat hij zou sterven. Winter wist niet of Said het precies zo had gezegd, maar hij had het van anderen gehoord. Hij wist ook niet of het waar was dat Said was gevlucht, noch hoe en waarom hij het land precies had verlaten, maar hij was hier gekomen en had korte tijd als glazenwasser en garagebediende gewerkt; hij had ook andere tijdelijke baantjes gehad, maar meestal had hij niet gewerkt, er was bijna geen werk voor mensen als Said. Winter had jaren geleden een onderzoek van de Sociale Academie gelezen, of misschien was het van een ander instituut. Dat onderzoek had vastgesteld dat het voor jonge alleenstaande Iraanse mannen het allermoeilijkst was om een baan te vinden in het nieuwe land. Geen enkele verhuurder wilde hen hebben, ook de woningcorporaties niet. Zogeheten serieuze werkgevers wilden geen jonge donkere mannen uit Iran in dienst nemen, en ze stonden ook niet te juichen over de oudere generatie. De Arabieren hadden het niet makkelijk, maar om de een of andere reden hadden de Perzen het nog moeilijker. Misschien omdat ze toen met meer waren, een meerderheid vormden. Ze ontvluchtten de oorlog bijna in bataljons. Winter wist niet precies hoeveel het er waren. Maar hij wist wel dat Said Rezai een aantal kleinere misdrijven had gepleegd, zonder in de gevangenis te belanden, en dat hij na verloop van tijd een bruid uit zijn eigen geboortestreek had gevonden, hoewel zij toen al in Zweden woonde. Het was gebruikelijker dat de mannen hun bruid uit Iran haalden, als dat mogelijk was, maar Shahnaz had bij haar ouders gewoond, en haar ouders waren een paar jaar later teruggekeerd naar Iran, misschien vanuit een sterk verlangen, net als Aneta's ouders ooit hadden gedaan.

En nu was hun dochter vermoord in een flat van een woningcorporatie. Said was daar uiteindelijk terechtgekomen, misschien omdat hij niet langer een alleenstaande jonge man was geweest, hij was niet eens jong meer geweest, alleen maar Iraans.

En Shahnaz was thuis geweest. Ze hadden geen kinderen. Waarom was haar keel in godsnaam doorgesneden? Wat had ze gedaan? Had ze iets gedaan, of wist ze alleen te veel? Op welke wijze was zij hierbij betrokken? Wie had haar erbij betrokken? Said? Iemand anders? Beneden reed een auto langs. De stad zou weldra ontwaken, maar heel langzaam. Midzomerdag was de langzaamste dag van het land, samen met eerste kerstdag, nieuwjaarsdag, en natuurlijk Goede Vrijdag. Als Said betrokken was bij een misdrijf, was zijn vrouw dat dan ook? Was haar dood het gevolg van de kans op onthulling, of zat er meer achter? Was ze ook onderdeel van een wraak?

'Moet je niet gaan liggen, Erik?'

Angela had een hand op zijn schouder gelegd. Hij zat op een van de balkonstoelen. Hij had geen overhemd aangetrokken.

'Heb je het niet koud?' ging ze verder. 'Ik vind het best frisjes.'

'Ik heb er niet aan gedacht.'

'Waar heb je dan wel aan gedacht?'

'Ik… ik weet het eigenlijk niet. Aan alles en niets.'

'Dat is niet goed als je moet slapen.'

'Ik moet misschien helemaal niet slapen. Misschien is dat niet de bedoeling.'

'Dat is noodzakelijk, lieverd.'

'Ik kan het niet. Misschien volgende week, of de week daarna. Of over een maand.'

'Met andere woorden, als jullie deze zaak hebben opgelost?'

'Als je het zo kunt zeggen.'

'Hoe moet je het anders zeggen?'

'Dat weet ik ook niet.'

'Jullie doen echt je best. Het hele team op pad tijdens midzomernacht.'

'Hm.'

'Was het echt nodig Bertil mee te slepen? Hij was moe.'

'Dat wou hij zelf. Wat moest ik zeggen? Je mag niet, Bertil?'

'Niet precies met die woorden.'

'Oké, het was misschien niet zo verstandig. Maar hij heeft in elk geval geen schade aangericht.'

'En wat hebben jij en Fredrik bijgedragen?'

'Helemaal niets, voor zover ik het nu kan bekijken, niets wat enig praktisch nut heeft opgeleverd.' Hij stond op. 'Maar het was goed dat ik erheen ben gegaan. Ik kwam meteen te weten wie het slachtoffer was. Dat kan ons helpen. Waarschijnijk morgen al. Vandaag, bedoel ik.'

Ze antwoordde niet. Ze had dit vaker gehoord. Alles kon helpen. Dat zei hij in de verhoren die hij hield. Dat was wat hij tegen zichzelf zei. Alleen de fantasie bepaalde de grens en de grens bestond niet. Niemand wist waar die liep, of wie hem had getrokken.

'Kom, dan gaan we weer naar bed, Erik. Lilly wordt zo meteen wakker.'

Hij werd wakker doordat iemand op zijn buik zat, iemand die iets zei wat hij niet verstond.

'Jullie moeten nu voor de kleine zorgen, ik moet slapen.'

Elsa dumpte het kind bij haar ouders. Lilly balanceerde op zijn borstkas.

Angela sliep door.

Hij tilde Lilly omhoog en ze begon te lachen. Angela draaide zich op haar andere zij.

Hij kookte havermoutpap. Het rook niet zo beroerd. Hij had een dof gevoel in zijn hoofd, maar geen pijn. Zijn tong was niet droog. Drie glaasjes brandewijn, twee glazen whisky, een flesje licht bier en maar één glas wijn op een hele midzomeravond. De zon scheen vandaag ook zonder schade aan te richten. Hij zou pap eten met Lilly en de middag van gisteren met haar doornemen. Angela zou opstaan om hem af te lossen, ze zou Lilly een paar verhaaltjes voorlezen, en dan, als de zon hoger stond, en hij nog wat had geslapen, zou hij naar het noorden rijden.

'Zo lopen we rond een jeneverbesstruik!' riep Lilly. Dat was een van de spelletjes die ze gisteren rond de meiboom hadden gedaan. Haar uitspraak was perfect. Ze was in één nacht groot geworden. Geef de dame een sigaar.

Hama Ali Mohammads zus Bahar staarde Winter aan met ogen die zijn woorden betwijfelden, alsof die niet over haar Hama gingen. Er waren er zoveel. Ze friemelde aan de tafel waar ze aan zaten, haar vingers en handen bewogen heen en weer, op en neer. Er stond een telefoon op de tafel, met een telefoonboek ernaast. Het leek alsof ze het telefoonboek naar zich toe wilde trekken om alle Ali Mohammads aan Winter te laten zien: kijk maar hoeveel er zijn!

'Ik ga niet mee,' zei ze. 'Het is hem niet.'

Winter maakte een gebaar dat betekende dat ze hen in dat geval toch kon helpen, dan konden ze naar een andere naam zoeken, of naar dezelfde.

Er was nog een familielid, de moeder, Amina. Ze zat op de bank naast haar dochter en haar blik leek ergens anders te zijn, alsof dit een gesprek was tussen haar dochter en de man die weliswaar hun huis binnen was gekomen, maar die niet hun leven binnen zou komen.

Er was nog iemand in de kamer, Mozaffar Kerim, de tolk die Winters vragen in het Koerdisch vertaalde. Bij Bahar was dat niet nodig, zij sprak net zo goed Zweeds als Nasrin Aziz en was van ongeveer dezelfde leeftijd, maar de moeder leek geen enkel woord van de taal in het nieuwe land te spreken of te verstaan.

'Het duurt niet lang,' zei Winter. 'We zijn gauw weer terug.'

En ze waren gauw weer terug uit het mortuarium. Bahar wilde niet langer in dezelfde kamer zijn als Winter, of Mozaffar. Later zou Winter Nasrin vragen of ze Bahar kende. Ze zou ontkennend antwoorden. Ze zou ook zeggen dat Bahar in het Koerdisch 'voorjaar' betekende. Ze wist niet of het een van de verboden namen was.

Winter en Bahar hadden in de auto gepraat, vooral op de heenweg.

Nee, ze kende de mensen die hij noemde niet. Ze wist dat Hama zich bezighield met duistere zaken, zoals zij het noemde, maar ze wist niet wat voor zaken dat waren en dat wilde ze ook niet weten, ze wilde het nooit weten. Ze had geprobeerd met haar broer te praten, maar hij wilde niet luisteren. Hij kon nooit stilzitten. Hij was altijd op weg naar de stad of ergens anders heen. Hij zei dat hij iedereen kende, maar ze geloofde hem niet. Wat voor duistere zaken? Ze wist het niet. Wapens? Ze wist het niet. Drugs? Ze wist het niet. Prostitutie? Nee! Winter vroeg het haar nog een keer. Ze wist niets, maar ze keek hem geen enkele keer in de ogen. Ze keek naar de straten waar ze twee keer doorheen reden, op de heen- en terugweg. Ze had een vreselijk verdriet te verwerken. Amina, de oudere vrouw die op het definitieve bericht wachtte, had hetzelfde verdriet, of een ander, maar even vreselijk.

Ze zaten in de eenvoudige woonkamer. Er stonden glazen met thee en zoete koekjes op tafel, noten en sesamzaadjes, mijn god, een soort dwangmatige etnische gastvrijheid zelfs tegenover degene die kwam vertellen dat er iemand was overleden. Winter vroeg niet naar de vader, niet nu, hij wist dat de man in het oude land was verdwenen en dat het gezin daarna naar Zweden was gekomen. Dat was een bekend scenario. Ook het lot van dit gezin was onzeker. Kennelijk waren ze op weg terug naar Duitsland, omdat ze daar het eerst waren aangekomen, binnengesmokkeld in een veewagen. De Duitsers hadden verstand van veewagens. Nee, verdomme, daar moet je mee stoppen, Winter, je bent zelf getrouwd met een Duitse. Geef de verantwoordelijke ambtenaren van de Immigratiedienst een retourtje in een veewagen naar de Levant. Waarom een retourtje trouwens? Bureaucraten zonder empathie en fantasie, laat ze maar barsten. Misschien dat de mensen hier dan een feestje konden bouwen met taart en champagne. Nee, dat is onwaardig, wie het ook doet. En dit zijn waardige mensen. Amina wijst nu naar mijn theeglas. Ik neem een slok. Ik zet het neer. We kunnen nu gaan. Ze weet niets van wat er buiten dit raam is gebeurd. Ik kan de flatgebouwen aan de andere kant van het pad zien. Ze zien er echt enorm groot uit. Ik wil de mensen die hier wonen niet hun waardigheid ontnemen. Het is hun woning. Hier leiden ze hun leven, zoals Amina hier, hun hele leven zolang ze hier mogen wonen, of zoals mevrouw Ediba Aziz in Hammarkullen, ze komen zelden buiten.

26

Ik ben iets vergeten. Toen we de grens waren overgestoken, de eerste grens, ging mijn broer terug om iets te halen. Ik weet niet wat het was, dat heeft hij nooit verteld. Hij deed daar iets. We wisten eerst niet dat hij weg was, dat begrepen we pas toen hij weer terugkwam. Mijn moeder was heel boos, ze had nog steeds de energie om boos te zijn! Mijn zus zei niets, zij zei nooit iets.

Mijn broer zei toen niet veel, en later ook niet. We probeerden ons gezin bijeen te houden. Het leek alsof er van alle kanten aan ons werd getrokken, alsof we tegelijk verschillende kanten uit moesten. Ik heb ergens gelezen hoe mensen vroeger werden terechtgesteld, in Frankrijk misschien, of ook in Zweden; de armen en benen van de veroordeelde werden aan vier paarden vastgebonden, daarna werden de paarden opgezweept waardoor het lichaam kapot werd gerukt. Ik weet niet waar ik dat heb gelezen. In een boek dat ik van de bibliotheek had geleend. Of in een tijdschrift, een horrortijdschrift misschien. Bestaan er horrortijdschriften? Horrorboeken bestaan wel, dat weet ik. Ik heb mijn zusje voorgelezen uit zo'n boek, maar ze werd zo bang dat ze niets meer wilde horen. Dat was toen we hier waren gekomen. Toen we dachten dat we niet langer bang hoefden te zijn, niet meer op die manier, bang dat iemand ons zou vinden, ons op de grond zou gooien en in de een of andere wagen zou stoppen.

Waar we toen waren? Waar we woonden? Dat was hier. Het was een andere flat dan waar we nu wonen. Daar was meer bos. Het was bijna alsof we in het bos woonden. Ik kon door het bos naar school lopen, je liep over een pad en had het gevoel dat je ver weg was. Ver weg van alles.

En na... daarna wilde ik ver weg van alles zijn.

Toen we in die vreselijke auto's rondreden.

Die lucht.

Die mensen.

Ik wilde hun gezichten niet zien. Ik wilde hen nooit meer zien.

Ik probeerde te voorkomen dat ik de gezichten zag. Ik deed mijn ogen dicht, maar dan sloegen ze me soms en dan werd ik gedwongen te kijken.

De gezichten.
De gez...
Ik moet huilen.
Ik wil hier niet over praten. Ik vertelde toch over dat bos waar ik als kind doorheen liep? Ik was toen heel klein, maar het is nog niet zo lang geleden. En daarna wilde ik alleen maar doodgaan. We hadden zover gereisd om niet dood te gaan, en toen kwamen we hier en toen wou ik dat ik dood was. Dat doe ik nu ook. Begrijp je dat?

27

Winter bracht Mozaffar Kerim naar huis in het westelijke deel van Gårdsten. Het was niet ver, een paar kronkelende bergwegen over de ravijnen en ze waren in de Kanelgatan. Het was hier nog stiller, en alles was veel kleinschaliger dan in de zusterbuitenwijk in het oosten, de flatgebouwen waren lager, de weg was smaller, alles bij elkaar was het net een stadje op zich, waar de tijd stilstond. Wat er nog was, waren de buurtwinkel, een ijzerwarenzaak, Salong La Nouvelle, de lege ramen van Café Limonell.

En pizzeria Suverän. Ze zaten weer aan dezelfde tafel, dezelfde vrouw kwam hun koffie brengen. Ze knikte. Winter was inmiddels een stamgast. Misschien kreeg hij zelfs hetzelfde kopje. Kerim en hij waren de enige bezoekers.

'Je hoefde niet veel te vertalen,' zei Winter. 'De arme vrouw was bijna stom.'

'Zo gaat dat soms. Vrij vaak, zelfs.'

'Kende je ze?'

'Nee, helemaal niet.'

'Je bent ze nooit tegengekomen via een van die Koerdische organisaties?'

'Nee. Maar dat wil niet zeggen dat ze niet ergens lid van zijn.'

'Voor zover wij weten, zijn ze nergens lid van,' zei Winter. 'Van geen enkele organisatie.'

'Nee.' Kerim haalde lichtjes zijn schouders op. Het stond iedereen vrij ergens lid van te zijn, of niet. Dit was een vrij land.

'Heb je vaak samengewerkt met de politie hier?'

'Waarom vraag je dat?'

'Is het een rare vraag?'

'Nee, nee. Ja, ik heb een aantal opdrachten voor de wijkpolitie uitgevoerd.'

'Bellen zij dan de tolkcentrale?'

'Ja... ik geloof het wel. Ik weet het eerlijk gezegd niet. Je moet hun zelf maar vragen hoe dat precies gaat. Ik krijg een opdracht en dan ga ik naar het adres waar ze me nodig hebben.'

Winter knikte. Hij zag een vrouwtje met een hond op het plein. De vrouw liet het beestje tegen een van de dunne bomen bij de parkeerplaats plassen. De zon scheen door de spaarzame takken. De lucht zag er stoffig uit, alsof die gevuld was met fijn zand. De lucht was geel, goudachtig. Dat droeg misschien bij aan het gevoel dat je je in het verleden bevond. De zomer gaf Winter altijd dat gevoel. Een soort weemoed. Die was misschien etnisch. Zweeds. De vluchtige Scandinavische zomer gaf je geen tijd om er echt van te genieten omdat je je er steeds van bewust was hoe belachelijk kort die duurde. De zomer vertrok zodra hij was gekomen. Hoe keek Mozaffar naar de Zweedse zomer? Nasrin? Sirwa en Azad en Ediba? Alan en Shirin en Bahar? Zij was vernoemd naar het voorjaar. Hoe was het voorjaar in het Midden-Oosten? Het was misschien belangrijk om in dit onderzoek ook over dat soort dingen na te denken. Om open te staan voor alles, echt open. Om je er niet toe te laten verleiden vreemde culturen aan de hand van je eigen cultuur te beoordelen. Etnocentrisme heette het, als je dat deed.

'Wat vind jij van de Zweedse zomer?' vroeg hij.

Kerim liet een glimlach zien die misschien ook weemoedig was.

'Die is te kort.'

'Heb je weleens een verhoor met verdachten meegemaakt? Een politieverhoor?'

'Waar?'

'Maakt niet uit.'

'Nee, niet in die zin… ik ben er weleens bij geweest als er een jongere, of een kleine bende, werd opgepakt, maar eigenlijk is er dan geen tolk nodig.'

'De jongeren kennen de taal?'

'Als ze dat willen.'

'Die taal lijkt soms een echte hybride,' zei Winter.

'Het is een hybride.'

'Waarvan?'

'Van alles wat bruikbaar is,' zei Kerim. Misschien glimlachte hij weer. 'En nog wat meer.'

'Heb je ooit op het politiebureau gewerkt? Aan de Skånegatan?'

'Nee.'

'Nooit?'

'Nee. Dat kun je hun zelf vragen, als je dat wilt. Jij werkt daar tenslotte.'

'Ik geloof je, Mozaffar,' zei Winter. 'Het zou dom zijn om over zoiets te liegen.'

'Waarom zeg je dat? Liegen? Waarom gebruik je dat woord?'

'Weet je iets over prostitutie in deze omgeving, Mozaffar?'

Het was misschien een onverwachte vraag. Kerim veerde op. Misschien was het verbeelding. Maar hij was er niet op voorbereid. Dat hoefde niets te betekenen.

'Ja... ik heb wel gehoord dat het voorkomt. Dat geldt voor de hele stad. Maar ik weet niets.'

Winter knikte.

'Waarom vraag je dat?'

'Of zelfs trafficking?' ging Winter verder. 'Jonge meisjes die het land worden binnengesmokkeld om in de prostitutie te gaan werken.'

'Daar heb ik hier nooit iets over gehoord.'

Winter knikte weer.

'Waarom vraag je me dat?'

'We vragen het aan iedereen.'

'Komt dat dan voor?'

'Ja. In elk geval prostitutie. Maar we hebben geen bewijzen. Het is heel moeilijk voor ons om het te bewijzen. De politie heeft het geprobeerd, maar toch hebben we geen enkele pooier kunnen pakken.'

'Dan bestaat het misschien niet.'

'Het bestaat. In verschillende varianten. Maar we kunnen niets bewijzen.'

Kerim keek door het raam naar buiten. Winter volgde zijn blik. De vrouw met de hond was weg. Er was niets levends te zien, behalve een strook gras en de dunne bomen die het koud leken te hebben in de zon, ze zagen er naakt uit. Winter wist niet wat voor bomen het waren, daar was hij niet goed in. Het waren geen berken. Misschien essen. Dat klonk dun en naakt.

De kinderen speelden in Hjällbo. Misschien wisten ze niet dat het midzomerdag was. Winter volgde het Sandspåret, het zandspoor – een straatnaam die je op verschillende manieren kon interpreteren. Hij keek of hij de jongen zag. Hij had het laatste etmaal slechts vluchtig aan hem gedacht. Maar de jongen was nog steeds even belangrijk, nu misschien nog meer dan ooit tevoren. Winter had sceptisch gestaan tegenover de 'lichte voetstappen' van de taxichauffeur, maar de technisch rechercheurs van Öberg hadden ze in het dauwnatte gras gevonden. Ze bestonden. De jongen bestond, of misschien wel het meisje. Nee, de jongen. Winter had hem gezien. Hij was het. Misschien had hij niets gezien, maar Winter wilde het hem vragen. Heb je iets gezien? Wat heb je gezien? Wie heb je gezien?

Toen taxichauffeur Reinholz arriveerde, waren de moordenaars weg. De slachtoffers waren er nog. Eén getuige. Reinholz was naar de winkel gelopen zonder te weten wat hij daar te zien zou krijgen. Winter liep er nu heen. Hij kon de winkel nog niet zien. Hij kon het wandel- en fietspad zien. Dat leek wel zwarte lava in het felle zonlicht. Het was nu heel warm, de thermometer in de auto had 37 graden aangewezen, maar zo heet was het waarschijnlijk niet, niet even warm als een levend mensenlichaam. Winter droeg een wit linnen overhemd, een blauwe Lee-spijkerbroek en zachte Italiaanse leren schoenen, geen sokken. Hij had een zwarte zonnebril op die alle contouren scherper maakte, en het zwart nog zwarter.

Reinholz wilde sigaretten gaan kopen. Het merk dat hij rookte had niet in de schappen gelegen. Het was niet mogelijk geweest om vast te stellen of het er normaal gesproken wel werd verkocht, omdat Jimmy zijn sigaretten niet op de gewone manier inkocht. De tabak die hij verkocht was het land binnengesmokkeld. Jimmy, o Jimmy. De andere levensmiddelen kwamen zo'n beetje overal vandaan, het was een cultuur die Jimmy gemeen had met andere, grotere, plaatselijke winkels in de omgeving. De ICA-supermarkt maakte niet veel kans. Maar de omzet van artikelen was ook groter dan bij de ICA. De mensen in deze buurt kochten niet alleen een schamele aubergine, een halve komkommer, een half ons olijven en een ons schapenkaas.

Reinholz sloeg alarm. Hij had iets verschrikkelijks gezien. Hij was alleen geweest. De melding was om ongeveer kwart over drie binnengekomen, misschien iets later. Op dit moment kon Winter zich de exacte tijd niet herinneren. Die was misschien belangrijk, maar hij had niets waarmee hij die kon vergelijken.

Reinholz sloeg alarm. Hij was alleen. Hij was in shock. Hij stond daar, op de drempel. Hij ging niet naar binnen. Ze hadden geen afdrukken van zijn schoenen in de winkel gevonden. Hij had schoenen met geribbelde zolen gedragen. Als hij die ochtend in de winkel had rondgelopen, zouden ze dat hebben gezien, ook buiten de rode zee. In de zee was het patroon van glijdende voetstappen te zien. Het bewegingspatroon van Öberg. Buiten bevonden zich vijftig jaren van voetstappen, laag op laag, het was onmogelijk om daar sporen veilig te stellen.

Reinholz was duidelijk aangedaan toen Winter met hem sprak. Alsof hij er zelf middenin had gestaan. Winter was niet 's werelds beste persoon om te kunnen zeggen of iemand na een dergelijke ervaring altijd in shock verkeerde. Het was zijn beroep om dat soort vreselijke dingen te zien, en ze vervolgens te verwerken. Hij had daar veel ervaring mee. Hij haatte het, maar hij viel niet flauw bij het eerste contact met het huiveringwekkende. Hij mocht niet in de verleiding komen om het gedrag van anderen met zijn eigen gedrag te vergelijken. Reinholz had gedaan wat hij moest doen toen hij de verschrikking had gezien, maar Winter meende dat hij ook iets had gedaan wat hij niet had verteld.

De jongen stond om de hoek. Tussen hem en de man die daarginds liep, in het witte overhemd en met de zonnebril, waren een trap, struiken en het fietspad. De bril veranderde het uiterlijk van de man, maar niet heel erg. Het was dezelfde man.

Hij wist waarom die grote man daar was.

Nu liep hij naar de winkel.

De jongen besloot hem niet te volgen. In plaats daarvan fietste hij dezelfde weg terug die hij was gekomen, reed langs de schoolpleinen in de richting van de naschoolse opvang, naar het plein en over het parkeerterrein.

Hij had thuis niets verteld.

Niemand had nog naar hem gevraagd.

Hij dacht dat hij het kon vergeten. Weldra zou er niemand zijn die wilde weten wat hij nu wist. De man die daarginds in zijn witte overhemd en met zijn donkere bril had rondgelopen, zocht naar andere mensen. Want het was tenslotte iemand anders.

Ze waren naar buiten gestormd.

Hij had getrild. Hij had zich niet durven verroeren. Hij had zich niet kúnnen verroeren. Ze waren weggereden.

Toen was die ander gekomen.

Hij had daar gestaan en om zich heen gekeken. Hij had daar lang gestaan.

Winter stond op de drempel. Alle contouren waren er nog. Alle artikelen stonden op de schappen, smokkelwaar of niet.

De muziek. Die ontbrak. Het zou ook erg kras zijn als die hierbinnen was blijven zweven. De zangeres die voor Koerdistan zong, liederen voor jou, Koerdistan. De foto van de Koerdische stad op het hoesje. De fontein, de bergen, de auto's die uit een oosters land leken te komen. Winter had een vertaling van de teksten gekregen; ze waren mooi en weemoedig, maar hij had geen idee hoe ze hem verder zouden kunnen helpen. Het was volksmuziek die uit verschillende hoeken van de wereld afkomstig had kunnen zijn. Liederen over gemis, en over de tijd die veel te snel ging. Over liefde. In alle hoeken van de wereld was er liefde. Dat mocht je niet vergeten.

Zijn mobieltje rinkelde, een heel hard geluid hierbinnen, het stuiterde weg van de plek waar hij stond.

'Hallo, Erik.'

'Bertil. Hoe gaat het?'

'Niet heel slecht, maar ook niet geweldig. Ik was gisteren nogal moe.'

'Dat waren we allemaal.'

'Waar ben je?'

'Bij Jimmy's.'

'Ik ben op weg naar Husseins flat.'

'Waarom?'

'Om dezelfde reden dat jij in Hjällbo bent, neem ik aan.'

28

Het Rymdplein had op deze midzomerdag op Mars kunnen liggen. Winter voelde zich als de eerste bezoeker, een astronaut. Hij liep in westelijke richting door de Aniaragatan. Het cultureel centrum was gesloten, evenals de bibliotheek. Hij liep terug en passeerde de levensmiddelenwinkel Fresh Livs AB, een gat in de muur met een gewapende deur ter beveiliging. Hij kwam niemand tegen tot hij Ringmar voor restaurant Bergsjö tegen het lijf liep. Ringmar had een donkere bril op. Winter kon zijn eigen gezicht erin zien. Het plein achter hem leek in Bertils zandkleurige glazen op een afgelegen woestijn. De Aniaragatan leek heel lang.

'Ze gaan over twee uur open,' zei Ringmar met een knikje naar de deur van het restaurant. 'Is dat echt lonend op een dag als vandaag?'

'Ik zou best wat willen drinken,' zei Winter.

'Daar zeg je wat.' Ringmar keek om zich heen. Ze waren nog steeds alleen op deze planeet. 'Als we hier dan nog zijn.'

'Ik heb een grote fles Ramlösa in de auto liggen,' zei Winter.

'Hier met dat water.'

Ze verbraken de afzetlinten en openden de deur. Het rook droog en bedompt in de gang. Het was er heel warm. De grote ramen in de woonkamer keken uit op het westen. Er waren geen gordijnen die bescherming konden bieden. Deze flat had niet veel om het gezellig te maken. Het leek wel een doorgangskamp. Voor wie? Wie hadden er op de matrassen op de vloer gelegen? Öberg en zijn team hadden veel tijd besteed aan het zoeken naar sporen die mogelijk van Jimmy's winkel naar Husseins flat waren overgebracht, maar ze hadden nog niets gevonden.

Als de moordenaars hier na de moord waren geweest, hadden ze dat goed weten te verbergen. De buren waren ondervraagd, maar dat had niets opgeleverd. Niemand had die nacht iets gehoord, geen opvallende geluiden in het trappenhuis.

En daarvoor? Ook niets. Alles was geweest zoals altijd in het flatgebouw aan de Tellusgatan.

Ringmar liep verder de flat in. Winter zag het stof in het zonlicht dansen. Het stof leek de longen in een mum van tijd te kunnen vullen en een verstikking te kunnen veroorzaken. Hij weerstond de neiging om een zakdoek – die hij niet bij zich had – te pakken en die voor zijn mond en neus te houden.

Ringmar draaide zich om.

'Volgens mij is hij niet meer in het land,' zei hij.

'Hm.'

'We weten verdomme niet eens hoe hij eruitziet, Erik! Mijn god, ik zal wel een oude naïeve hoofdinspecteur zijn die het niet langer kan bijbenen in de nieuwe wereld, of het nieuwe land, mag ik wel zeggen.'

'Je zit alleen maar in het verkeerde deel van de stad, Bertil.'

'Hè? Nee, wacht even. Ik meen het serieus, Erik. Ik had echt niet gedacht dat het zo makkelijk was om hier incognito te leven. En dan bedoel ik niet de stakkers die zich jarenlang verborgen hebben weten te houden voor de Zweedse barmhartigheid.'

'Barmhartigheid?'

'Als we ze terughelpen naar hun land van herkomst.'

'Ja, die barmhartigheid.'

'Die mensen bedoel ik dus niet. Ik heb het over lui die openlijk rondlopen. Zoals deze Hussein. Hij woont, leeft, eet, poept en werkt, zwart bovendien, maar we hebben geen idee wie hij is.'

'Daar is meestal wel een verklaring voor,' zei Winter.

'Er zijn redenen, ja. Die zijn begrijpelijk. Ze zijn vreselijk, de omstandigheden zijn vreselijk. Maar je kunt je er ook heel goed achter verstoppen. Je kunt opnieuw beginnen. Iemand anders worden.'

Winter knikte.

'Jij zou iemand anders kunnen worden, Erik.'

'Dat is een verleidelijke gedachte, Bertil.'

'Vind je?'

'Alleen als experiment.'

'Stel dat je in Zuid- of Midden-Zweden het gevaar loopt gemarteld en gedood te worden,' zei Ringmar. 'Je loopt niet alleen dat gevaar, trouwens. Het is gewoon zo. Je wordt vervolgd. Ze hebben je broers en zussen opgepakt. Je vader en je moeder. Je hebt geen schijn van kans. Dat weet je. Waar zou je dan heen gaan?'

'Naar Noord-Zweden?'

'Ik maak geen grapje.'

'Ik ook niet, maar jij noemde Noord-Zweden niet.'

'De Russen hebben Noord-Zweden gesloten, of onze voormalige vreedzame buren, de Noren, hebben dat gedaan. Je moet naar het zuiden, en ver. Heel ver.'

'Naar het Midden-Oosten?'

'Ja, en nog verder. Ver de helse woestijnen in. Maar de woestijnen zijn niet langer een hel. Er hebben nieuwe stormen gewoed. Daar zijn de vrijheid en de democratie. Daar moet je heen, naar het beloofde land.'

'Ik vlucht dus.'

'Je vlucht. Je betaalt een vermogen aan smokkelaars uit Dalsland of weet ik veel waar ze vandaan komen en reist met Transwaggon door Europa, steekt met een trawler de Middellandse Zee over, trekt op een kameel door de Syrische nacht en dan ben je bij de grens.'

'Welke grens?'

'De grens naar de vrijheid, natuurlijk.'

'Oké.'

Winter zag de blauwe lucht buiten. Hij had al in geen weken een wolk gezien. Geen enkele, zelfs geen flard. Dit moest een record zijn voor de Zweedse hemel.

'Maar je wilt niet het gevaar lopen dat ze je terugsturen. Je weet niet zeker of je zo erg gemarteld bent dat de vrije mensen in het nieuwe land je geloven. Misschien heb je niet genoeg pijn geleden om het paradijs te mogen betreden. Dus wat doe je?'

'Ik word iemand anders.'

'Je bent al vrijwel iemand anders, of niet soms? Het is niet moeilijk.'

'Nee.'

'Je weet nog maar amper wie je vroeger was. Dat wil je zo snel mogelijk vergeten. Dus word je iemand anders en verdwijn je in de anonimiteit. Je bestaat, maar je bent weg.'

Winter keek om zich heen in de flat. Er viel niets te zien.

'Net als Hussein Hussein,' zei hij.

Restaurant Bergsjö was nog niet open toen ze er weer langsliepen.

'Hé, ik zou echt een kop koffie kunnen gebruiken,' zei Ringmar.

'Ik weet wel een plek,' zei Winter.

Pizzeria Suverän was bijna de hele dag open, dat had Winter inmiddels geleerd, maar hij begreep niet waarom dat zo was. Behalve zichzelf en Mozaffar Kerim had hij er nooit andere gasten gezien.

Ringmar had naast hem in de Mercedes gezeten en van het mineraalwater gedronken. 'Nu voel ik me een stuk beter,' had hij gezegd terwijl hij de fles liet zakken. 'Maar niet omdat ik een kater had.'

'Natuurlijk niet,' had Winter geantwoord en daarna was hij van de Gårdstensliden afgeslagen.

'Maar soms kun je echt helderder denken als je een kater hebt,' had Ringmar gezegd. 'Net of je meteen op je doel afgaat, zonder dat je je laat afleiden. Snap je?'

'Nee.'

'Maar het is wel zo.'

'Dan moeten we er misschien voor zorgen dat we elke ochtend een kater hebben,' zei Winter.

Ze hadden de auto voor Salong La Nouvelle geparkeerd en waren de pizzeria binnengegaan. Dit is echt een unieke zaak, dacht Winter. De vrouw bij de kassa knikte naar hem alsof hij een oude stamgast was. Hij overwoog even om Bertil aan haar voor te stellen zodat ze een praatje konden maken, en misschien ook met de kok.

'Twee koffie, alstublieft.'

'Wilt u er iets bij?'

'Een amandelgebakje graag, als het vers is,' zei Ringmar.

'Er wordt vandaag niet gebakken.'

'Geef me er toch maar een.'

Winter kon de groeven op Bertils voorhoofd zien, de scherpe vouwen tussen zijn ogen. Maar Bertil had zich geschoren. Er zat een klein wondje onder zijn kin. Dat zag Winter toen Ringmar omhoogkeek en zijn hals strekte. Ringmar liet zijn hoofd weer zakken.

'Dit is een vierentwintiguursonderzoek,' zei hij. 'Per etmaal.'

'Op dat punt ben ik het met je eens.'

'En, wat gaan we de komende uren doen?'

'Ik moet me weer inlezen,' zei Winter. 'En met Torsten praten.'

'Ik heb vandaag geen puf om te lezen,' zei Ringmar. 'Het wordt buitendienst voor mij.'

'Je kunt naar die jongen gaan zoeken,' zei Winter.

'Als hij bestaat, zouden we hem inmiddels gevonden moeten hebben.'

'Hij bestaat,' zei Winter, 'maar hij is niet als Hussein Hussein.'

'Hebben we niet alle flats in Hjällbo gecontroleerd?'

'Niet echt. Dat kun je niet op papier doen. Denk maar aan ons gesprek van zonet.'

'En jouw schoonmaakster dan? Die Finse vrouw?'

'Als ze iets te weten komt, neemt ze contact op. Het is nog maar een paar dagen geleden.'

'Woont zij ook hier?' vroeg Ringmar en hij maakte een gebaar met zijn hand, in de richting van de Kanelgatan.

'Ja. Je hebt hier een heuse Finse kolonie.'

'Kijk eens aan.'

'Wil je terug naar Jimmy's flat?'

'Ik heb vandaag genoeg flats gezien,' antwoordde Ringmar.

Winter zag buiten een taxi parkeren. Het was een witte taxi, een Volvo V70, van Taxi Göteborg. De meest voorkomende. Winter zag de chauffeur door de voorruit. Het was geen gezicht dat hij herkende. De chauffeur draaide zijn hoofd om en nam het geld van de passagier aan. De passagier stapte van de achterbank naar buiten. Het was Mozaffar Kerim. Hij liep met snelle passen weg. Ringmar keek naar het plafond. Hij kende Kerim niet. De taxi reed achteruit, draaide rechtsom en reed weg. Toen de auto al op weg was naar de Gårdstensvägen zag Winter een silhouet: er zat nog iemand op de achterbank.

'Wat is dat, verdomme!'

Ringmar bewoog zijn hoofd en nek zo heftig dat hij wel een whiplash had kunnen oplopen.

Winter was al opgestaan.

'De auto!' riep hij en hij rende naar de deur.

De vrouw bij de kassa keek ontzet.

'We betalen later!' riep Winter. Hij had geen geld bij zich. Bertil wel, maar daar hadden ze nu geen tijd voor. 'Schiet verdomme op, Bertil!'

Winter zag de taxi een eind verderop toen die over de tunnel reed.

'We kunnen de chauffeur bellen,' zei Ringmar.

'Nee. Ik wil weten waar ze naartoe gaan.'

'Zitten er één of twee personen achterin?'

'Een, voor zover ik kan zien.'

'Iemand die de tolk kende?'

'Vermoedelijk.'

'Het kan iedereen zijn.' Ringmar wreef over zijn nek. 'Een klus die de tolk heeft gedaan.'

'Ik wil graag weten met wie hij omgaat,' zei Winter.

'Vertrouw je hem niet?'

Winter antwoordde niet. Hij wist niet of hij Mozaffar Kerim vertrouwde, wat dat in dit verband ook maar betekende. Hij zocht feiten en bewijzen. Hij meende iets ontwijkends bij Kerim te bespeuren, alsof de tolk iets verzweeg: informatie, kennis, contacten. Woorden. Kerim beschikte over meer woorden dan hij in deze zaak wilde gebruiken, tegenover Winter. Hij kwam en ging en nu was hij gekomen, maar hij was niet alleen geweest. Dat kon interessant zijn of volstrekt irrelevant. Maar nu was Winter op een bepaald tijdstip op een bepaalde plek geweest, misschien de juiste. Het was geen geluk, dat was het nooit. Als hij niet in Suverän had gezeten, had hij niets gezien. Buitendienst. Ter plaatse rechercheren. Dat was het geweest, of het was het nu geworden. Wat steeds terugkwam. Terugkeren. Op een dag zou hij er misschien een boek over schrijven, en dat zou op de politieacademie worden gebruikt.

Bij de brandweerkazerne sloeg de taxi af en reed over de Angeredsleden verder naar het zuiden. Winter kon het centrum van Angered aan de linkerkant zien, een kleine downtown, of uptown. De gebouwen zagen er onder de felle zon beroet uit, silhouetten tegen de hemel. Wanneer had hij met Brorsan in die konditorei gezeten? Het leek maanden geleden.

De taxi sloeg links af en even later op een rotonde rechts af. Winter lag een kruising achter.

'Hij rijdt de Hjällbovägen op,' zei Ringmar.

Winter reed de rotonde op.

Er zaten nu twee auto's tussen hem en de taxi. Iemand was er vanaf de Hammarkullenvägen tussen gekomen.

Ze passeerden Gropens Gård, en de Hammarkullschool.

'Zie je hem?' vroeg Ringmar.

'Ja.'

De taxi sloeg rechts af. Winter was nu dichterbij. Hij sloeg ook af en zag de taxi nog een keer afslaan en het parkeerterrein voor de Tomaskerk oprijden, waar hij parkeerde. Winter reed voorbij de kruising en stopte een eindje verderop. Hij stelde de achteruitkijkspiegel bij. Er stapte een man uit de taxi en hij betaalde de chauffeur door het raam. Contante betaling. De man liep weg. Hij was geen onbekende voor Winter.

'Zie je wie het is?' vroeg Ringmar, die zich voorzichtig had omgedraaid, whiplash of niet.

'Ja. Hij heet Alan. Alan Darwish.'

'Darwish... is dat niet een van Hiwa Aziz' vrienden?'

'Ja. Heb je het verslag van het gesprek niet gelezen dat ik met hem heb gehad?'

'Nee, nog niet. Maar je hebt het wel verteld.'

'Ik had gehoopt dat hij me zou bellen. Hij zag eruit alsof hij wilde bellen.'

Darwish liep betrekkelijk langzaam, alsof hij in gedachten was verzonken. Hij keek niet om zich heen. Dat had hij in de taxi ook niet gedaan. Zijn hoofd was klein en ver weg geweest in de stationcar.

'Waarover?'

'Over wat er eigenlijk gebeurd is,' zei Winter.

'Zo!'

'Of over wie Hiwa eigenlijk was. Hij was iets wat wij niet weten. Maar wat deze jongen wel weet. Daarom zagen ze elkaar niet meer.'

'Weet zijn zus iets wat ze niet wil vertellen?'

'Dat is een goede vraag, Bertil.'

'Wat gaan we nu doen?'

Winter zag Darwish nog steeds in de verte, op weg naar de Bredfjällsgatan. Daar woonde hij. Dat was zijn thuis.

'Wat gaan we doen?' herhaalde Ringmar.

'Niets.'

'Gaan we hem niet achterna om bij hem aan te bellen?'

'Lijkt dat je een goed idee?'

'Nee.'

'We houden deze troef nog even voor onszelf,' zei Winter. 'Alleen wij weten dat we die hebben.'

'Dus Alan kent de tolk. Dat is misschien niet zo vreemd. Ze kennen elkaar allemaal natuurlijk. Het zijn allemaal Koerden, tenslotte.'

'Hm.'

'Ze maken een ritje in een taxi.'

'Ik ga een babbeltje maken met de taxichauffeur.'

'Die is nu weg.'

'Wij zijn politieagenten, Bertil. Wij kunnen achterhalen wie hij is.'

De taxichauffeur heette Peter Malmström. Winter kreeg hem via de centrale telefonisch te pakken, terwijl Malmström nog steeds op weg was naar het zuiden. Hij ging ermee akkoord terug te komen.

Ze hadden afgesproken op de parkeerplaats even buiten het centrum van Hjällbo.

Winter en Ringmar gingen op de achterbank van de taxi zitten. De chauffeur zag eruit alsof hij klaar was voor lastige vragen. Hij leek zich af te vragen waarin hij verwikkeld was geraakt. Of hij in moeilijkheden zou kunnen komen. Misschien zaten er twee gangsters op de achterbank die zich voordeden als politiemannen. In deze buurt kon iedereen van alles zijn.

'Wie heb je het eerst opgepikt?' vroeg Winter.

'Eh... de oudste. Dat was in Gårdsten, de Kanelgatan. Waar ik hem ook heb afgezet.'

'Had hij een taxi besteld?'

'Ja, natuurlijk. We cruisen niet zomaar wat rond.'

'Wat gebeurde er toen? Vertel.'

'Ik reed hem naar het Angeredsplein... parkeerde vlak bij het centrum, waar hij me vroeg te wachten. Hij stapte uit.'

'Hij vroeg je te wachten?'

'Ja. Hij zei dat hij maar een paar minuten weg zou blijven en dat we daarna naar Hammarkullen zouden gaan.'

'Waar ging hij heen?'

'Dat... weet ik niet.'

'Welke kant ging hij op?'

'Eh... naar die rij gebouwen verderop, geloof ik. Naar het noorden. Waar de politie zit... en het opleidingscentrum ABF... en een aantal andere organisa... ik weet het niet, een buitenlands cultureel centrum of zoiets.'

'Het Koerdische cultuurcentrum,' zei Ringmar.

'Zoiets,' zei Malmström.

'Het Koerdische cultuur- en opleidingscentrum heet het, geloof ik,' zei Ringmar. 'Ging hij daarheen?'

'Ik weet het eerlijk gezegd niet. Ik heb niet gekeken. Ik heb deze oude krant zitten lezen,' zei Malmström en hij liet een *Metro* zien.

'Hoe lang bleef hij weg?' vroeg Winter.

'Tien minuten ongeveer. Ik kan de precieze tijd geven als jullie die wil...'

'Dat is op dit moment niet nodig,' onderbrak Winter hem. 'Wat gebeurde er daarna?'

'We reden naar Hammarkullen, parkeerden voor de Tomaskerk en wachtten daar een paar minuten. Op de plek waar ik hem later afzette, dezelfde man dus.' Malmström wreef over zijn kin. 'Het was een vreemde rit.'

'In welke zin?'

'Eerst moest ik een vent ophalen, vervolgens een andere en daarna moest ik ze allebei weer op dezelfde plek afzetten als waar ze waren ingestapt. En we hebben alleen maar rondgereden.'

'Jullie hebben alleen maar rondgereden?'

'We zijn naar Hjällbo en Bergsjön gereden en vervolgens weer terug. Toen moesten we naar Gårdsten en daarna reed ik weer terug naar de Tomaskerk.'

'Wie gaf de aanwijzingen?'

'Waar ik heen moest rijden? Dat was de oudste.'

'Wat zei hij?'

'Hij zei... "rij naar Hjällbo", en toen we daar waren zei hij "rij naar Bergsjön", en tja, toen we daar waren zei hij dat ik terug moest rijden naar Gårdsten, "waar je me oppikte", zoals hij zelf zei.'

'Hoe lang duurde de rit? Nadat beide klanten waren ingestapt?'

'Eh... als jullie dat precies willen weten dan...'

'Globaal,' onderbrak Ringmar hem.

'Veertig minuten ongeveer, misschien iets korter.'

'Vroeg je waarom ze op deze manier wilden rijden?' zei Winter.

'Nee.'

'Dacht je erover na?'

'Eigenlijk niet. De klant is koning.'

Rij over de brug, ik ga zelfmoord plegen, dacht Winter.

'Hoe betaalden ze?' vroeg hij.

'Vaste prijs,' antwoordde Malmström.

'Praatten ze met elkaar?' vroeg Winter.

'Ja.'

'Wat werd er gezegd?'

'Als ik dat wist.' Er vloog een vluchtige glimlach over Malmströms gezicht. 'Ik spreek de taal niet, om het zo maar te zeggen.'

'Zeiden ze niets in het Zweeds?'
'Alleen als hij aanwijzingen gaf waar ik heen moest rijden.'
Winter knikte.
'Maar ze hadden een vrij heftige discussie,' zei Malmström.
'In welk opzicht?'
'Ik weet natuurlijk niet of mensen die... of deze mensen... waar ze ook vandaan komen, altijd op die manier praten. Misschien is het wel hun gewone conversatietoon, weet ik veel. Maar ze leken in elk geval behoorlijk ruzie te maken.'
'Ruzie te maken?'
'Zo klonk het.'
'Hoe dan?'
'Tja... ze waren opgewonden.'
'Allebei? Of een van hen?'
'Allebei, voor zover ik het kon horen. Ik heb er niet echt op gelet. Ik wilde me er tenslotte niet mee bemoeien. Maar ik had natuurlijk iets gezegd als het erger was geworden. Je wilt niet dat er in de auto wordt gevochten of zo.'
'Was die kans dan aanwezig?'
'Dat weet ik eerlijk gezegd niet. Zoals ik net al zei, begreep ik geen woord van wat ze zeiden. Misschien hadden ze het wel over de prijs van koffie of worst. Misschien was het niet erger dan dat, of hadden ze het over politiek, of voetbal, ik weet het gewoon niet.'
'Het werd je niet duidelijk waarom jullie reden zoals jullie reden?'
'Hoe bedoel je?'
'Waarom je precies dat parcours moest rijden?'
'Parcours? Ja, misschien zou je het zo kunnen zien. Of het me duidelijk werd... tja, ze wezen een paar keer.'
'Wezen?'
'Ja, wezen.' Malmström hief instinctief zijn hand en wees naar de lege parkeerplaats, alsof hij wilde laten zien hoe je iets aanwijst. 'We reden ergens langs en de oudste wees, zei iets, behoorlijk opgewonden. Of misschien was het de ander, de jongste. Dat weet ik niet meer. Ze wezen allebei een paar keer ergens naar.'
'Waar waren jullie toen?'
'Toen ze wezen?'
'Ja.'
'Dat weet ik niet meer. In Bergsjön, geloof ik. Dat is immers een lang... parcours. Daar werd gewezen. En hier. In Hjällbo.'
'Hjällbo is groot,' zei Winter. 'Wezen ze in een bepaalde richting?'
'Voor zover ik kon zien niet. Gewoon naar de flats.'
'Ken je Jimmy's buurtwinkel?' vroeg Ringmar.

'Ja… wie kent die niet? En zeker nu.'

'Kende je die hiervoor ook al?'

'Natuurlijk. Dat doen alle taxichauffeurs. Winkels die 's nachts open zijn.'

'Zijn jullie daar ook langsgereden?' vroeg Winter.

'Nee.'

29

Ze zaten weer in Winters auto. Ringmar had zich naar voren gebogen en de cd-speler aangezet, de cd gleed erin en de muziek vulde de auto. Winter zette het volume lager met de afstandsbediening aan zijn stuur. Een verre viool. Een verre stem. Een ballade uit een land dat niet op alle kaarten stond.

'Wie is dit?'

'Hij heet Naser Razzazi,' antwoordde Winter. 'Een Koerdische zanger.'

Het lied ging verder, gedempt maar toch krachtig.

'Het hoesje ligt in het handschoenenvakje,' zei Winter.

Ringmar opende het vakje en pakte het hoesje. Hij zag een man met een zwarte snor en dik zilverkleurig haar, of misschien maakte de zon op de foto het haar zilverkleurig. Naser Razzazi keek langs de toeschouwer heen, de verte in. Het was een schilderij. Op de achtergrond verrees het Zagros-gebergte.

'Kermashan,' las Ringmar op het hoesje. 'Wat is dat?'

'Een stad. In het Iraanse deel van Koerdistan, geloof ik.'

'Komt hij daarvandaan? De zanger?'

'Ik weet het niet, Bertil. Hij is geboren in Sinne, in Oost-Koerdistan. Dat is volgens mij Iran. Maar hij woont al jaren in Zweden. Een oud-guerrilla-strijder.'

'Hoe weet je dat allemaal?'

'Dat staat in het boekje.'

Ringmar glimlachte en vouwde het boekje dat bij de cd hoorde open.

'Er lag een exemplaar van deze cd in de flat van Said en Shahnaz Rezai,' zei Winter.

'Maar zij waren toch geen Koerden?'

'Nee.'

'Hm.'

De muziek zwol aan, meer violen, een contrabas, een cello.

'*Kurdistan, this land of blood and fire,*' las Ringmar. 'Het land van bloed en vuur.'

Winters mobieltje begon te rinkelen.

Hij herkende Brorsans ademhaling voordat hij diens stem hoorde.

'Waar ben je, Winter?'

'In de auto.'

'Hij heeft een uur geleden gebeld,' zei Brorsan.

'Wie?' vroeg Winter. 'Wie heeft er gebeld?'

'Een van mijn andere bronnen. Zei ik niet dat ik contact met hem zou opnemen?'

'Nee.'

'Hij moet me iets geven. Ik geloof dat hij dat kan. Hij kan ons misschien helpen. Dat heb ik hem behoorlijk duidelijk gemaakt.'

'Hoe heet hij?'

Brorsan antwoordde niet.

'Geef me verdomme een naam, maakt niet uit welke! We moeten toch een naam hebben waaraan we kunnen refereren?'

'Abdullah.'

'Dank je.'

'Ik ga hem ontmoeten.'

'Wanneer?'

'Dat weet ik nog niet. Binnenkort.'

'Ik wil erbij zijn,' zei Winter.

'Nee.'

'Ik wil erbij zijn, Brorsan.'

'Zo werkt het niet, Winter.'

'Hoe werkt het dan? Zoals in de bossen bij Bergsjön? Zoals met Hama Ali, alias Marko?'

'Je hoeft niet te...'

'Zal het met deze Abdullah, of hoe hij ook mag heten, op dezelfde manier aflopen?' onderbrak Winter.

'Rustig maar.'

'Bel me als je weet wanneer de afspraak is!' zei Winter. Hij verbrak de verbinding en smeet zijn mobieltje weg. Die stuiterde van de stoel op Ringmars arm.

'Rustig maar!'

'Waarom? Waarom moet ik me rustig houden?'

Hij wilde zich niet rustig houden, hij had geen tijd voor rust. Hij had plotseling vreselijke hoofdpijn gekregen, het oude brandende gat boven zijn rechteroog. Hij had geen tijd voor politiemensen die het niet wilden begrijpen.

'We komen wellicht een stukje verder als Brorsan hem heeft gesproken,' zei Ringmar, die Brorsans stem even duidelijk had gehoord als Winter, beter zelfs. 'Wacht af en zie wat er gebeurt. Brorsan kent hem.'

'Daar maak ik me juist zorgen om, onder andere.'

'Deze Abdullah heeft misschien niets met ons onderzoek te maken, Erik.'

Winter antwoordde niet, hij wist het. Het viel niet uit te leggen, zelfs niet tegenover Bertil. Hij wist ook dat hij het beter zou begrijpen als hij Abdullah kon ontmoeten, hem een paar vragen kon stellen, hem kon zien, hem kon bestuderen. Zoiets viel nooit te verklaren. Het was een gevoel dat samenhing met alles wat hij in de loop van de jaren in zijn werk had geleerd. Een gevoel dat hem zelden bedroog.

Moest hij Brorsan schaduwen?

Allemachtig, wat een hoofdpijn.

Hij wreef heftig over zijn oog.

'Wat is er, Erik?'

'Niets.'

Hij haalde zijn hand omlaag.

'Hoofdpijn?'

'Het is niets, Bertil. Nu gaan we terug naar Hammarkullen.'

Voor het zwembad Hammarhallen lagen kisten met fruit en groenten. Een oudere man met een colbertje hield een appel omhoog, alsof hij de glans bewonderde.

Een paar jonge knullen hingen rond bij de roltrappen naar de trams. Er lag papier en ander afval op het asfalt. Iemand had een afvalbak omvergegooid. Die lag nu op het gras.

Kinderen voetbalden op het plein naast de school. Hun geschreeuw werd weerkaatst tussen de flatgebouwen.

De portiekdeur was open.

Winter bestudeerde de lijst met namen in het trappenhuis.

'Derde verdieping,' zei hij.

Ze namen de trap. Winter ging nooit met de lift als dat niet echt noodzakelijk was. Vaak, als ze met zijn tweeën waren, nam de een de lift en de ander de trap om niet te worden verrast door iemand die hen had zien aankomen en ervandoor wilde gaan, maar deze keer voelde dat overdreven.

Als Alan Darwish ervandoor wilde gaan betekende dat iets. Aan de andere kant waren er al genoeg mensen verdwenen.

Een in het zwart geklede vrouw deed na drie keer bellen open. Ze zag eruit als een zus van Ediba Aziz. De familie Aziz woonde in een van de nabijgelegen flatgebouwen. In dezelfde straat. Winter had zich voorgenomen nog een keer met Nasrin te gaan praten, maar niet nu. Wellicht later op de dag.

Hij had een pilletje tegen de hoofdpijn genomen. Dat hielp niet, mogelijk later. Misschien moest hij wat qat regelen nu hij toch in de buurt was. De Somaliërs importeerden het met tonnen tegelijk. Het hoofd van het wijkteam, Sivertsson, had verteld over razzia's in flats die vol stonden met qat, maar waar geen enkele Somaliër meer te bekennen was als de razzia begon. Dan waren ze als grote vogels door de ramen naar buiten gevlogen.

De vrouw zei niets. Winter en Ringmar lieten hun legitimatie zien. De vrouw draaide zich om naar binnen, alsof ze hulp zocht. Winter kon de kinderen horen voetballen. De ramen stonden kennelijk open, maar ze lieten nauwelijks koelte binnen.

'We willen Alan spreken,' zei Winter.

Ze antwoordde niet. Winter sprak een vreemde taal. Hij moest aan Mozaffar denken. Het zou stijlvol zijn geweest om hier samen met Mozaffar op te duiken, alsof er niets was gebeurd, alsof ze het niet wisten. En Mozaffar nog een keer te laten tolken.

'Alan,' herhaalde Winter. Dat moest ze toch zeker begrijpen.

'Wat is er?' hoorden ze iemand zeggen en Alan verscheen in de hal.

De vrouw keek verschrikt, alsof Alans stem haar verraste. Hij was waarschijnlijk haar zoon.

Alan zei iets tegen haar. Ze antwoordde en hij zei nog iets. Ze wierp een snelle blik op Winter en Ringmar en liep toen weg, naar de keuken die Winter gedeeltelijk kon zien.

'Ze gaat thee voor ons zetten,' zei Alan.

Nee. Deze keer niet. Hij kon niet nog een keer met een stille moeder en haar kind over de dood zitten praten. En absoluut niet nu, omdat ze waarschijnlijk helemaal niets van het gesprek zou kunnen volgen.

'Helaas,' zei Winter.

'Maar dat moet.'

'Ik wil dat je even met ons meegaat, Alan.'

'Waarom?'

'Dat zullen we je zo vertellen.'

'Meegaan? Waarheen?'

'Een kort ritje met de auto.'

'Waarom kunnen we hier niet praten?'

'We willen je een paar dingen vragen,' zei Winter. 'Die hebben met de autorit te maken.'

Alan zag er bang uit, maar niet als iemand die voor een autoritje wordt meegenomen en vreest dat het zijn laatste kan zijn. Hij was eerder bang voor de vragen dan voor de rit.

Hij liep naar de keuken en zei iets tegen de vrouw. Winter hoorde het antwoord niet. Er kwam niemand anders naar de hal. Geen man, geen vader. Dit was een omgeving met afwezige vaders.

Alan kwam terug. Hij stapte in een paar sandalen. Zand of gruis maakte een knarsend geluid op het linoleum.
'Het duurt niet lang,' zei Winter.

Halders hield de taxi aan en ging op de achterbank zitten. De auto begon al te rijden voordat hij het portier had gesloten.
'Hjällbo,' zei hij.
De chauffeur knikte.
'Zet de auto neer waar je hem toen ook neerzette,' zei Halders.

De taxi was de enige auto op de parkeerplaats. Het gebied was nog steeds afgezet. Er waren geen nieuwsgierigen op deze midzomermiddag.
'Wat gaan we doen?' vroeg Jerker Reinholz. Toen Halders hem had gebeld, had hij gevraagd wat precies de bedoeling was, maar Halders had slechts iets gemompeld over het onderzoek. Het was makkelijk om daarnaar te verwijzen, op die manier hoefde hij niets te zeggen over intuïtie, vermoedens of zelfs maar voorgevoelens. Halders had niet zoveel op met voorgevoelens, maar soms volgde hij een gedachte die hem maar niet wilde loslaten.
'We stappen uit,' zei hij.
Ze stonden naast de auto.
'Oké, je parkeerde en liep in de richting van de winkel. Vertel.'
'Dat heb ik al honderd keer gedaan.'
'Dat is niets,' zei Halders. 'Hoe vaak denk je wel niet dat ik eenzelfde proces-verbaal van een verhoor lees?'
'Maar dan hebben jullie het verhoor toch?' zei Reinholz. 'Waarom moet het dan nog een keer?'
'Dit is geen verhoor,' zei Halders.
'Wat is het dan?'
'Een recapitulatie.'
'Wat betekent dat?'
'Dat we alles nog een keer doornemen. Jij begon dus vanaf hier te lopen.'
Halders knikte naar het kleine gebouw. Het leek wit in de zonneschijn, krijtwit. 'Je liep daarheen.'
Reinholz knikte.
'We gaan.'
Halverwege de auto en het gebouw stopte hij.
'Hiervandaan kun je het wandelpad zien.'
'Daar heb ik niet bij stilgestaan,' zei Reinholz.
'Nee?'
'Waarom zou ik? De andere keren dat ik hier was, was het vaak donker, of ik had haast of zo. Waarom zou ik erbij stilstaan hoe de omgeving eruitziet?'

'Deze keer liep er iemand op dat pad,' zei Halders. 'Die kwam en ging.'

'Dat heb ik toch gezegd. Er liep iemand weg.'

'Die lichte voetstappen. Het kind.'

'Misschien was het geen kind,' zei Reinholz. 'Ik heb erover nagedacht. Misschien was het iemand die... het had gedaan. Die ze had doodgeschoten.'

'Dat heb je eerder niet gezegd.'

'Ik heb het niet eerder bedacht.'

Ze deden nog een paar passen.

'Wat zag je vanbuiten?' vroeg Halders.

'Niets.'

'Helemaal niets?'

'Je ziet het zelf. Je kunt recht naar binnen kijken, maar je kunt niet zien of er iemand op de grond ligt.'

'Wanneer zag je dat er iemand op de grond lag?'

De rode zee bezat nog steeds haar contouren, maar had haar kleur verloren. De grote ramen lieten al het zonlicht vanbuiten binnen, waardoor vrijwel alles wit werd.

Halders en Reinholz stonden in de deuropening, op de drempel, Reinholz een stap voor Halders.

'Hier,' zei Reinholz. 'Hier zag ik de eerste.'

'Wat deed je toen?'

'Ik... weet het niet goed meer. Ik was... geschokt. Ik begon te schreeuwen, vermoed ik. Of misschien deed ik dat pas toen ik nog een stap had gedaan en de ander ook zag.'

Halders zei niets.

'En toen heb ik geloof ik gebeld. Het alarmnummer.'

'Hoeveel tijd was er toen verstreken?' vroeg Halders.

'Verstreken? Verstreken sinds wanneer?'

'Sinds het moment dat je alles hierbinnen zag. De doden. Het bloed.'

'Dat heb ik toch al verteld. Een halve minuut misschien. Een minuut. Zoiets.'

'Niet meer?'

'Ik weet het niet. Ik heb de tijd niet bijgehouden. Ik... wist nauwelijks waar ik heen moest bellen. Eerst was ik het alarmnummer vergeten. Het was allemaal behoorlijk schokkend.'

'Je had een telefoontje gekregen van de taxicentrale toen je op weg was naar de parkeerplaats,' zei Halders.

'Eh... ja, dat heb ik dacht ik wel verteld.'

'Nee, maar dat geeft niet. Dat soort dingen controleren we altijd. Je was aangedaan, dan is het makkelijk zoiets te vergeten. Maar als we het tijdstip van dat gesprek vergelijken met jouw melding, dan zit daar bijna tien minuten tussen.'

Halders stond nog steeds schuin achter Reinholz, maar hij kon het profiel van de taxichauffeur zien. De man knipperde met zijn ogen. Soms gaf Halders er de voorkeur aan niet recht tegenover de mensen te staan aan wie hij vragen stelde. Het kon irritant zijn om alle blikken te zien die de ruimte in schoten, of zich in zijn ogen boorden, alsof de persoon in kwestie erop vertrouwde dat oogcontact meteen een vrijkaartje opleverde.

Reinholz draaide zich om, maar hij keek Halders niet recht aan.

'Tien minuten?'

'Bijna, op een paar seconden na.'

'En?'

'Je had vrij lang nodig voordat je alarm sloeg.'

'Zoals ik al zei... ik heb de tijd niet bijgehouden.'

'Het is een hele tijd. Tien minuten, of negen, of acht.'

Reinholz antwoordde niet.

'We deden er een minuut over om van de parkeerplaats hierheen te lopen,' zei Halders. 'Je bent dus minstens acht minuten binnen geweest.'

'Wat... wil je daarmee zeggen?'

'Ik denk alleen maar na,' zei Halders.

Hij had nagedacht. Hij en Aneta en Winter en Ringmar, sinds ze alle telefoongesprekken hadden doorgenomen die ze maar konden doornemen. Reinholz had gewacht voordat hij alarm sloeg, maar het was niet ongebruikelijk dat mensen in situaties van zware shock langzamer handelden dan gewoonlijk. De tijd werd anders, soms verstreek die heel snel, soms oneindig langzaam. De werkelijkheid werd anders, en de eigen opvatting van tijd kwam niet overeen met de werkelijkheid. Ik ga er met hem naartoe, had Halders gezegd. Dan zien we wel wat er gebeurt.

'Ik... ben waarschijnlijk nog even in de auto blijven zitten voordat ik uitstapte,' zei Reinholz.

'Waarom?'

'Dat weet ik niet. Ik was moe. Soms blijf je gewoon een poosje zitten na een rit. Het... kan zwaar zijn om gewoon uit te stappen.'

'Waarom ben je überhaupt gestopt?' vroeg Halders. 'Je had ook gewoon naar huis kunnen rijden.'

'Ik wilde sigaretten kopen. Dat heb ik toch verteld.'

'Waarom wachtte je voordat je alarm sloeg, Jerker?'

Reinholz keek Halders even rechtstreeks aan, en wendde toen zijn blik af, naar de vloer, die in verschillende lagen gelegd leek te zijn, als leisteen.

'Ik heb niet gewacht,' zei Reinholz. 'In mijn herinnering belde ik zodra mijn handen niet meer trilden.'

30

Soms kwamen er anderen uit ons land. Het ene jaar, het andere jaar. Sommigen konden vertellen over een ver familielid, maar vaak wisten ze helemaal niets. Iedereen had moeten vluchten, of moeten vertrekken zonder iets mee te kunnen nemen als die dag zich aandiende. Ze kwamen hier met niets.

Mijn moeder zat binnen, ze was bang voor wat zich buiten bevond.

Misschien waren wij ook bang.

Alles was onbekend. Een deel van ons volk bevond zich daar ook, maar daardoor werd het soms nog vreemder. Je komt terecht in een vreemd land en wordt ontvangen door mensen die daar waren gebleven en al bezig waren te veranderen. Ik zag hoe een deel van de mensen was veranderd.

Wij veranderden ook.

Ik ging naar school, maar het ging niet goed.

Ik kon niet stilzitten. Ik keek naar buiten door een groot raam dat uitkeek op het schoolplein, naar een bal die altijd in de lucht leek te zijn.

In de pauzes stond ik meestal in mijn eentje in een hoekje. Ik deed niet mee aan de spelletjes. Ik had een vriendin, of twee, maar we waren nooit bij ons thuis.

En toen kwam mijn broer thuis met twee mannen, en toen veranderde alles.

Niet meteen, maar er was iets... wat als het ware in de lucht hing, ik weet niet hoe ik het moet zeggen, het was alsof een gevaarlijke wind door de deur naar binnen was gekomen toen die twee anderen kwamen. Een scherpe, gemene wind, die niet naar buiten kon worden verdreven.

Ik begreep het niet. In het begin begreep ik het niet.

Toen kwamen die twee niet meer terug en het was alsof er iets gevaarlijks was begraven. Ik wilde dat het zou worden begraven. Of verbrand.

En toen kwamen de anderen terug. Ik herkende de gezichten niet.

Mijn moeder zat op de bank en zag eruit als een blinde.

Ze was blind.

Ze zag mijn gezicht toen niet.

Ze zag niet hoe mijn broer eruitzag als ze hem hadden mishandeld.

Je hebt geen keuze, zeiden ze.

Maar we hebben allemaal een keuze. We kunnen allemaal een keuze maken. Ik geloof dat je moet begrijpen dat je dat kunt, en als je het begrijpt, kun je iets doen, zelfs het allerergste. Maar je hébt het begrepen, voordat het te laat is. Als het eenmaal te laat is, kun je niets doen, niets goeds, niets slechts, niets vreselijks, niets. Je hebt misschien maar een paar tellen de tijd.

31

Alan, o Alan. Je kijkt naar alles en niets. Daarginds ligt het industrieterrein Storås. Hier komt de Industrigatan. Straks slaan we links af de Gråbovägen op, en daarna nemen we de Bergsjövägen. We zijn op weg.

'Herken je deze omgeving?' vroeg Winter.

'Wat… bedoel je?'

Winter had nog niet verteld wat de bedoeling van dit ritje was. Hij had alleen gezegd dat ze iets zouden bekijken. Alan Darwish had er bang uitgezien, maar misschien zag hij er altijd bang uit. Sommige mensen hadden zo'n uiterlijk. Ze hoefden nergens schuldig aan te zijn. Of over informatie te beschikken die ze moesten doorgeven. We zullen zien.

'Je bent hier vandaag al een keertje langsgereden.'

'Ik… begrijp het niet.'

'Wij ook niet, Alan. Nog niet, in elk geval.'

Winter sloeg af naar Bergsjön. Alan bleef naar buiten kijken. Hij zat voorin naast Winter. Ringmar zat op de achterbank. Winter kon zijn rustige blik in de achteruitkijkspiegel zien. Die was zo rustig dat het leek alsof Ringmar elk moment in slaap kon vallen. Misschien bereidde hij zich alleen maar voor op wat komen zou.

'Je zat in een taxi die hier ongeveer twee uur geleden is langsgereden,' ging Winter verder.

'Hoe weten jullie dat?'

'Dat hebben we natuurlijk aan de taxichauffeur gevraagd.'

Alan zei niets. Winter sloeg af naar het Rymdplein.

'Heeft hij gelijk?' vroeg Winter en hij parkeerde op de oude vertrouwde plek. Hij was inmiddels een trouwe bezoeker. Hij was hier thuis. Alles was hem bekend, zoals dat gaat als je een plek meer dan twee keer hebt bezocht. Alles krimpt, de huizen, de straten, de kerken, de gezondheidscentra, het kantoor van de stadsdeelraad, het restaurant.

Winter zette de motor uit. Ze bleven in de auto zitten. Een jong gezin liep over de parkeerplaats. De man duwde de kinderwagen. De vrouw hield een klein meisje aan de hand. Het meisje maakte om de pas een sprongetje. Ze had een rode jurk aan. Alan volgde hen met zijn blik. De man zag hen en begon sneller te lopen. De vrouw en het meisje bleven een paar passen achter. Het meisje maakte nu bij elke pas een sprongetje. De vrouw zei iets wat Winter niet kon verstaan. De man maakte een gebaar: opschieten. Hij droeg een donker pak dat er warm uitzag in de zonneschijn, zijn zondagse pak.

'Wat doen we hier?' vroeg Alan.

Het gezin was uit het zicht verdwenen.

'Had de chauffeur gelijk?' vroeg Winter nog een keer.

'Waarover?'

'Verdomme, Alan, hou je niet van de domme! Beantwoord alleen de vraag. Die is niet moeilijk.'

Winters hoofdpijn was tijdens de autorit afgenomen, maar nu kwam die weer opzetten. Misschien kwam het door zijn gevloek. Het was niet goed voor het lichaam om te vloeken, dat was niet de manier waarop je moest praten. Dat wist ieder kind. Maar het had Alan wel opgeschrikt. Krachttermen drukten soms inderdaad kracht uit.

'Als jullie… het al weten, hoeven jullie het toch niet te vragen,' zei Alan. Hij bleef met zijn ogen naar het verdwenen gezin zoeken. Het konden Koerden zijn, of Arabieren, of Perzen. Winter zag het verschil nog niet.

'Waarom maakten jullie die rit, Alan?'

Alan antwoordde niet.

Winter herhaalde zijn vraag. De pijn boven zijn oog kwam en verdween. Hij moest de auto uit. Hij opende het portier om wat lucht binnen te laten.

'Waarom zou ik geen autoritje kunnen maken?' zei Alan. 'Ik… kan toch gaan en staan waar ik wil, als ik dat wil.'

'Natuurlijk. Maar dan valt er toch niets te aarzelen, of te mompelen?'

'Waarom zou het voor jullie interessant zijn of ik in een taxi heb gezeten?'

'Ik weet het niet. Daarom vragen we het.'

Ringmar schraapte op de achterbank zijn keel.

'Kunnen we vaststellen dat je in een taxi hebt gereden, Alan?' vroeg hij.

'Dat weten jullie toch al. Ik hoef er geen antwoord op te geven.'

'We willen dat je het zegt,' zei Winter.

'Ja, ja, ik heb in een taxi gereden, verdomme.'

'Waarom?'

'Omdat… omdat…' zei hij, maar hij maakte de zin niet af.

'Omdat hij het je verzocht?' vroeg Winter.

Alan antwoordde niet.

'Omdat hij je verzocht met hem mee te gaan?'

'Als jullie alles toch al weten, heeft het geen zin om te antwoorden.'

'Waarom wilde Mozaffar Kerim dat je met hem meeging?'

Alan leek iets te willen zeggen, maar er kwamen geen woorden. Het was zinloos om nog meer beweringen, meer namen, in twijfel te trekken.

'Hij wilde... praten,' zei hij uiteindelijk.

'Waarover?'

Alan staarde nog steeds naar het eind van het plein, het eind van de weg, alsof het gezin terug zou komen en de aandacht van zijn persoon zou afleiden en hij met rust zou worden gelaten.

Hij pakte de portierkruk beet.

Gooide het portier open.

Wierp zich naar buiten!

Winter hoorde Ringmar achterin het portier openduwen.

Hij zag Alan als een gek wegrennen in de richting van de Aniaragatan. De jongen keek niet om.

Hij zag Ringmars rug.

Zelf had hij zich nog niet bewogen.

Nu stond hij naast de auto. Nu had hij Bertil ingehaald.

Dit gebeurt niet.

Als dit zo doorgaat, moeten we de politieacademie overdoen. Ik zal er ook een boek over schrijven.

'Hij sloeg rechts af,' riep Ringmar.

Alan was verdwenen achter flatgebouwen, glas, beton. Winter stopte even om naar Alans voetstappen te luisteren.

Die waren te horen, verwijderden zich. De jongen leek een hardloper. Het zou zinloos zijn om te proberen hem in te halen. Onmogelijk ook.

Ringmar stopte hijgend naast Winter.

Het geluid van de voetstappen was nog steeds te horen, maar nam na een paar tellen af, als een trein die om de bocht verdwijnt.

'Mijn god,' zei Ringmar.

'Hij kreeg plotseling zin om te gaan rennen,' zei Winter.

Ringmar ademde hard en stotend. Geen warming-up, dat was nooit goed.

'Dat liep behoorlijk mis.'

'Het hoeft niets te betekenen,' zei Winter. 'Soms zijn er gewoon geen woorden.'

'En dan neem je de benenwagen.'

'Een spontane ingeving,' zei Winter.

'Dat moeten we hem ook maar vragen,' zei Ringmar. 'Als hij is opgehouden met rennen.'

'Misschien stopt hij nooit.'

'Hij ontkomt niet,' zei Ringmar.

'Waaraan?' zei Winter.

'Aan ons, natuurlijk. Maar dat is misschien zijn probleem niet?'
'Nee.'
'Waar rent hij nu heen?'
'In een cirkel,' zei Winter. 'Ik geloof dat we allemaal in een cirkel rondrennen.'
'Dan moeten we daaruit zien te komen.'
'Dat hebben we zonet misschien al wel gedaan,' zei Winter.

De Kanelgatan was hem ook vertrouwd. Winters parkeervak was leeg. Pizzeria Suverän was leeg. Ze zagen geen mensen. Toen ze rondreden, had hij het gevoel gehad alleen te zijn in een nieuwe wereld, in een nieuw land. Er was niets waartoe hij zich kon verhouden. Er hing iets gemeens in de lucht. Dat werd versterkt door de hitte. Het hield het leven weg, de bewegingen. Het bewegingspatroon.

Ringmar draaide zich om, alsof hij verwachtte Alan te zien die de laatste honderd meter aflegde. Maar Alan was waarschijnlijk nog in de bossen bij Bergsjön, en na verloop van tijd zou hij daar uit komen, als de politie hem had gevonden. Hij zou niet verdwijnen. Niet hij ook nog.

'Had hij een mobieltje?' vroeg Winter.
'Ik weet het niet, Erik.'
'Dat moeten we controleren.'
'Natuurlijk.'
'Hij belt hierheen,' zei Winter.
'Waar woont de tolk?'
Winter wees in de richting die ze liepen.
'Misschien moeten we even wachten, Erik.'
'Waarop?'
'Ik… weet het niet.'
'Als Alan hem heeft gebeld, komen we dat te weten. We zullen het begrijpen. En omgekeerd.'

Ze stonden voor het flatgebouw. De ingang was aan de zijkant. In het noorden zag Winter hoge bergen en diepe dalen. Het deed hem denken aan het hoesje van een cd met Koerdische muziek.

Twee flatgebouwen verderop had Jimmy Foro gewoond. Het eerste slachtoffer. Mozaffar Kerim en Foro hadden geen contact gehad met elkaar, althans volgens Kerim. Winter had geen connectie kunnen vinden, via andere getuigenverklaringen.

In het trappenhuis rook het alsof er net was schoongemaakt, een zeeplucht. Het was een geur die geborgenheid overbracht.

Niemand deed open.

Ringmar belde voor de derde keer aan.

'Woont hij alleen?'

'Ja.'

'Of hij is niet thuis, of hij wil niet opendoen.'

'Misschien is hij wel aan het joggen.'

'Misschien hebben ze een gemeenschappelijk parcours.'

'Dat hebben we al vastgesteld.'

'Dat is waar ook.'

'Bel nog een keer aan.'

Ze hoorden het geluid daarbinnen. Dat klonk bekend. Vrijwel zijn hele volwassen leven had Winter in vreemde flatgebouwen, voor vreemde deuren, naar dergelijke signalen geluisterd.

Beneden werd de portiekdeur geopend. Zij stonden op de eerste verdieping.

Een minuut later hoorden ze voetstappen op de trap.

'Wat willen jullie?' Mozaffar Kerim stond halverwege de trap met een boodschappentas in zijn hand. Hij keek verbaasd. 'Wat doen jullie hier?'

'Bij jou aanbellen,' zei Winter.

De jongen liep over het pad. Hij had zijn fiets thuisgelaten. Het was alsof iemand tegen hem had gezegd dat hij niet meer moest fietsen, niet nu.

Dat het gevaarlijk kon zijn.

Hij liet de bal stuiteren. Nu hij niet zoveel fietste, deed hij dat veel vaker. Hij kon de bal tien keer hoog houden, één keer was het hem zelfs twaalf keer gelukt. Hij kon prof worden.

De eerste keer had hij het aan zijn oom laten zien. Zijn oom had geteld.

Zijn moeder wilde niet zeggen waarom zijn oom hen nu niet kwam opzoeken. Binnenkort, zei ze, en dat was het enige wat ze erover zei.

Hij stopte een eindje bij de winkel vandaan. Hij dacht dat hij daarbinnen iets zag bewegen en verborg zich achter een struik.

Toen zag hij iemand naar buiten komen. Hij kwam van achter de struiken tevoorschijn en liep bijna naar de rand. Ze waren met z'n tweeën. De ene man was kaal en hij herkende de andere.

'De thee was op,' zei Mozaffar Kerim.

Hij had zijn spullen binnen neergezet, thee gezet en glazen gepakt. Hij had erop gestaan.

'Ik ga vanavond *khoreshte sabzi* maken,' had hij gezegd toen hij de boodschappen uit de tas haalde.

'Wat is dat?' had Winter gevraagd.

'Een stoofschotel uit Iran. Lamsvlees. Veel groene kruiden, limoen, citroen.'

'Ik zie het,' had Winter gezegd. Rustig blijven, had hij gedacht, heel rustig. Doe het rustig aan. 'Het wordt veel eten.'

'Zo gaat het altijd,' had Kerim gezegd.
'Verwacht je bezoek?'
'Hoezo?'

★

Ze zaten aan de lage tafel. Het was een lichte flat die gestoffeerd was met mooi textiel.
'Wanneer heb je Alan voor het laatst gezien?' vroeg Winter.
'Eerder vandaag,' antwoordde Kerim.
Ringmar ontmoette Winters blik.
'Waar?'
'In een taxi.'
'Waarom?'
'Hoe bedoel je?'
'Waarom zagen jullie elkaar in een taxi?'
'Omdat hij bang was. Hij wilde het. Waarom dat zo was, moeten jullie maar aan hem vragen.'
'Waar was hij bang voor?'
'Dat weet ik niet. Dat wilde hij niet zeggen.'
'Waarom ging hij dan met jou een eind rijden?'
'Omdat ik dat voorstelde. Ik dacht dat het... hem misschien zou helpen. Dat hij zou ontspannen. Ik weet het niet.'
'Je moet toch enig idee hebben waarom hij bang is.'
'Hij kende... een van de vermoorde mensen. Hiwa.'
'Ja?'
'Dat lijkt me reden genoeg om bang te worden.'
'Vreest hij voor zijn eigen leven?'
'Ja.'
'Maar waarom? Was hij betrokken bij iets waarmee Hiwa zich had inge-laten?'
'Dat weet ik niet. Dat moeten jullie Alan vragen.'
'Dat hebben we geprobeerd,' zei Winter. 'Maar hij is ervandoor gegaan.'
Kerim antwoordde niet. Hij gaf geen commentaar op Winters woorden. Hij keek naar zijn theeglas, maar tilde het niet op.
'Waarom wilde je dat Alan iets zou zeggen?' vroeg Winter.
'Om hem te helpen, zoals ik al zei.'
'Of iemand anders?'
'Sorry?'
'Zou het iemand anders helpen?'
'Wie?'
'Ik weet het niet, Mozaffar.'

'Hij leed. Ik lijd als anderen lijden.'

Winter reageerde hier niet op. Achter Mozaffar hing een grote prent aan de muur. Die stelde een landschap voor. Het kwam Winter bekend voor. Alsof het motief van een schilderij kwam dat hij ooit had gezien, of een foto.

'We zijn een familie,' ging Kerim verder. 'Je moet je familie helpen.'

Winter knikte.

'Wij zijn een lijdende familie. Een lijdend volk. Dat zijn we altijd al geweest.' Kerim keek beurtelings van Winter naar Ringmar. 'Momenteel voert de Zweedse regering onderhandelingen met mensen in Noord-Irak om ze zover te krijgen dat ze ons toelaten als we Zweden worden uitgezet.'

'Onderhandelingen met Koerdistan?'

'Hoe weten we dat het Koerden zijn?'

'We hebben jullie gezien,' zei Winter.

'Sorry?'

'Jou en Alan. Toen jullie uit de taxi stapten.'

'Waar?'

Kerims blik had zich een weg naar buiten gezocht, naar de Kanelgatan.

'Suverän.'

'Ja, dat kan.'

'Je geeft een wonderlijke verklaring, Mozaffar.'

'Ik heb niet gelogen, toch? Ik heb niets te verbergen. Waarom zou ik dat doen?'

'Waar denk je dat Alan nu is?'

'Onderweg naar huis, als hij dat kan. Als de politie hem niet eerst oppakt. Ik neem aan dat er alarm is geslagen en dat hij wordt gezocht.'

Winter en Ringmar antwoordden niet.

'Het is beter om gewoon thuis op hem te wachten. Hij is vooral verward. Een verwarde jongeman. Wie zou dat niet zijn?'

32

'Dat is me ook wat!'

Ringmar schudde zijn hoofd. Ze waren op weg naar Winters Mercedes. In de zon leek de auto wel een zwarte oven. Het was een zwarte oven.

'Hij wist dat we daar waren,' zei Winter.

'Waar? In de pizzeria?'

Ringmar knikte naar pizzeria Suverän. De deur stond open om frisse lucht binnen te laten, maar die was er niet. Het was geen gezonde lucht. Mensen konden erin doodgaan, of eraan.

'Het was een show,' zei Winter. 'Het was allemaal show.'

'Wat is dit toch?' zei Ringmar.

'Een show. Een krankzinnige show.'

'Bedoel je dat hij ons zag toen hij terugkwam met de taxi?'

Winter antwoordde niet. Hij drukte op de afstandsbediening en het slot van de auto ging als een gedempt pistoolschot open. Een zwarte kat op het parkeerterrein zette een hoge rug op, maar ontspande weer en liep verder in de richting van de pizzeria en de buurtwinkel.

'Hij wist toen al dat we daar zaten,' zei Winter.

'Toen hij hierheen op weg was?'

Winter knikte en keek naar de ingang van de pizzeria. Hij kon niet zien of er iemand binnen was die naar hen stond te kijken.

'Maar we wisten zelf niet dat we hierheen zouden gaan,' zei Ringmar. 'Jij stelde het voor en toen gingen we hierheen.'

'En iemand zag ons,' zei Winter.

Ringmar volgde Winters blik naar de deuropening.

'Daarbinnen? Iemand daarbinnen zag ons?'

'Hm.'

'Maar daar was alleen…' zei Ringmar en toen zweeg hij.

'We moeten het telefoonverkeer van en naar de pizzeria controleren.'

'Moeten we niet met haar gaan praten?'

'Niet nu.'

'Je bedoelt dus dat alles… in scène was gezet?'

'In scène gezet? In verband met de show? Nee, dat denk ik niet. Maar Mozaffar Kerim was voorbereid toen we kwamen, hij wist wat we hem zouden vragen, hij had zijn antwoorden klaar.'

'Of hij vertelde gewoon hoe het zat, en waarom. Hij had niets te verbergen.'

'Denk je dat?'

'Wat zou hij te verbergen hebben, Erik?'

'Waaraan is hij schuldig, bedoel je dat?'

'Waaraan zou hij schuldig kunnen zijn?'

'Dat moeten we hem vragen,' zei Winter.

'Daar heeft hij misschien ook een antwoord op. Een voorbereid antwoord.'

'Dan moeten we het hem nog een keer vragen.'

'Wanneer?'

'Als wij er klaar voor zijn.'

'Wanneer is dat?'

Winter tuurde tegen de zon in. Die was op weg naar beneden, maar had nog steeds uren om langs de hemel te trekken. De dag zou doorgaan in de nacht, steeds maar doorgaan. Ik krijg geen slaap voordat dit allemaal voorbij is. Ik hoop dat mijn hoofd het volhoudt. Het bonkt op dit moment niet zo erg boven mijn oog. Het is binnenkort voorbij. Het begint te bewegen, een nieuw bewegingspatroon. Mensen worden nerveus, nerveuzer. We komen dichterbij.

'We zijn klaar als de zon ondergaat,' zei Winter.

'Maar die gaat nooit onder.'

Jerker Reinholz stapte uit zijn taxi en strekte zijn armen hoog in de lucht. Een hele dag, of nacht, in de auto trok de spieren samen en het was belangrijk ze weer uit elkaar te trekken. Hij wilde geen kromme rug krijgen. Als een kreupele. Een arme stakker. Er waren al te veel arme stakkers. Kijk maar naar de meeste mensen die hier reden. Arme stakkers. Ze kwamen niet verder. Ze zaten klem. Ze durfden niets. Ze namen geen risico's. Mijn god, hij had risico's genomen, maar dat was goed gegaan. Je moest risico's nemen. Wie dat niet deed, was een kreupele. Die smeris was niet echt klein, maar hij was niet slim, dat kon iedereen zien. Vertellen hoeveel minuten hij daarbinnen was geweest. Zij vonden dat misschien slim, maar het was niet slim. Ze hadden gedacht hem daarmee te confronteren, maar waar was dat goed voor? Hoe zou hij daarop gepakt kunnen worden? Niemand had hem gezien, toch? Hij had toen gezegd dat hij voetstappen had gehoord, maar dat had hij verzonnen! Want dat heb ik! Dat heb ik toch? Ik had toch geen tijd om daaraan te denken? Voetstappen? Ik had genoeg aan mijn eigen passen. Verdomme. Het was niet de bedoeling dat het zó zou gaan. Dat was het toch niet? Dat hadden ze niet tegen me gezegd. Dat het zó zou gaan. Verdomme, verdomme. En er daarna over praten ging natuurlijk niet. Dat gaat niet, dat snapt iedereen. De politie begrijpt het ook, maar dat is dan ook het enige wat ze begrijpen. Daar heb je Peter. Hallo, hallo. Dat was zonet, even snel zwaaien op de Gråbovägen. Ik kon de silhouetten op de achterbank zien toen we elkaar tegenkwamen. Even een teken en het was klaar en iedereen wist het. Als je alles maar goed in de gaten hield, was er geen probleem. Dat is het mooie met een taxi. Niemand ziet een taxi, de wagens zijn in feite onzichtbaar.

Alan, o Alan, waar ga je heen? Je hebt je overhemd kapot gescheurd aan een stekelige struik. Die heb je ook in deze kleine bossen.

Je hebt hen achter je gelaten. Ze waren niet echt snel, of ze vonden het niet zo belangrijk om achter je aan te rennen. Of ze konden het gewoon niet. De ene is oud en de andere is jonger, maar hij rende ook niet ver.

Ze zagen je niet toen je deze kant op ging. Je rende in een cirkel. Een paar kinderen draaiden zich om toen je langskwam, maar vervolgens speelden ze gewoon verder. Er stond een locomotief.

Waarom ren je, Alan? Dat weet je niet. Plotseling had je geen woorden meer. Daarna was het niet mogelijk om terug te keren. Wie begint te rennen, blijft rennen. Je wou dat je niets wist. Dat niemand iets aan je had verteld. Dat je doof was. Dat je niet hier was, hier in dit land. Er is niemand die dat nu wil. Het zijn nu levende doden, zij die geen dode doden zijn. Zo zei ze het. Nu wordt je voet nat, en je schoen, doorweekt. Een moeras. Een bos bijna midden in een grote stad, dat is eigenlijk belachelijk. Wat ga je nu doen?

Het wordt de cel, Alan, als je blijft rennen. En zwijgen. En je kunt niet naar huis rennen, naar huis huis huis dus. Dat is tienduizend kilometer.

De jongen wierp de bal tegen een muur. Het was een vlakke muur en de bal kwam langs dezelfde weg terug. Soms had hij tegen oneffen muren gegooid, en dan kon de bal overal terechtkomen.

Soms wilde hij dat hij weer naar school mocht. De vakantie was nog maar net begonnen, maar hij had niets te doen en hij wilde niet rondlopen of rondfietsen en nietsdoen. En nadenken. En speuren. Dat wilde hij ook niet. Hij wilde thuis niets zeggen, hij had begrepen dat hij dat niet moest doen. Dan zouden ze verhuizen. Ze waren al zo vaak verhuisd, en hij wilde dat niet nog een keer doen en hij dacht niet dat het nodig zou zijn. Iedereen zou het vergeten. Niemand zou gaan zoeken.

De bal kwam niet terug in zijn hand.

'Is dit jouw bal?'

Hij draaide zich om. Hij kon niet zien wie het was. Hij zag alleen maar schaduwen.

'Volgens mij vind je dit een fijne bal.'

'Ja…'

'Mag ik een keer gooien?'

Een worp tegen de muur en de bal kwam terug en de schaduw pakte hem. Hij noemde de figuur nu de schaduw. De schaduw. Die verplaatste zich niet.

'Ik heb je al een paar dagen niet gezien.'

De jongen antwoordde niet.

'Maar er zijn hier veel kinderen.'

'Mag ik mijn bal terug?'

'Zo meteen, zo meteen.'

'Ik moet gaan.'

'Ik ook. We kunnen samen gaan.'

'Ik ga naar huis.'

'Waar is je fiets? Je hebt je fiets niet bij je.'

'Thuis.'

'Ik weet waar je woont.'

De jongen antwoordde niet.

'Wil je geen voetbal hebben?'

De jongen antwoordde niet. Hij wilde hier weg, weg uit de schaduw als het ware, en hij wilde zijn bal terug. Hij had hem al heel lang. Hij was even goed als een voetbal.

'Nee.'

'Je wilt geen nieuwe voetbal?'

'Nee.'

'Ik heb er een die je mag hebben.'

'Ik wil mijn tennisbal terug.'

'Wil je niet ruilen?'

'Ik wil mijn bal terug.'

De jongen hoopte dat er iemand langs zou komen, maar hij had de achterkant van een flatgebouw gekozen, bij de velden, en daar liep op dit moment niemand.

'Hier heb je je bal,' zei de schaduw.

Winters mobieltje begon te rinkelen toen hij naar het zuiden reed.

'Wanneer kom je thuis?'

'Ik ben onderweg.'

'De meisjes zijn dreinerig. We moeten iets eten.'

Hij merkte dat hij ook iets moest eten. Hij had opeens enorme honger.

'Zeg maar wanneer je komt, dan begin ik met koken,' zei Angela.
'Over twintig minuten.'

Zijn mobieltje rinkelde ter hoogte van Kortedala. Extra opgeroepen agenten uit die wijk zochten in de bossen van Bergsjön naar Alan. Dat was hun district. Winter en Ringmar verwachtten elk moment iets te horen. De jongen kon niet ver komen. Dat wilde hij vermoedelijk ook niet. Hij kon in gevaar verkeren. Iedereen verkeerde in gevaar.

'Met Fredrik.'

'Ja?'

'Reinholz kon niet vertellen waarom het zo lang had geduurd, maar voor hem duurde het misschien niet lang. In die situatie.'

'Nee.'

'Er is iets met die klootzak, maar misschien is hij gewoon alleen maar een louche figuur.'

'Ja.'

'Wat ben jij spraakzaam, zeg.'

'Ja.'

'Oké, ik vervolg mijn monoloog. De auto was gestolen. Bij Heden. Waar anders?'

'Hm.'

'Hoe gaat het met je, Erik?'

'Ik heb hoofdpijn. Ga door.'

'Die nachtloper had niet veel meer te zeggen. Hij was aan het rennen en stuitte op een lijk.'

'Heeft hij niets gehoord?'

'Kijk eens aan, een teken van leven.'

'Geluiden?'

'Nee.'

'Oké.'

'Maar Torsten heeft een nieuwtje. Ik wilde het beste voor het laatst bewaren.'

'Ja?'

'Er was ook bloed van iemand anders.'

'Je bedoelt in het bos?'

'Ik bedoel het bos. Hama Ali's laatste plaats in het leven. Het was zijn bloed, maar ook van iemand anders.'

'Waar?'

'Op de plek waar hij lag.'

'Goed. We hadden op een snel antwoord gehoopt en dat is Torsten dus gelukt. Maar als ze iets in de registers hadden gevonden, had je dat al verteld.'

'Er was geen profiel waarmee het bloed kon worden vergeleken, nee.'
'Heeft de moordenaar zich gesneden?'
'Of er is nog een slachtoffer,' zei Halders. 'Een beoogd slachtoffer.'
'We hebben niet nog meer slachtoffers nodig.'
'Doe nou maar iets aan je koppijn.'

Angela had paddenstoelen gebakken voor bij de pasta. Hij herkende een paar cantharellen die ze vorige herfst hadden geplukt. Elsa viste ze uit de pasta.
'Gaan we straks zwemmen, papa?'
'Dat is goed.'

Het water voelde even warm aan als de lucht. Elsa en Lilly bouwden kastelen en hutten aan de rand van het water. Ze bevonden zich op het privéstrand van de familie Hoffmann-Winter, maar er was nog niets op gebouwd. Misschien volgend jaar, of het jaar erna, enzovoort. Winter sloot zijn ogen. Hij zag rode en zwarte kleuren. Het begon te gloeien boven zijn oog, maar slechts even. Binnen een dag zou het voorgoed verdwijnen, of de dag daarna. En dan zou hij de dokter raadplegen.
'En hoe ziet de rest van je dag eruit?' vroeg Angela.
'Ik weet het niet.'
'Straks gaat je mobieltje weer rinkelen.'
'Misschien voor het laatst in deze zaak,' zei Winter vanachter zijn gesloten oogleden.
'Je ziet er moe uit, Erik. Ik vind het niet leuk om dat te zeggen, dat weet je, maar je ziet er knap kapot uit.'
'Knap of kapot?'
'Kies zelf maar.'
En zijn mobieltje begon te rinkelen. Dit was de moderne wereld.

33

Ik weet nog toen alle kinderen de klaslokalen uit renden en zich op het schoolplein verzamelden. We waren net een kudde kleine geiten die staan te trillen omdat ze weten dat er iets vreselijks gaat gebeuren. Dat weet ik nog. Ik herinner me vooral één keer, met name omdat het een mooie avond was en we 's avonds les hadden. Overdag was het te warm om naar school te gaan. Of het was om een andere reden. Misschien de oorlog. Misschien was het ergens anders. Dat kan ik me niet precies herinneren. Maar ik herinner me dat we daar stonden, toen het overal rood was, echt overal, dat moet de zon zijn geweest, de bergen en de lucht en het zand en de huizen en wijzelf. We waren zelf ook helemaal rood.

Zoiets zul jij je nooit herinneren, want dat komt hier niet voor. Er zijn natuurlijk wel scholen, maar die zijn net een paradijs, zelfs als ze slecht zijn. Wat maakt het uit als je niets leert? Zo zeg je dat toch, wat maakt het uit? Wat betekent het als je iets leert? Wat moet je er later mee? Waar kun je het voor gebruiken? Dat wat je hebt geleerd? Je hoeft niet te antwoorden, want er is geen antwoord. Voor mij is er in elk geval geen antwoord.

Kun je opgeven? Daar gaat het niet om. Dan wordt het te makkelijk. Het gaat om andere dingen. Ik heb geprobeerd erover te praten, over hoe het was en hoe het ging, nee, niet hoe het ging, nog niet, daar kom ik nog op. Maar ik wil niet en dat is niet zo vreemd, toch?

Ik zou nog een keer op dat schoolplein willen staan. Dat rode schoolplein. Is dat te veel gevraagd? Ja, ik weet dat het te veel is, dat het onmogelijk is, maar ik wil er toch over dromen, zoals je droomt wanneer je wakker bent. Ik wil niet wakker zijn. Wakker zijn en voor de rest van je leven in leven zijn, wordt erger dan de dood. Begrijp je dat? Jij kunt jouw leven leiden, maar mijn leven bestaat niet meer. Er is niets meer. Ik kan niet zeggen dat ik wist dat het voorbij was toen ik… toen ik… maar nu weet ik het.

Als ik op de plek was gebleven waar mijn schoolplein lag, was ik nooit mijn leven kwijtgeraakt voordat het voorbij was. Begrijp je? Als de tijd stil was blijven staan, of een aardig iemand de tijd daar had stilgezet, precies op dat moment. Waarom is niet iedereen aardig, kon ik toen denken.

De vreselijke dingen. Je wilt dat ik over de vreselijke dingen ga praten. Is dat zo? Dat heb ik al gedaan! Dat doe ik aldoor al.

Maar als alles te laat is, wordt het makkelijker om over alles te praten. Heb ik ooit gehuild? Ik ga het doen, maar niet aan deze tafel, in deze kamer. Ik vind het goed dat het hier zo donker is. Ik kan je nauwelijks zien en dat is goed.

In zulke kamers waren wij.

Dat duurde niet zo lang.

En toen was het voorbij, en ik kon het niet vergeten en ik was niet alleen. En vervolgens besloten we wat we zouden doen, maar het liep anders, het gaat nooit zoals je besluit.

34

'Dit is de enige uitzondering die ik maak en ooit zal maken, Winter.'
Winter hield zijn mobieltje met Brorsans stem twintig centimeter van zijn oor. Angela schrok even. Lilly en Elsa keken op. De zeilboten op de rede gierden. Zelfs als Brorsan geheime uitzonderingen maakte, was dat een boodschap aan de wereld.

'Heb je met Abdullah gesproken?' vroeg Winter.

'Wat denk je, verdomme?'

'Rustig maar, je hoeft je niet op mij af te reageren, Brorsan.'

'Op wie dan wel?'

'Waar en wanneer?' vroeg Winter.

Toen ze weer thuis waren, belde Winter naar Öberg. Terwijl hij wachtte tot er werd opgenomen, voelde hij dat zijn haar door het zout alle kanten uit stak. De hoofdpijn was verdwenen. Wellicht had hij geen tumor. Misschien was het geen migraine. Het was dit. Dit telefoongesprek onder andere. Hij was misschien allergisch geworden. Het kwam en ging.

'Wat kun je over het bloed zeggen?'

'Volgens de generalist gaat het beslist om twee DNA-profielen.'

De generalist was de persoon bij het Gerechtelijk Laboratorium met wie Öberg contact had tijdens het onderzoek. Dat was het makkelijkst.

'Geen match in de registers?'

'Nee. Ook niet met Hiwa.'

'Hij had nog niet echt carrière gemaakt,' zei Winter.

'Helaas.'

'Dus er is nog iemand. Hoeveel is het? Het bloed, bedoel ik.'

'Dat weet ik nog niet. Ik wist dat het bloed was, maar dat was dan ook alles.'

'Het lijkt me het meest logisch dat het van de moordenaar is,' zei Winter. 'Misschien kom ik vanavond meer te weten.'

'Wat gaat er dan gebeuren?'

'Ik ga een informant ontmoeten.'

'Brorsans geheim?'
'Ja.'
'Dat is me ook wat. Wees voorzichtig.'

'Is het gevaarlijk, Erik?'
'Nee.'
'Je hebt me beloofd niet tegen me te liegen. Vooral niet als het om je werk gaat.'
'Dat heb ik beloofd.'
'En, is het gevaarlijk?'
'Dat kan ik me niet voorstellen, Angela. Alleen wij en hij zullen er zijn.'
'Waar?'
'Een afgelegen plek, maar dat is alleen maar goed. Er is toezicht.'
'Waarom niet op het kantoor van die politieman? Of op jouw kamer?'
'Dan komt hij niet.'
'Neemt hij de beslissingen?'
'Nee, maar we weten niet eens waar hij zich nu bevindt. Op dit moment vindt de ontmoeting op zijn voorwaarden plaats.'
'Ik vind het maar niks.'
'Wie wel?'
'Waarom laat je die… Brorsan het niet in zijn eentje doen? Je hebt zelf gezegd dat het zijn bron is, of hoe jullie dat ook noemen. Laat hém dan met de informant praten.'
'Ik wil erbij zijn.'
'Waarom?'
'Omdat ik ervan overtuigd ben dat het met mijn zaak te maken heeft. Deze man weet iets wat mij kan helpen. Het is niet zeker dat Brorsan dat uit hem krijgt.'
'Als iemand het kan, is hij het wel,' zei Angela.
'Ik weet het zo net nog niet.'
'Beloof je dat je voorzichtig zult zijn?'
'Er is geen gevaar, Angela.'
'Hebben jullie meer mensen bij je? Meer agenten?'
'In bredere kring, ja.'
'Wat betekent dat, in bredere kring?'
'Als hij probeert ervandoor te gaan, zal hem dat niet lukken.'

Ringmar en Winter spraken elkaar in Winters kamer. *Trane's Slo Blues* verschafte het juiste melancholieke gevoel, als je daar gevoelig voor was. Het raam stond open en liet de avondlucht binnen. De muziek was vijftig jaar geleden opgenomen, maar het had nu kunnen zijn, of later. Melancholie is tijdloos. En gevaarlijk. Dit was niet de tijd of de plek voor zwaarmoedigheid.

'Hoe voel je je?' vroeg Winter.

'Beter.'

'Nog wat gehoord over die prostitutie?'

'Nee, die is nog meer ondergronds gegaan.'

'Die verdween met de schoten bij Jimmy.'

'Daar lijkt het op.'

'Wat zegt dat ons?'

'Dat onze slachtoffers erbij betrokken waren.'

'Allemaal?'

'Dat is een heel goede vraag.'

'Hiwa Aziz, Jimmy Foro, Said Rezai, Shahnaz Rezai, Hama Ali Moham-mad.'

'Allemaal, of een paar, of geen van allen.'

'En twee verdwenen personen. Alan Darwish en Hussein Hussein.'

'Beschouw je Alan Darwish als verdwenen?'

'Voorlopig. Weggelopen en verdwenen.'

'Ik voel me dom, Erik.'

'Had je achter hem aan kunnen rennen?'

'Nee.'

'Het was mijn schuld. Ik had de centrale vergrendeling eraf gehaald. Ik opende mijn portier.'

'Ja, oké. Maar wie kon voorzien dat de jongen hem zou smeren?'

'Dat wist hijzelf niet eens.'

'Nee. Maar we moeten hem snel zien te vinden.'

'Want anders?'

'Precies. Want anders?'

'Raakt hij ook in de problemen.'

'Mogelijk.'

'Net als de jonge Hama Ali.'

'Is er iets wat wij hier moeten begrijpen, Erik?'

'Alan leidt ons naar een moordenaar.'

'Mozaffar?'

'Is hij een moordenaar, Bertil?'

'Ik vind het moeilijk hem zo te zien.'

'Dan zit hij in de nesten.'

'Moeten we hem oppakken?'

'Nee, niet op dit moment. De officier van justitie zou geen toestemming krijgen voor een voorlopige hechtenis.'

'Dat weten we niet, Erik.'

'De verhoren zouden niets opleveren. Nog niet.'

'Je wacht af wat er vanavond gebeurt?'

'Ja. Een nieuwe naam, of een oude.'

'Reinholz?'

'Die tien minuten zijn niet voldoende.'

'We kunnen hem oppakken.'

Winter antwoordde niet. De muziek was gestopt en hij liep naar de hoek waar de Panasonic stond, en zette de cd weer aan. *Like Someone In Love.*

'Waarom zou Mozaffar een moordenaar worden?' vroeg Winter en hij draaide zich om.

'Ik weet het niet.'

'Wat is zijn relatie tot de familie Aziz?'

'Dat weten we niet.'

'Hebben we geprobeerd daarachter te komen?'

'Ja.'

'We weten misschien het weinige dat er te weten valt.'

'Misschien.'

'Waarom zou Mozaffar een moordenaar zijn?' herhaalde Winter. 'Waarom?'

'Wat heeft waarmee te maken?' zei Ringmar.

'Neem nou de prostitutie. We hebben echt geprobeerd iets tegen de gevestigde bendes te vinden, maar die zijn het niet, dus dat kan het niet zijn. Niet deze keer, niet die liga. Wat zegt dat ons?'

'Dat het een andere bende is. Eén die nog niet gevestigd is.'

'Jimmy, Hiwa. Ze werkten tenslotte samen. Said, misschien. Als hij niet gewoon een klant was die op het verkeerde moment op de verkeerde plek was.'

'En zijn vrouw.'

'Waarom moest zijn vrouw dood? En op die manier?'

'Was zij erbij betrokken?' zei Ringmar.

'Waarbij betrokken? Bij de prostitutie?'

'Haar man was een kleine vis, maar de stap naar... ik weet het niet.'

'Niemand weet het,' zei Winter, 'maar zo zit het niet in elkaar. Het is iets anders. Het is de stilte.'

Ringmar knikte.

'Niemand zegt iets,' zei Winter. 'Dat zijn we gewend, het is bijna een samenvatting van dit klotewerk. Maar nu is het echt stíl. Mijn god, Bertil, de mensen rennen liever het bos in dan dat ze iets zeggen!'

Ringmar begon te lachen, heel even, waardoor de gordijnen leken te fladderen.

'Het is angst,' ging Winter verder. 'Waarom zijn ze bang?'

'Hoe bedoel je?'

'Waarom zijn ze allemaal bang?' herhaalde Winter. 'Waar zijn ze bang voor?'

'Je zei "waar". Niet "voor wie".'

'Zijn ze bang om zelf in de problemen te raken?' vroeg Winter. 'Of is het iets anders?'

'Wat zou dat moeten zijn?'

'Angst dat de waarheid aan het licht komt, Bertil.'

'De waarheid?'

'De waarheid over die moorden. De schoten bij Jimmy. Wat daar eigenlijk achter zat. De waarheid. Die is erger dan wat dan ook.'

Een kind verliezen was erger dan wat dan ook. Een zoon. Ediba Aziz had haar zoon verloren. Winter vroeg hoe het met haar ging. Het was nu avond, eigenlijk was het te laat voor dit gesprek. De tolk vertaalde. Het was een vrouw die zich had voorgesteld als Parwin. Möllerström had de Tolkencentrale gebeld en die had Parwin gestuurd. Ze leek niet veel ouder dan Nasrin. Ze hadden kort naar elkaar geknikt, Parwin en Nasrin. Winter kreeg de indruk dat ze elkaar kenden, maar niet meer dan dat, misschien zelfs minder: de begroeting bevatte geen warmte, maar misschien had dat te maken met het respect voor het verdriet dat nog steeds boven dit huis hing, als een zwarte vogel die niet langer vliegt.

Thee en koekjes stonden op tafel. Winter dronk van de zoete thee en nam een hapje van een knapperig bladerdeegkoekje dat bestrooid was met sesamzaadjes.

'Sesamkoekjes,' zei Nasrin.

Haar gezicht had iets ironisch, haar ogen hadden een bepaalde uitdrukking. Alsof ze het vanzelfsprekende beschreef. Alsof Winter het vanzelfsprekende niet kon zien.

Ze knikte naar de schaal met koekjes en gebak op de tafel die tussen hen in stond.

'Walnootbolletjes met vulling,' zei ze en ze knikte weer naar een paar walnootbolletjes met vulling, een bol gevuld met een bol. Winter dacht aan de jongen met zijn tennisbal. Hij was weg. Hij zou zich niet laten vinden. Hij bestond misschien niet eens, niet in de zin zoals Winter wilde dat hij zou bestaan.

Plotseling had hij besloten dat hij hierheen wilde, naar de lichte en lege flat in Hammarkullen waar de rest van de familie Aziz woonde.

Sirwa, het jongste zusje, was er niet. Azad, de jongste broer, vertrok toen Winter kwam. De jongen knikte even en was weg.

Winter legde zijn sesamkoekje op zijn bord.

Ediba Aziz zei iets.

'Ze vraagt of je het koekje niet lekker vindt,' zei Parwin.

'Het is heel lekker,' zei Winter.

Nasrin lachte even. Het geluid klonk niet als een lach.

'Lieg niet,' zei ze. 'Politiemensen moeten niet liegen.'

'Ik lieg niet,' zei Winter. Hij pakte het koekje weer op en stopte het in zijn geheel in zijn mond.

'Heb je zoiets weleens eerder gehad?'

Hij at tot zijn mond leeg was. 'Ja, heel vaak,' zei hij toen. 'Ik hou van zoete dingen.'

'Dat geloof ik niet.'

'Hoe zit het met jou, Nasrin?'

'Wat bedoel je?'

'Hou jij van zoete dingen?'

'Nee.' Ze schudde haar hoofd. Haar dikke haar bewoog mee. Ze had iets met haar haar gedaan sinds Winter haar de vorige keer had gezien. Wanneer was dat? Het leek wel een week geleden. 'Ik hou van zure dingen.'

'Citroenen?' zei Winter.

'Ben je daarvoor gekomen? Om mij naar citroenen te vragen?'

Ze stond op en verliet de kamer.

Haar moeder zei iets.

'Ze is boos,' vertaalde Parwin. 'Nasrin is boos.'

Winter knikte.

Ediba zei weer iets: 'Ze gaat bijna nooit naar buiten. Ze zit alleen maar op haar kamer.'

'Neem me niet kwalijk,' zei Winter en hij stond op. 'Mag ik op haar kamer met haar gaan praten?'

Ediba knikte.

Ze antwoordde nadat hij twee keer had geklopt.

Winter deed de deur open.

'Ik wil met rust worden gelaten,' zei ze.

'Ik moet met je praten, Nasrin,' zei hij en hij liep een eindje de kamer in. Nasrin zat op haar bed. Er hing een poster boven het bed. Daarop was een dorp afgebeeld. Winter herkende de bergen.

'Dat had je in de woonkamer kunnen doen.'

'Je liep weg.'

'Als je over koekjes en citroenen blijft praten, kun je meteen vertrekken.'

'Jij begon.'

'Wat is dit voor kinderachtig gedoe?' zei Nasrin.

'Mag ik gaan zitten?'

'Niet op mijn bed.'

Er klonk muziek in de kamer. Het was muziek uit haar oude land. Maar de zanger klonk jonger dan Naser Razzazi. De muziek klonk jeugdiger.

'Wie is dat?' vroeg Winter.

'Jij bent kennelijk overal in geïnteresseerd,' zei ze. 'Vraag je altijd overal naar?'

'Ik ben geïnteresseerd in muziek.'

'Ik heb je al een keer verteld wie het is. Weet je dat niet meer?'

'Nee.'

Ze strekte haar hand uit naar iets wat op het bed lag en gooide dat plotseling naar Winter. Hij ving het in de lucht en bezeerde zijn hand.

'Goed gedaan!'

Hij las het hoesje van de cd.

'Zakaria.'

'Hij is teruggegaan.'

'Teruggegaan?'

'Hij woonde in Zweden, maar hij is teruggegaan naar Koerdistan.'

Ze knikte naar iets achter Winter. Hij draaide zich om. Er hing een landkaart aan de muur.

'Koerdistan?'

'Wat denk je?'

'Ik denk inderdaad dat dat Koerdistan is,' zei hij en hij glimlachte.

'Dat klopt! Zo ziet het eruit. Als het bestond. Mijn land zou er zo hebben uitgezien als het had bestaan.'

Het leek op Italië, maar dan zonder de punt van de laars. Een Italië dat tussen de Middellandse Zee, de Kaspische Zee en de Perzische Golf was neergelegd.

'Waar komt de familie Aziz vandaan?' vroeg Winter. 'Kun je dat aanwijzen?'

'Nee.'

Dat klonk heel definitief. Ze wilde nu niet naar de kaart kijken.

'Wil jij ook terug?'

'Daar is het te laat voor.'

'Waarom?'

'Er is daar niets meer. Niets om aan te wijzen. Het is voorgoed weg. En dan heeft het geen zin erheen te verhuizen. Of wel soms?'

'Jij bent de enige die dat kan beslissen, Nasrin.'

Er verscheen een eigenaardige glimlach op haar gezicht. Of gebeurde er alleen iets met haar lippen toen ze zich naar voren boog?

'Waarover zingt hij?'

'Hè?'

'Waarover zingt hij?' herhaalde Winter. 'Zakaria.'

Ze leek te luisteren.

Ze leek haar belangstelling te verliezen, voor de muziek, om op haar bed te blijven zitten, om naar Winters vragen te luisteren.

'Het zijn gewoon liefdesliedjes.'

Winter las wat er op het hoesje stond.

'*Bo Pesimani*. Wat betekent dat?'

'Ik heb er spijt van. Dat zingt hij, ik heb er spijt van, ik heb er spijt van.'
'Een veelvoorkomend thema in liefdesliedjes.'
'Is dat zo?'
'Ik geloof het wel.'
Nasrin stond op.
'Ik geloof dat ik even naar buiten ga.'
'Mag ik je eerst nog iets vragen, Nasrin?'
Ze antwoordde niet.
'Was Hiwa op de een of andere manier betrokken bij prostitutie?'
Ze was al onderweg naar de deur. Winter kon haar gezicht niet zien. Ze draaide zich niet om.
'Ging het daarom, Nasrin? Prostitutie?'
Ze draaide zich om. Haar gezicht was als voorheen.
'Op de een of andere manier? Wat bedoel je? Hield hij zich er op de een of andere manier mee bezig?'
'Was hij betrokken bij prostitutie?'
'Waarom zou hij dat zijn geweest?'
'Ik vraag het aan jou.'
'Daar weet ik niets van.'
'Is dat echt waar, Nasrin?'
'Het is echt waar,' zei ze en ze verliet de kamer.

35

Winter passeerde een aantal straten in het stadsdeel Angered: Fjällbinkan, Fjällgrimman, Fjällgrönan, Fjällhavren, Fjällkåpan. Allemaal straatnamen die naar de bergen verwezen. Hij bevond zich in de bergen. Beneden hem lagen de velden, hij zag de koeien vredig grazen in het prachtige schemerlicht.

Het uitzichtpunt was wijd en breed. Winter parkeerde zijn auto en liep over het gras naar de bosjes.

Hij zag de bank en de persoon die erop zat. Hij ging naast hem zitten.

'Het is mooi hier,' zei Brorsan.

'Ja, dat is het inderdaad.'

'Soms rij ik hierheen om na te denken.'

'Waar denk je dan aan?'

'Meestal denk ik helemaal niet,' zei Brorsan en hij glimlachte. 'Zie je de koeien? Net het platteland.'

'Ik had precies dezelfde gedachte,' zei Winter.

'Kijk eens aan. Dit haalt de vredigheid in ons naar boven. De natuur. Een moment van bezinning.' Hij draaide zich om naar Winter. 'Heb jij de laatste tijd nog veel nagedacht?'

'Daar gaat het toch allemaal om in ons werk, Brorsan?'

Brorsan wees naar het dal. Dat strekte zich verder uit dan ze zelfs met een verrekijker zouden kunnen zien. De huizen in de dorpen waren net miniatuurwoningen op een groene plaat met een modelspoorbaan.

'Zie je de idylle daarbeneden? Zie je de Gunnilsevägen? Dat is die lange weg daar. Daar wonen per honderd meter meer bandieten dan waar ook in Noord-Europa.'

'Het oog kan je werkelijk bedriegen,' zei Winter. 'Waar is Abdullah?'

'Hij komt. Hij wilde alleen wachten tot het wat donkerder wordt.'

'Dan moeten we hier tot augustus blijven zitten.'

'Nee, nee. Maar hij is er nog niet aan gewend dat het in deze tijd van het jaar niet helemaal donker wordt.'

'Wanneer is hij naar Zweden gekomen?'

'Vijftien jaar geleden.'

'Ik begrijp het.'

'Hij weet niet dat jij hier ook bent, Winter.'

'Is dat wel zo slim?'

'Dat jij erbij bent? Nee. Maar nu ben je hier en als ik hem dat had verteld, was hij nooit gekomen.'

'Hoe gaan we het aanpakken?'

'Ik ga eerst met hem praten.' Brorsan knikte naar het dal. Ze zagen een auto in westelijke richting rijden. Daarvandaan leidden geen wegen naar het uitzichtpunt. Het was inmiddels zo schemerig dat de lichtkegels van de koplampen in de vooravond te zien waren. 'Zie je die auto daarbeneden? Dat is hem.'

'Heeft hij soms een terreinwagen die ook in de bergen kan rijden, Brorsan?'

'Het had hem kunnen zijn.'

Winter keek op zijn horloge. Hij was bereid om op Godot te wachten. Om het absurde gesprek voort te zetten. Brorsan was nerveus, dat was hij altijd in dit soort situaties. Winter was niet nerveus, maar hij voelde een opwinding die hij tegenhield met gesprekken als deze. Ze hadden twee vrienden kunnen zijn die vanaf het hoogste punt de schemering bewonderden. De zomer zou niet lichter worden dan nu het geval was. Het was gekeerd, de zomerzonnewende had al plaatsgevonden. Na midzomeravond waren de dagen alweer korter geworden. Dat was misschien een troost voor Abdullah.

'Neem me niet kwalijk,' zei Brorsan en hij stond op.

Alan had bij de kruising staan wachten en de auto was gekomen. Hij had natuurlijk niet midden op de kruising gestaan, dat zou geen goed idee zijn geweest. Maar als er iets gebeurde, wisten ze dat hij daar zou staan. Daar zou hij heen gaan als hij kon, ja, niet alleen hij. Hij zou niet bellen, dat ging immers niet. Hij zou proberen daar te zijn.

Het was geen goed idee geweest om er zomaar vandoor te gaan.

Soms raakt je hoofd verstopt. Maar je moest tijd hebben om na te denken, en toen was die tijd er niet geweest.

Nu was die er wel. Misschien.

Hij rende naar de auto en sprong erin. Het achterportier was al open. De auto reed weg.

'Ga op de vloer liggen!'

Hij wierp zich omlaag, het ging zo snel dat zijn neus met een klap de rubbermat raakte. Het deed pijn. Hij rook de geur van aarde en zand.

Winter stak een Corps op en probeerde niet om zich heen te kijken. De rook gleed door de heldere lucht over de rand en werd een wolk boven het dal, een flard, de eerste in weken. Hij wreef over zijn oog, de pijn was teruggekomen, maar vooral als een schaduw van hoe het eerder was geweest. Misschien zou de nicotine helpen. Hij had gelezen dat die tegen de ziekte van Alzheimer hielp, het kwade proces vertraagde, en dat was goed.

Hij meende Brorsans stem te horen.

'Winter.'

Hij draaide zijn hoofd om. Brorsan stond bij de bosjes.

'Het is tijd.'

Winter stond op en volgde Brorsan.

Aan de andere kant van de parkeerplaats stond een Opel Corsa uit het vorige decennium, of het decennium daarvoor, wit, verroest. De Opel had er niet gestaan toen Winter arriveerde.

Hij kon niemand in de auto zien.

'Is hij met die auto gekomen?' vroeg Winter toen ze over de parkeerplaats liepen.

Brorsan keek om zich heen.

Een stelletje zat op een van de banken aan de rand van het terrein. Ze waren jong, hun ruggen leken dun, alsof ze naar Gunnilse zouden kunnen waaien als er een krachtige wind opstak.

'Ken je die jongelui?' vroeg Winter.

'Nee.'

'Ik vind dit niet prettig.'

'Ik kan ze niet wegsturen, of wel soms?'

'Heb jij deze plek gekozen, Brorsan?'

'Ik had geen keuze, en dat weet je, Winter.' Brorsan ontmoette Winters blik. 'Je had hier niet eens moeten zijn.' Hij knikte naar de auto. 'Ga voorin zitten. Het portier is open.'

Winter liep om de auto heen.

Hij nam plaats.

Brorsan ging naast hem zitten.

Winter had de gestalte gezien die achterin op de vloer lag, maar dat was dan ook alles.

Het was nog een beetje meer gaan schemeren, alsof het licht steeds verder werd gedimd naarmate de schemering viel.

Hij hoorde een geluid achter zich, alsof iemand zijn neus snoot, of hoestte.

'Draai je niet om,' zei Brorsan.

Nu hoorde Winter een stem. Die was gedempt, of eerder gesmoord, het geluid van iemand die een zakdoek of een ander stuk stof voor zijn mond houdt. De stem kon uit elke willekeurige hoek komen, dacht hij. Je kon horen wat er werd gezegd, maar het waren woorden zonder kleur of klank, eigenlijk zonder taal.

'Niemand anders, had ik gezegd!'

'Ik ben niet van plan me te verontschuldigen,' zei Brorsan met zijn blik op het uitzicht, dat vanuit dit perspectief voornamelijk uit lucht bestond en uit het jonge stel dat nog steeds met hun rug naar hen toe zat. Waarom zouden twee oude mannen als Brorsan en Winter interessant zijn voor een jong stel?

'Je had het beloofd!'

'Dit is Erik Winter, hoofdinspecteur bij de recherche. Hij leidt het onderzoek naar de moorden in Hjällbo. Hij moet hier bij zijn.'

De stem achterin was stil. Heel even dacht Winter dat zijn aanwezigheid het allemaal zou verpesten. Dat hij had moeten wachten.

'Hij heeft zich opgedrongen,' zei Brorsan. 'Maar dat verandert niets.'

Een gemompel achterin.

'Hij kan je niet zien, toch? Hij herkent je stem niet. Hij weet niet hoe je heet. Vertel nu maar wat je weet, dan kunnen we hier zo snel mogelijk weer weg.'

Er zaten geen autosleutels in het contact. Dat betekende niets.

Hij is hier niet zelf naartoe gereden, dacht Winter.

Dat kwam niet door de sleutels. Het was gewoon een gedachte. Iemand anders had Abdullah hierheen gebracht. Winter had de auto niet eens gehoord. Die moest de laatste meters, misschien wel honderd, met uitgezette motor hebben gerold. Vanuit het oosten liep de weg lichtjes omlaag.

'Ik heb eerder vanavond geprobeerd je te bereiken,' zei Brorsan. 'En vanmiddag.'

Hij kreeg geen antwoord.

'Je moeder wist niets,' zei Brorsan.

Winter keek naar Brorsan.

'Waarom ging je ervandoor?' vroeg Brorsan.

'Wat denk je?'

'Daar moet je meteen mee ophouden,' zei Brorsan. 'Probeer gewoon mijn vragen te beantwoorden. Waarom ging je ervandoor?'

'Ik werd bang.'

'Waarvoor?'

'De wapens. De geweren.'

'Nu begrijp ik je niet.'

'Hama... ik wist dat hij zou helpen een paar hagelgeweren te regelen, en ik deed mee... niet op die manier, maar ik wist dat ze ermee bezig waren. Ik hielp ze aan een auto.'

'Waar kwam die vandaan?'

'Heden.'

Brorsan keek naar Winter en Winter knikte. Heden, de mooie, open parkeerplaats voor auto's die binnen de kortste tijd zouden worden gestolen.

'Hama? Is dat Hama Ali Mohammad?'

'Ja.'

'Hij is vermoord, weet je dat?' zei Brorsan.

Geen antwoord.

'Hij is vermoord,' herhaalde Brorsan. 'Wist je dat?'

'Nee, nee. Godallemachtig, nee.'

'Je weet het misschien. En als je toen bang was, heb je nu nog veel meer reden om bang te zijn, of niet soms? Wil je daarom niet langer op de vlucht zijn? Voel je je daarom nog meer bedreigd?'

'Ik heb me niet direct bedreigd gevoeld.'

'Direct? Wat bedoel je daarmee?'

'Ik ben hem toch gesmeerd.'

Brorsan keek naar Winter.

'Wie leverde de hagelgeweren?'

'Dat weet ik niet.'

'Dat geloof ik niet.'

'Ik dacht dat het het X-team was, maar ik kwam er niet achter. Het was niet... ik ben niet te weten gekomen of zij het echt waren.'

'Hoezo echt? We hebben het X-team binnenstebuiten gekeerd,' zei Brorsan. 'We hebben niets gevonden dat erop wijst dat zij het waren.'

'Dat is het enige wat ik heb gehoord.'

'Zij waren het niet,' herhaalde Brorsan. 'Probeer het nog eens.'

'Hè?'

'Probeer ons te vertellen wie de geweren leverde. Dat is niet iets voor de junioren. Direct.'

'Ik hoorde het X-team.'

'Van wie?'

Geen antwoord.

'Van wie heb je dat gehoord?'

'De Koerden.'

'De Koerden? Wat bedoel je daar verdomme mee?'

'Iemand op het plein. In Angered. Ik kan niet zeggen wie het was. Dat maakt ook niet uit. Hij zei het X-team.'

'Wie was het?'

'Dat kan ik niet zeggen.'

'Waarom niet?'

Geen antwoord.

'Een Koerd zegt het X-team en jij gelooft dat?'

'Ik geloof niks. Ik zeg alleen wat er wordt gezegd.'

'Wie kocht ze?'

'Hè?'

'Voor wie waren de geweren bestemd?'

'Dat weet ik niet.'

'Je weet wie ze levert, maar niet wie ze koopt?'

'Ik weet het niet.'

'Hoe was Hama Ali hierbij betrokken? Hij is slechts een sjacheraar. Hij laat zich niet in met wapentransacties.'

'Ik weet niet wat hij deed. Ik regelde de auto. Verder weet ik niets.'

'Je hebt er niet naar gevraagd?'

'Ik vraag nooit iets. Dat weet je. Het is gevaarlijk om vragen te stellen.'

'Zelfs aan de ongevaarlijke Hama Ali?'

Geen antwoord.

'Wie waren het?'

'Hè?'

'Mankeert er iets aan je oren? "Hè?" Je misbruikt een van de slechtste woorden van de taal.'

'Ik weet niet wie het waren.'

'Was het de Koerd?' vroeg Winter.

Brorsan veerde op en keek Winter aan.

'Waren de geweren bestemd voor de Koerd zelf?'

'Ik weet het niet.'

'Je moet erover hebben nagedacht.'

'Nee.'

'Waarom hadden jullie het er überhaupt over? Jij en je Koerdische contact? Hoe kwam het ter sprake?'

'Ter sprake... we hebben het altijd over dingen die gaande zijn.'

'Wie? Jij en hij?'

'Nee, nee. Wij... ik bedoel een heleboel mensen. Dat weet Brorsan.'

'Wat bedoel je daarmee? "Nee, nee". Is hij geen regelmatig contact?'

'Ik... hij en ik hadden het er nooit eerder over gehad.'

'Maar deze keer dus wel?'

'Ik weet het niet, ik noemde het misschien. Ik kan het me niet herinneren.'

'Je zei in het begin dat je bang was voor de wapens. Wat bedoelde je daarmee?'

'Ik... toen ik hoorde wat er was gebeurd. Waarvoor ze waren gebruikt. Toen werd ik bang.'

'Was dat omdat je met je Koerdische contact had gepraat?'

'Nee.'

'Waarom zou je je anders bedreigd voelen? Je was er toch niet direct bij betrokken?'

'Ik... wist van de wapens. Dat was voldoende voor mij.'

'Hoeveel mensen wisten ervan?'

'Dat weet ik niet.'

'Geef ons een paar namen.'

Het was Brorsan die die vraag stelde.

Hij kreeg geen antwoord.

'Hussein Hussein?'

'Wie is dat?'

'Die werkte kennelijk bij Jimmy Foro.'

'Nee. Die ken ik niet.'

'Weet je dat hij hem ook naar het bos is gesmeerd?'

'Naar het bos? Hij… hij ook?'

'Er zijn meer mensen in deze geschiedenis die hem naar het bos smeren,' zei Brorsan.

Het was stil achter in de auto.

'Wist je dat?'

'Nee, dat wist ik niet.'

'Waarom zou hij verdwenen zijn? Hussein?'

Geen antwoord.

'Was hij ook bang?'

'Dat weet ik niet.'

'Wat ben jij verdomme voor informant? Plotseling weet je helemaal niets.'

'Ik kan toch geen dingen zeggen die ik niet weet?'

'Ik denk dat we dit gesprek maar beter op een andere plek kunnen voortzetten,' zei Brorsan.

'Waar?'

'Wat denk je?'

'Ik weet verder niets. Ik ging ermee akkoord… met jullie te praten. Met jullie allebei, hoewel ik niet wist dat jullie met z'n tweeën zouden zijn.'

'Wat wil je nu doen?' vroeg Winter.

'Ik wil naar huis.'

'Ga je gang,' zei Brorsan.

Het jonge stel op de bank kwam overeind en de man, bijna een jongen, wierp een blik op de auto, en Winter voelde dat er iets mis was. Hij herkende de man niet, noch het profiel van de vrouw, maar hij kreeg sterk het gevoel dat zij hem herkenden. Het kwam door de manier waarop ze bij de bank bleven dralen. De snelle blik van de man. Zijn rugzak. Mijn god.

Winter maakte onder het dashboard een beweging met zijn hand. Brorsan begreep wat hij bedoelde. Hij keek naar het stel dat nog steeds bij de bank stond, alsof iets hen daar vasthield, terwijl ze eigenlijk hadden besloten weg te gaan.

'We hebben je vrienden gezien,' zei Brorsan tegen de gestalte op de vloer achter in de auto. 'En zeg niet nog een keer "hè?"'

Ze kregen geen antwoord.

'Wat doen die hier?' vroeg Brorsan.

'Ik begrijp je niet. Welke vrienden?'

'Kom maar overeind, dan zie je ze.'

'Ik weet niets van andere mensen die hier zouden zijn.'

'Oké, dan hebben wij ons zeker vergist.'

Nu begonnen de twee jongelui in de richting van de auto te lopen, of naar iets erachter, misschien naar de fietsen die tegen een boom stonden.

'Hebben we ons vergist?' zei Brorsan.

Toen hoorden ze het geluid van een achterportier dat openvloog en Brorsans informant wierp zich naar buiten, rende naar de boom en was plotseling weer verdwenen. Maar Winter had hem herkend.

36

Brorsan schreeuwde in zijn mobiele telefoon. Winter stormde de auto uit en rende naar de bosjes, maar hij wist dat het zinloos was.

'Jullie gaan nergens heen!' schreeuwde Brorsan achter hem. De twee jonge mensen hadden zich niet verroerd.

Alan Darwish was op een van de fietsen gesprongen die tegen een boom stond en het was niet ver naar de Fjällsippan of de Fjällsyran of hoe die ellendige doodlopende straten ook maar mochten heten. Maar Alan zou daar niet heen gaan, hij zou zo ver mogelijk doorfietsen en daarna zou hij proberen een plek in het bos te vinden waar hij zich kon verstoppen. Hij herkende me. Hij wist dat ik hem zou herkennen. Of hij durfde niet meer te zeggen. Hij had al te veel gezegd. Hij wist dat we hem zouden meenemen en dat hij vroeg of laat meer zou onthullen. Dat wilde hij niet, dat durfde hij niet. Hij is banger voor iemand anders dan voor ons, voor mij.

'Wie zijn jullie, verdomme?' hoorde Winter Brorsans stem.

'Dit was niet gebeurd als jij er niet bij was geweest, Winter.'

Winter antwoordde niet. Ze waren halverwege het centrum van Angered. Het was niet ver daarheen.

'Ik heb zoiets nog nooit meegemaakt,' zei Brorsan.

'Ik wel.'

'Ik weet het, Winter. Daar had ik van moeten leren.'

'Wat had je moeten leren?'

'Om niet in een auto te gaan zitten die niet op slot is.'

'We hadden geen sleutels.'

'Maar we hebben de auto,' zei Brorsan. 'Zo ver had hij niet doorgedacht.'

'Het was Alan Darwish,' zei Winter.

Brorsan keek hem verbaasd aan. Zijn mobieltje rinkelde.

'Huh?' brieste hij.

Winter kon de stem in het mobieltje horen, maar geen woorden. Het klonk als gruis of zand onder zware hakken, een schrapend geluid.

'Waar waren jullie verdomme?' zei Brorsan.

Hij luisterde weer.

'Hij beweegt zich voort op een vervloekte FIETS, verdomme! Rannebergen is niet meer dan een vervloekte BERGTOP, verdomme! Of jullie grijpen hem, of hij houdt zich schuil bij vrienden in de buurt. Dat zijn de enige twee alternatieven.'

Brorsan verbrak de verbinding met een heftige beweging. Hij was boos op degene of degenen met wie hij net had gesproken. Dat heette projectie. Winter zou er ook het slachtoffer van worden. In Brorsans ogen was hij de grootste schuldige.

'Eens kijken of het hen lukt die snotapen daar te houden,' zei Brorsan terwijl hij zich plotseling omdraaide, alsof hij wilde kijken of de jongelui nog steeds op de plek stonden waar zij hen hadden achtergelaten, samen met een surveillancewagen. Winter had gezegd dat hij hen later wilde spreken. Hoeveel later? Hij wist het niet. Ze moesten voorlopig maar in de auto wachten.

'Waarom wilde Alan Darwish je daarboven ontmoeten?' vroeg Winter.

Brorsan keek Winter boos aan en haalde diep adem.

'Geen idee. Ik heb het hem gevraagd, maar hij gaf geen antwoord. Hij koos de plaats, niet ik. Ik had die mogelijkheid immers niet. Het ging er tenslotte om dat we elkaar zouden spreken.'

'Je zei zonet door de telefoon dat hij misschien vrienden in de buurt heeft.'

'Ja, en?'

'Misschien is dat zo. Hij houdt zich misschien schuil in een flat.'

'Dat durft hij niet. Zijn vrienden zouden het niet durven. Het zou op zich wel kunnen, maar het is veel te slim voor Alan. Hij zou zoiets niet kunnen verzinnen.'

'Misschien is hij niet degene die het heeft verzonnen,' zei Winter.

Brorsan knikte.

'Ja, we hebben er inmiddels zo veel mogelijk mensen heen gestuurd,' zei hij, 'maar we kunnen niet duizend flats doorzoeken en ervan uitgaan dat hij blijft wachten. En we kunnen niet heel Rannebergen afsluiten.'

Nee, dat konden ze niet doen. Een verdwenen verklikker, daardoor een waardeloze verklikker. Daarvoor konden ze op deze avond van midzomerdag niet de hele politiemacht van de provincie Västra Götaland mobiliseren.

De auto. Winter moest aan de auto denken. Een Opel Corsa. 'Het leek een Corsa.' Zo had hij het de buurtconciërge in Rannebergen die eerste ochtend horen zeggen, de ochtend waarop ze hier waren gekomen om vast te stellen dat Shahnaz Rezai was vermoord, in de straat Fjällblomman, aan het andere eind van de wijk gerekend vanaf het uitzichtpunt. 'Het leek een Corsa. Wit. Een beetje verroest. Een jaar of tien oud, misschien.' Zo had de conciërge het gezegd, een witte, verroeste Corsa, met een beschadigd spatb... Jezus, hoe had de auto bij het uitzichtpunt eruitgezien? Winter was vanaf de andere kant gekomen... was gaan zitten... was daarna naar buiten gestormd... mankeerde er niet iets aan het spatbord? De conciërge had gezegd dat het rechterspatbord aan de voorkant was beschadigd, gedeukt. Winter had op de bestuurdersplaats gezeten toen ze met Alan praatten. Maar toen hij, Winter, was gaan rennen... was er niet iets met het spatbord? Had hij niet iets gezien?

'Bel de mannen bij de auto,' zei hij tegen Brorsan. 'Ik moet iets controleren.'

'Wat dan?'

'Het gaat om de auto. Het kan belangrijk zijn.'

'Ja, ja,' zei Brorsan en hij drukte het voorkeursnummer in. Ze vermeden de radio. Soms leek de halve bevolking van de stad naar de politieradio te luisteren. Die was kennelijk beter dan de zender P4, spannender.

Winter nam de telefoon aan.

'Ja, hallo, met Winter. Kun je iets voor me doen? Fijn. Kijk eens even naar de rechtervoorkant van de Opel, het spatb... je staat ernaast? Goed, wil je kijken hoe het eruitziet? Is het besch... gedeukt, oké. Drukt niet tegen het wiel... oké. Goed, dank je. Ja. Ja, ik zal het hem zeggen. Goed, bedankt, tot ziens.'

Winter gaf de mobiele telefoon weer terug.

'Wat was dat?' vroeg Brorsan.

Winter vertelde.

★

Het plein in Angered zag er somber uit in de schemering, alsof het op zichzelf was aangewezen.

Winter parkeerde voor het politiebureau.

Brorsans kamer maakte een even sombere indruk als het plein.

Winter had onderweg met Torsten Öberg gebeld.

Öberg had gezucht.

'Wil je een kop koffie?' vroeg Brorsan nu.

'Dat is waarschijnlijk het enige wat me op de been kan houden.'

'Ja, ik heb geen whisky.'

'Ik moet rijden.'

'Goed. Ik zal even kijken of het apparaat het doet.'

Winter keek op de klok aan de muur boven Brorsans bureau. Tien over tien.

Hij had Möllerström opgejaagd die iemand van de woningcorporatie Bostadsbolaget had opgejaagd, die op zijn beurt Hannu in zijn huis had opgejaagd. Hannu was de buurtconciërge in de Fjällblomman, aanwezig ma-vr van 8 tot 9, maar nu was het noch ma noch vr, het was za, het was midzomerdag, die bezig was over te gaan in een gewone zo, en Winter wilde vandaag, vanavond, nog iets meer te weten komen, als dat mogelijk was. Als Öbergs team de auto doorzocht, moest er een mogelijkheid zijn, een waarschijnlijkheid.

Hannu woonde in de buurt, in Ramnebacken, en over een halfuur zouden ze elkaar in Rannebergen zien. Er zou voldoende licht zijn om eventuele blikschade te kunnen zien. De auto zou nog steeds wit en verroest zijn, maar toch minder lelijk. Al het licht op die auto.

Brorsan kwam terug met twee plastic bekers apparaatkoffie. Hij vertrok zijn gezicht toen hij zijn vingers door het plastic heen aan de koffie brandde en zette de bekers op het bureau.

'En, wat zeg jij ervan?' vroeg hij terwijl hij op zijn bureaustoel ging zitten. 'Hoe moeten we Alan interpreteren?'

'Interpreteren?'

'Interpreteren, ja, interpreteren. Als je met mensen uit deze buurt praat, is niet alles precies zoals ze het zeggen, om het zo maar uit te drukken. Ja, dat geldt voor alle bandieten, daar weet jij alles van. Overal. Dus, hoe moeten we deze jongen interpreteren?'

'De beste interpretatie is waarschijnlijk dat hij bang is. Maar je hebt geen tolk nodig om dat te begrijpen.'

'Hè? Nee. Ik moet zeggen dat ik verbaasd was. Al is dat waarschijnlijk te mild uitgedrukt. Enorm verbaasd. Eerst verdwijnt hij, dan duikt hij met allerlei geheimzinnigdoenerij op en dan verdwijnt hij weer.'

'Je hoeft me niet nog een keer de schuld te geven,' zei Winter.

Brorsan leek niet te luisteren. Hij nam een slokje van de koffie, trok een vies gezicht, zag eruit alsof hij nadacht.

'Hij bedacht iets.'

'Bedacht iets?' zei Winter.

'Hij bedacht iets tijdens het gesprek, toen wij met hem zaten te praten.'

'Wat bedacht hij dan?'

'Laten we maar luisteren.'

'Heb je het opgenomen?'

'Ja. Wat dacht jij dan?' zei Brorsan en hij hield de kleine cassetterecorder omhoog. 'Alan kon de microfoon vanaf de vloer niet zien. Jij ook niet, maar ik zei niets. Ik had een hele opnamestudio bij me kunnen hebben, zonder dat hij iets gemerkt zou hebben toen hij tussen de troep op de vloer lag! Dat is het nadeel van een afspraak op de vloer achter in een Corsa.'

Winter knikte, wreef boven zijn oog, masseerde zijn slaap. De hoofdpijn was ter plaatse, waarneembaar, niet veel meer, als een wachtend monster.

'Red je het nog, Winter? Ben je moe? Te lang doorgehaald vannacht?'

'Niet meer dan jij, Brorsan.'

'Ik heb gehoord dat je soms late uren maakt.'

'Late uren maken? Is dat geen anglicisme?'

'Dat is waar ook, jij bent toch een Londen-freak? Ik heb daar het een en ander over gehoord.'

'Niet meer. Ik ben er al drie weken niet geweest,' zei Winter.

'Ha, ha, goed dat je nog grapjes kunt maken. Je ziet er beroerd uit, maar laten we nu toch maar gaan luisteren.'

Brorsan haalde de cassette uit de speler en stopte hem in een beter apparaat.

'Iemand heeft hem daarheen gebracht,' zei Winter.

Brorsan keek op.

'Hij kan ook zelf hebben gereden.'

'Ik denk het niet. De sleutels zaten niet in het contact. Ik denk niet dat hij de sleutels eruit zou hebben gehaald.'

'Waarom niet?'

'Dat denk ik gewoon,' zei Winter.

'Maar je hebt gelijk, jongen. Alan heeft geen rijbewijs, tenzij hij dat de afgelopen dagen in het geheim heeft gehaald. De jongen zou nog geen kameel kunnen besturen. Of vooruitschoppen, zou ik misschien beter kunnen zeggen.'

'Stonden de fietsen er al toen jij kwam?' vroeg Winter. 'De fietsen bij de boom?'

'Ik heb ze niet gezien, nee. Ik kwam van de andere kant.'

'Ik heb ze wel gezien,' zei Winter.

'Ja?'

'Ze stonden daar.'

'Oké, ze stonden daar. Wat betekent dat?'

'Er waren geen andere mensen, alleen wij tweeën, jij en ik, maar er stonden twee fietsen.'

'Waar wil je heen?'

'Dat die jongelui niet op de fiets waren gekomen.'

'Oké, misschien waren ze komen lopen.'

'Of ze kwamen met een auto. Ik ga met ze praten zodra de buurtconciërge naar de auto heeft gekeken,' zei Winter.

'Ik zal je helpen,' zei Brorsan.

'Zet het bandje nu maar aan, dan kunnen we voor die tijd nog wat horen.'

Een schrapend geluid, geknars, Brorsans stem:

'Waarom ging je ervandoor?'

'Wat denk je?'

'Daar moet je meteen mee ophouden. Probeer gewoon mijn vragen te beantwoorden. Waarom ging je ervandoor?'

'Ik werd bang.'

'Waarvoor?'

'De wapens. De geweren.'

'Nu begrijp ik je niet.'

'Hama... ik wist dat hij zou helpen een paar hagelgeweren te regelen, en ik deed mee... niet op die manier, maar ik wist dat ze ermee bezig waren. Ik hielp ze aan een auto.'

'Waar kwam die vandaan?'

'Heden.'

'Hama? Is dat Hama Ali Mohammad?'

'Ja.'

'Hij is vermoord, weet je dat? Hij is vermoord. Wist je dat?'

'Nee, nee. Godallemachtig, nee.'

'Je weet het misschien. En als je toen bang was, heb je nu nog veel meer reden om bang te zijn, of niet soms? Wil je daarom niet langer op de vlucht zijn? Voel je je daarom nog meer bedreigd?'

'Ik heb me niet direct bedreigd gevoeld.'

'Direct? Wat bedoel je daarmee?'

'Ik ben hem toch gesmeerd.'

Winter maakte een gebaar. Brorsan drukte de pauzeknop in.

'Ja?'

'Volgens mij liegt hij als hij zegt dat hij niet wist dat Hiwa was vermoord.'

'Dat denk ik ook,' zei Brorsan. 'Maar wie heeft het hem verteld?'

'De moordenaar,' zei Winter.

'Laten we verder luisteren,' zei Brorsan.

'Hij is vermoord, weet je dat? Hij is vermoord. Wist je dat?'

'Nee, nee. Godallemachtig, nee.'

Brorsan drukte de pauzeknop weer in.

'Wat denk jij ervan, Winter?'

'Hij weet het,' zei Winter. 'Hij zegt ook dat hij zich niet direct bedreigd heeft gevoeld. Wat bedoelt hij daarmee?'

'Dat is precies wat ik aan hem vraag,' zei Brorsan met een knikje naar de luidspreker.

'En dan antwoordt hij alleen maar dat hij hem toch is gesmeerd. Spoel even terug.'

Brorsan spoelde de band terug. Ze luisterden weer.

Brorsan drukte de pauzeknop in.

'"Ik heb me niet direct bedreigd gevoeld",' citeerde Winter. 'Maar hij voelde zich misschien indirect bedreigd.'

'Door wie?'

Winter antwoordde niet.

'Een indirecte bedreiging,' zei Brorsan.

'Ga maar verder,' zei Winter. 'Misschien hebben we nog tijd voor een stukje.'

Brorsan zette de band weer aan:

'Wie leverde de hagelgeweren?'

'Dat weet ik niet.'

'Dat geloof ik niet.'

'Ik dacht dat het het X-team was, maar ik kwam er niet achter. Het was niet... ik ben niet te weten gekomen of zij het echt waren.'

'Hoezo echt? We hebben het X-team binnenstebuiten gekeerd. We hebben niets gevonden dat erop wijst dat zij het waren.'

'Dat is het enige wat ik heb gehoord.'

'Zij waren het niet. Probeer het nog eens.'

'Hè?'

'Probeer ons te vertellen wie de geweren leverde. Dat is niet iets voor de junioren. Direct.'

'Ik hoorde het X-team.'

'Van wie?'

Pauze.

'Van wie heb je dat gehoord?'

'De Koerden.'

'De Koerden? Wat bedoel je daar verdomme mee?'

'Iemand op het plein. In Angered. Ik kan niet zeggen wie het was. Dat maakt ook niet uit. Hij zei het X-team.'

'Wie was het?'

'Dat kan ik niet zeggen.'

'Waarom niet?'

Pauze.

'Een Koerd zegt het X-team en jij gelooft dat?'

'Ik geloof niks. Ik zeg alleen wat er wordt gezegd.'

'Wie kocht ze?'

'Hè?'

'Voor wie waren de geweren bestemd?'

'Dat weet ik niet.'

'Je weet wie ze levert, maar niet wie ze koopt?'

'Ik weet het niet.'

'Hoe was Hama Ali hierbij betrokken? Hij is slechts een sjacheraar. Hij laat zich niet in met wapentransacties.'

'Ik weet niet wat hij deed. Ik regelde de auto. Verder weet ik niets.'

'Je hebt er niet naar gevraagd?'

'Ik vraag nooit iets. Dat weet je. Het is gevaarlijk om vragen te stellen.'

Brorsan drukte de pauzeknop weer in.

'Ik vraag me echt af op welke manier de kleine Hama hierbij betrokken was,' zei hij.

'Kun je terugspoelen tot dat stukje over het X-team?' vroeg Winter. 'Ongeveer halverwege.'

Brorsan spoelde de band terug en zette hem weer aan.

'... niets voor de junioren. Direct.'

'Ik heb het X-team gehoord.'

'Van wie?'

Pauze.

'Van wie heb je dat gehoord?'

'De Koerden.'

Winter drukte nu zelf de pauzeknop in.

'De Koerden. Waarom zegt hij dat? De Koerden?'

'Je kunt zelf horen dat ik me dat ook afvraag.'

'Je provoceert hem niet. Hij wil het zeggen. Hij wil zeggen dat het de Koerden zijn.'

'In het meervoud.'

'Ja. Daarna wordt het er één. Maar eerst zijn het "de Koerden".'

'Ik hoor het.'

'Alan is toch Koerd?'

'Ik dacht het wel.'

'Ik moet het weten.'

'Hij is Koerd. Als hij geen Assyriër is. Niet Syrisch, maar Assyrisch. Daar zit verschil tussen.'

'Dat weet ik.'

'Hij heeft over zijn ontheemdheid gepraat, een volk zonder land. Zoals de Koerden. Nee, hij is geen Assyriër. Ik verwar hem met iemand anders. Hij is Koerd.'

'Waarom zegt hij "de Koerden", alsof hij daar niet bij hoort?' vroeg Winter.

'Goede vraag.'

'Laten we verder gaan,' zei Winter.

Brorsan drukte de knop in:

'De Koerden.'

'De Koerden? Wat bedoel je daar verdomme mee?'

'Iemand op het plein. In Angered. Ik kan niet zeggen wie het was. Dat maakt ook niet uit. Hij zei het X-team.'

'Wie was het?'

'Dat kan ik niet zeggen.'

Winter zette de band stop.

'Hij zegt dat het niet uitmaakt wie dat zei, maar dat klinkt vals,' zei hij.

'Ik vind het meeste vals klinken,' zei Brorsan. 'Waarom zou een Koerd zeggen dat het X-team hagelgeweren levert? Dat kan natuurlijk waar zijn, maar waarom zou een Koerd dat op het plein gaan vertellen? En nog wel tegen onze eigen Alan?'

'Is dat niet de manier waarop hij zijn informatie krijgt?' zei Winter. 'Door met mensen te lopen praten?'

Brorsan schudde zijn hoofd.

'Nee, hij hoort er wat meer bij, als je begrijpt wat ik bedoel. Hij doet mee aan de planning, in elk geval doet hij mee aan de periferie. Mensen zeggen niet zomaar wat.' Brorsan keek weer naar de luidspreker. 'Het was gewoon een verzinsel. Dat met het X-team. Als zij hierin waren verwikkeld, hadden wij het inmiddels geweten. Geloof me.'

Brorsans mobieltje begon op hetzelfde moment te rinkelen als de telefoon op het bureau.

37

Hannu wachtte op de heuvel, samen met de agenten van de surveillance-wagen en de twee jongeren die weer hadden mogen terugkeren naar de bank. In het dal heerste nu meer duisternis dan licht. Het licht daarbeneden was elektrisch, als stippen. Winter kon de twee silhouetten op de bank zien. Ze bewogen niet.

De conciërge zag eruit alsof hij zijn overall miste, alsof hij die hier nodig had gehad. Proberen ergens een getuigenverklaring over af te leggen was zwaar werk.

Winter begroette hem. Hij was Hannu's achternaam vergeten. Hij had er niet naar gevraagd toen ze elkaar de eerste keer ontmoetten.

Ze liepen naar de Opel. Die stond verlaten bij de boom en de struiken. Hij was gestolen, dat wisten ze inmiddels. Gestolen op Heden. Hannu boog zich over het spatbord, dat bij een botsing was beschadigd. Toen deed hij een paar passen naar achteren. Hij keek op: 'Het kan hem zijn. Dat is alles wat ik kan zeggen.'

'Goed.'

'Maar ik kan me het kenteken niet herinneren of zoiets,' ging Hannu verder, alsof hij Winters "goed" als een aanmoediging opvatte.

'Heb je de auto vaker gezien?'

'Niet voor zover ik me kan herinneren.'

'Oké, hartelijk bedankt.'

'Was dat alles?'

'Heb je nog meer te vertellen, Hannu?'

'Moet je niet meer vragen over die... die flat?'

'Wat moet ik dan vragen?'

'Ik weet niet...'

'Wat wil je me vertellen?' vroeg Winter vriendelijk.

'Ik kan me de mensen die daar woonden inmiddels wat beter herinneren,' zei Hannu.

'Wat herinner je je?'

'Alleen dat ik... ze niet mocht. Ik kende ze niet, maar er was iets... waardoor ik ze niet mocht. Hem niet en haar ook niet.'

'Hoe kwam het dat je ze niet mocht?'

'Ze... groetten nooit, maar dat is op zich niet zo erg. En... ik kwam ze een paar keer tegen met een stel jonge meisjes. Ze kwamen de flat uit. Het zag er vreemd uit. Ik weet niet hoe ik het moet zeggen... ze kwamen naar buiten, maar het zag er niet... natuurlijk uit. De meisjes zagen er niet... natuurlijk uit. Alsof ze... ik weet het niet.'

'Alsof ze daar niet uit vrije wil liepen?' vroeg Winter.

'Ja...'

'Waarom heb je dit niet eerder verteld?'

Hannu haalde lichtjes zijn schouders op: 'Tja... ik heb er pas de afgelopen dagen aan gedacht. En ik vertel het nu toch.'

'Zou je die meisjes herkennen?'

Hannu haalde opnieuw zijn schouders op. Het was geen nonchalante beweging.

De twee jongeren stonden op toen Winter naar de bank kwam lopen. Ze hadden zijn voetstappen gehoord. Ze zagen er niet onverschillig uit, misschien moe, maar dat kon een combinatie zijn van het licht en de duisternis. Winter stelde zich voor. Zij stelden zich voor: Salim Waberi. Ronak Gamaoun.

Waberi, Waberi. Hij herkende de naam.

'Heb jij een zus die... die...' zei hij en zweeg toen. Was het niet een meisje? Een vriendin van Nasrin, of van Hiwa, of van beiden. Hij wist het niet meer.

'Ik heb een zus,' zei Salim.

'Hoe heet ze?'

'Shirin.'

'Ik heb haar ontmoet.'

Salim antwoordde niet. Het meisje, Ronak, zei niets. Ze keek naar het dal, naar het uitzicht dat er niet langer was. Een auto zocht zich daar een weg.

'Heeft ze dat verteld?' vroeg Winter. 'Dat ik haar heb ontmoet?'

Salim knikte.

'Kende jij Hiwa Aziz?'

Salim knikte opnieuw.

'En Nasrin?'

'Een beetje.'

'En jij, Ronak?'

'Hoezo, ik ken Nasrin een beetje. Wat is daarmee? We wonen in Hammarkullen.'

'Wat doen jullie hier?' vroeg Winter.

'Jij... jullie wilden toch dat we hier bleven. We begrijpen er niets van.'

'Wat kwamen jullie hier doen?'

'Hoezo, we kwamen gewoon voor het uitzicht,' zei Ronak. 'We gaan hier vaak heen.'

'Zijn jullie op de fiets gekomen?'

'Op de fiets? Nee.'

'Hoe dan?'

'Met de bus.'

'Wat is er... waar gaat dit over?' vroeg Salim.

'Dat weet jij misschien beter dan ik,' zei Winter.

En plotseling voelde hij zich moe, zo doodmoe dat hij het liefst op de grond was gaan liggen, om er vervolgens misschien doorheen te zakken, helemaal tot aan het Vasaplein. Hij wilde hier niet langer staan. Salim en Ronak wisten misschien iets, over Alan, over iets anders. Als Alan weer terecht was moesten ze maar verder zien, dan zouden ze hem met Salim en Ronak confronteren. Terecht was. Dat was ook een vervloekte uitdrukking.

Hij sliep de slaap van de dood, er waren geen dromen, geen pijn boven een van zijn ogen. Hij werd wakker en zei tegen Angela dat hij zich weer als een jonge man voelde. Hij moest haar wakker maken om dat te vertellen. Hij dacht dat hij haar wakker maakte. Ik voel me weer als een jonge man.

'Dat is precies wat ik nodig heb,' zei ze en ze trok hem naar zich toe.

★

'Iemand die jou wil spreken. Een vrouw.'

Ze waren nog niet opgestaan. Hij pakte zijn mobieltje dat op Angela's nachtkastje was beland.

'Ja, hallo?'

'Ja... met Riita Peltonen. Ik weet niet of je nog weet wie ik...'

'Dat weet ik heel goed,' onderbrak Winter haar. Hij was rechtop gaan zitten. Het trok opeens samen in zijn hoofd, alsof hij een strakke kap had omgedaan. Het was geen hoofdpijn. Het was een ander gevoel, vertrouwder, als een terugkerende koorts. De wekker op zijn eigen nachtkastje liet zien dat het nog steeds vroeg was.

'Die jongen. Ik weet misschien wie hij is.'

Riita Peltonen en Winter ontmoetten elkaar bij het Sandspåret.

Ze keek bezorgd.

'Er is hem toch niets overkomen?'

'Waar woont hij?' vroeg Winter.

'Als hij het is.'

Haar Zweeds klonk als een ochtendlied, een ochtendpsalm misschien. Het was weer een stille ochtend, en even warm, er was niets veranderd, maar Winter had het gevoel dat hij was teruggekeerd van een plek waar hij absoluut niet langer wilde blijven dan strikt noodzakelijk was. En toch had hij zich niet verplaatst. Hij had zelfs het gevoel dat hij heel lang tussen deze flatgebouwen heen en weer kon rennen, op jacht zolang dat maar nodig was.

'Het adres,' zei Winter vriendelijk.

Winter belde aan. Op een groot vel papier stond BABAN, in blokletters, geschreven door een kind.

Na drie keer bellen werd er opengedaan. Een vrouw opende de deur twintig centimeter. Ze leek in de dertig.

Wat moest hij zeggen?

Hij liet haar zijn legitimatie zien.

'Ik zoek een jongen,' zei hij.

Riita Peltonen stond voor het flatgebouw te wachten.

De deur ging niet verder open.

'Woont hier een jongen van een jaar of tien?'

Ze leek niet te begrijpen wat hij zei, maar ze draaide haar hoofd om en keek naar iets in de flat, in de hal. Ze zei iets wat Winter niet verstond en een stem antwoordde. Het was een lichte stem, van een tienjarige. Winter duwde de deur voorzichtig tien centimeter verder open en daar stond de jongen, in de hal. Winter herkende hem meteen, ook zonder fiets.

'Verkeert de jongen in gevaar?'

Hij had Ringmar aan de lijn. Die klonk plotseling zwakjes, alsof Ringmar zich in een ander werelddeel bevond.

'Ja. Volgens de schoonmaakster had iemand een van haar collega's gebeld en gezegd dat iemand anders de jongen daarbuiten had gezien. Misschien met een man.'

'Een man? Wie dan?'

'Dat weet ik nog niet.'

'Wie had dat gezien?'

'Dat weten we nog niet.'

'Hoe kwam ze erachter dat het die jongen was?'

'Een simpel optelsommetje, zoals ze zei.'

'Wat zegt hij?'

'Op dit moment niets, Bertil. Maar het is de jongen die ik heb zien rondfietsen. Ik heb hem verschillende keren gezien.'

'Misschien was dat alles wat hij deed. Rondfietsen.'

'We kunnen het hem vragen, of niet?'

'Hm.'

'Het gaat tijd kosten, Bertil. Hij is van slag.'

'Hoeveel tijd hebben we?'

Winter antwoordde niet. Hij stond voor het flatgebouw. Hij hoorde kinderen schreeuwen. Hij zag een bal door de lucht vliegen.

'Wat ga je met hem doen?'

'Hij kan thuisblijven. We bewaken het flatgebouw. Beschermen het, moet ik misschien zeggen. Ik ga hier met hem praten. Hij mag thuisblijven.'

'Wanneer?'

'Gauw.'

Het politiebureau baadde in de ochtendzon. De bakstenen muren waren nooit zo mooi als in de ochtend. Er hing een speciaal licht boven Torsten Öbergs werktafel. Er hing een speciaal licht boven de hoofden op de foto's. Je moest de gezichten erbij denken.

'Maar voor Hiwa Aziz geldt dat niet helemaal,' zei Öberg. 'Kijk hier maar. En hier.' Hij pakte een andere foto. 'Vergelijk maar eens.'

Winter schoof de foto's naar zich toe en zette zijn leesbril op, die voor dit werk eigenlijk een andere naam had moeten hebben.

'Wat wil je precies zeggen, Torsten?'

'Er zijn bepaalde verschillen, als je wat beter kijkt. En langer.'

'Vertel me wat ik zie,' zei Winter.

'Hiwa is niet even erg gewond.'

Winter keek naar Hiwa's hoofd, zijn gezicht. Wat zijn gezicht was geweest.

'Nee,' zei hij na een poosje. 'Er is een verschil.'

'Wat denk je daarvan, Erik?'

'Hij moest misschien niet dezelfde straf krijgen als de andere twee,' zei Winter.

'Of ze werden gestoord.'

'Of het was zoals ik zei. Hiwa's gezicht moest niet worden weggeschoten.'

'Toch gebeurde dat deels.'

'Ja.'

'Hij lag dus hier,' zei Öberg en hij wees naar de schets van de moordplaats.

'Het verst naar achteren,' zei Winter. 'Kan dat van belang zijn? Misschien hadden ze gewoon geen tijd om hun werk af te maken.'

'Een van hen wilde het doen.'

'En de ander wilde het niet.'

'Die passen,' ging Öberg verder en hij wees naar de foto.

'Alsof ze elkaar in de weg liepen,' zei Winter.

★

Winter zat op zijn kamer naar zichzelf te luisteren.

'Was het de Koerd? Waren de geweren bestemd voor de Koerd zelf?'

'Ik weet het niet.'

'Je moet erover hebben nagedacht.'

'Nee.'

'Waarom hadden jullie het er überhaupt over? Jij en je Koerdische contact? Hoe kwam het ter sprake?'

'Ter sprake... we hebben het altijd over dingen die gaande zijn.'

'Wie? Jij en hij?'

'Nee, nee. Wij... ik bedoel een heleboel mensen. Dat weet Brorsan.'

'Wat bedoel je daarmee? "Nee, nee". Is hij geen regelmatig contact?'

'Ik... hij en ik hadden het er nooit eerder over gehad.'

Daar was het.

Winter zette de band stop, spoelde hem terug en zette hem weer aan:

'Ik... hij en ik hadden het er nooit eerder over gehad.'

Waarom hadden ze het 'er' nooit eerder over gehad? Wapens. Misschien waarvoor ze gebruikt zouden worden. Ze zouden voor een moord worden gebruikt. Ergens daarginds bevonden zich de wapens. Winter had ze niet gevonden. Misschien had iemand anders dat gedaan.

Winter luisterde verder naar het vervolg van het verhoor, of hoe je het ook moest noemen. Hussein Hussein. Wie was dat? Bestond hij? Was hij iemand anders? Iedereen is hier iemand anders, dacht Winter. Ze zijn allemaal verschillend in een verschillende belichting. Maar dat is nu moeilijker te zien, het is te licht, het is de hele tijd licht.

De jongen zat stil op de bank. Zijn moeder zat naast hem. Winter was weer terug in Hjällbo. Hij had de vader niet ontmoet, die bestond wel, maar wilde daar niet zijn. De jongen heette Ahmed. Winter had hem laten onderzoeken, aan de buitenkant, en vanbinnen, zo goed als dat ging. Zoiets moest veel langer duren, maar die tijd hadden ze nu niet.

'Je moet maar zien wat er gebeurt wanneer hij begint te praten,' had Berndt Löwer, de psycholoog, gezegd. 'Als hij begint te praten.'

'Na verloop van tijd gaat hij praten,' zei Winter. 'Ik ga het proberen. Ik moet wel.'

Hij koos ervoor het verhoor niet te filmen, niet op dit moment.

Misschien konden ze de jongen in de nabije toekomst een confrontatiefilm laten zien. Maar ze hadden nog geen mensen met wie ze hem konden confronteren. Na verloop van tijd zouden de verdachten komen, ze zouden zich in een rij opstellen.

Winter boog zich voorzichtig naar voren.

'Dag, Ahmed.'

De stem aan de andere kant van de lijn was erg luid. Ringmar hield de hoorn een eind van zijn oor.

'Ik moet Winter spreken, maar ze verbinden me met jou door.'

'Daar zul je genoegen mee moeten nemen, Brorsan.'

'Waarom?'

'Hij is in Hjällbo. Verhoort iemand.'

'Hm.'

'Waarom bel je?'

'Waarom ik bel? Ik zal je vertellen waarom ik bel. Alan Darwish heeft van zich laten horen.'

'Hoe?'

'Hij heeft gebeld.'

'Waarvandaan?'

'Daar hadden we geen tijd voor.'

'Wat zegt hij?'

'Hij zegt dat het hem spijt dat hij hem is gesmeerd.'

'Dat is goed.'

'Ja, hè? Hij is een beleefde klootzak.'

'Waarom was hij hem gesmeerd?'

'Dat kon hij in zo'n korte tijd niet uitleggen.'

'Had het iets met die twee kinderen te maken? Die jongelui?'

'Ik had geen tijd om dat te vragen.'

'Waar is hij?'

'Op een geheime plek.' Het leek alsof Brorsan een lach weg proestte. 'Maar hij wil weer terugkeren naar de werkelijkheid.'

'Hij had toch zeker wel iets te bieden? Hij zit tenslotte behoorlijk in de nesten.'

'Een taxi.'

'Sorry?'

'Hij had een taxi in de aanbieding. Een taxi die hoeren had vervoerd.'

'Ahmed, herken je mij?'

De jongen schudde zijn hoofd, langzaam, alsof hij wilde voelen wat er in zijn hoofd rammelde en draaide.

'Je hoeft niet bang te zijn, Ahmed. Ik ben politieagent. Hier, kijk maar.' Winter liet hem zijn legitimatie zien, zijn foto. 'Dit ben ik. Ik ben hier omdat ik op boeven jaag.'

Ahmed keek naar Winters legitimatie.

'Ik jaag op boeven, Ahmed. Dat is mijn werk. Ik wil dat jij me helpt.'

De jongen keek hem aan.

'Wil je mij helpen, Ahmed?'

De jongen schudde zijn hoofd.

'Ik weet dat je me kunt helpen,' zei Winter.

Winter liet hem nog een keer zijn legitimatie zien.

'We kunnen er ook eentje voor jou maken.'

Hij wist niet of dat hielp. Hij had een voetbal mee kunnen nemen, of een tennisbal. Hij zag de tennisbal nergens.

Ahmeds moeder streelde voorzichtig over de hand van haar zoon.

Er was geen tolk aanwezig. Niet deze eerste keer. Misschien was het helemaal niet nodig.

Volgens de moeder sprak Ahmed beter Zweeds dan wie ook in dit gezin. Het was zijn taal.

'Waar is je bal, Ahmed? Je tennisbal?'

De jongen schrok even, alsof Winter iets gevaarlijks had gezegd.

'Ben je hem kwijtgeraakt, Ahmed?'

De jongen schudde zijn hoofd.

'Heeft iemand hem afgepakt?'

De jongen antwoordde niet. Hij leek te aarzelen.

Winter bewoog niet.

'Heeft een meneer je bal afgepakt?'

De jongen antwoordde niet.

'Heb je hem teruggekregen?'

De jongen knikte.

'Ken je die meneer?'

De jongen schudde zijn hoofd.

'Heb je hem eerder gezien?'

Geen reactie, geen ontkennend schudden, geen bevestigend knikken. Het was alsof hij met een kind van vier of vijf sprak. Ik moet dit behoedzaam aanpakken.

'Heb je hem eerder gezien?' herhaalde Winter.

Het leek alsof de jongen de vraag niet begreep. Hij keek naar iets achter Winter. Winter draaide zich om. Daar was niets, alleen een lege muur.

'Voordat hij je bal afpakte?'

De jongen knikte.

Winter voelde dat de kap om zijn hoofd strakker werd, de spanningskap. De hoofdpijn was weg, daar was op dit moment geen ruimte voor in zijn hoofd.

'Waar zag je hem?'

De jongen antwoordde niet.

'Zag je hem bij de winkel?'

De jongen antwoordde niet. Welke winkel? Er waren meer winkels.

'Jimmy's buurtwinkel?'

Winter zag dat de jongen begreep wat Winter bedoelde.

'De winkel waar werd geschoten.'

De jongen antwoordde niet, knikte niet.
'Hoorde je dat er werd geschoten?'
De jongen knikte.
'Wat deed je daar, Ahmed?'
De jongen antwoordde niet.
'Zag je dat er werd geschoten?'
Nee. De jongen schudde zijn hoofd.
'Zag je iemand die een geweer vasthield?'
De jongen knikte.
'Zag je ze in de winkel?'
De jongen knikte weer.
'Hoe zag je ze?'
De jongen keek naar het raam.
'Het raam? Je zag ze door het raam?'
De jongen knikte.
'Wat zag je?'
Geen antwoord.
'Zag je ze toen ze naar buiten kwamen?'
De jongen knikte.
'Wat deden ze?'
De jongen antwoordde niet.
'Reden ze weg in een auto?'
De jongen knikte.
'Weet je welke kant ze opgingen?'
De jongen schudde zijn hoofd.
'Wat deed jij toen?'
De jongen antwoordde niet.
'Rende je weg?'
De jongen schudde zijn hoofd.
'Bleef je staan?'
De jongen knikte.
'Was je bang?'
De jongen knikte.
'Waarom rende je niet weg?'
De jongen keek naar de hal.
'Waarom fietste je niet weg?'
De jongen antwoordde niet.
'Kwam er iemand anders aan?'
De jongen knikte.
'Toen de anderen waren vertrokken, kwam er iemand anders aan?'
De jongen knikte opnieuw.
'In een auto?'

De jongen knikte.

'Was het een taxi?'

De jongen begreep de vraag niet. Dat kon Winter zien. De ogen van de jongen schoten ergens anders heen. De moeder zat naast hem en probeerde het te begrijpen. Volgens Winter had de vader het al begrepen en probeerde hij nu een andere flat voor het gezin te vinden, in een andere plaats.

'De persoon die kwam… toen de anderen waren weggereden… herkende je die?'

De jongen schudde zijn hoofd.

'Was het een man?'

De jongen knikte.

'Ging hij de winkel binnen? Jimmy's winkel?'

De jongen antwoordde niet.

'Bleef hij in de deuropening staan?'

De jongen knikte.

'Wat deed hij daar?'

'Hij… stond stil,' zei de jongen.

38

We waren niet met zovelen. We wilden elkaar niet kennen. Het was alsof je geen gezicht had, je was geen gezicht waard. Je eigen gezicht. Begrijp je?
Of we werden geslagen? Wat denk je?
Kan ik een glas water krijgen?

Ik geloof niet dat hij het wist. Of begreep, niet voordat het te laat was. Begreep ik het? Ik weet het niet, en nu heeft het helemaal geen zin om daarover na te denken. Het heeft helemaal geen zin om te denken.
Het had niet met de taal te maken. Het was iets anders. Het had niet met andere talen te maken. Taal had er niets mee te maken. Maar ik heb gedacht dat geweld ook een taal is, de dood en wat tot de dood leidt, is ook een taal. Wie geen woorden meer tot zijn beschikking heeft, gaat geweld gebruiken. Dat is de uiterste taal, en dan bedoel ik de taal die het verst van het leven is verwijderd, van alles wat echt is. Wat eer bevat.
Toen we vluchtten, was dat van een plek waar de taal niet bestond. Er was geweld in plaats van taal. En we hadden onze eigen taal niet meer. Ja, dat weet je al. Dat heb je begrepen. Heeft hij het je uitgelegd? Ik mocht er immers niet bij zijn. Ik hoop dat hij het goed heeft uitgelegd.
Hij redde het niet. De situatie werd zo dat hij het niet kon… verhinderen. Ik was toen niets, ik was toen niets waard. Maar hij was niet alleen. Dat heb je ook begrepen. Je begrijpt veel en telt het ene bij het andere op, maar toch begrijp je het niet. Niemand hier begrijpt het eigenlijk.
Hoe warm is het buiten? Ik zou over een bloemenheuvel willen lopen. Heet dat zo? Een bloemenheuvel? Ik zou in het gras willen liggen en naar de hemel willen kijken. Dat zou ik jarenlang kunnen doen. Ze hebben altijd gezegd dat overal dezelfde hemel is, maar dat geloof ik niet, net zomin als dat overal dezelfde zon zou schijnen. Hoe zou dat kunnen? Straks beweren ze nog dat de aarde rond is! Ha ha! Dan zouden we toch niet kunnen lopen? We zouden eraf vallen. En dat doen we. Ik viel eraf, mijn familie viel eraf, ons geslacht, we vielen er allemaal af. We kwamen nooit terug. Hoe kun je nog ergens in geloven?

Ik ben dankbaar dat ik mag praten. Straks is er niemand die luistert. Maar dan wil ik toch niet praten. Tegen een muur praten, hè? Zo zeg je dat toch? Praat maar tegen een muur en kijk of je antwoord krijgt. Zoals praten met jou, in het begin, dat was alsof ik tegen een muur praatte. Je ziet eruit als een muur. Je bent een muur. Iedereen is een muur. Er zijn alleen maar muren.

Dit water is niet koud. Kan ik wat kouder water krijgen?

Het water dat uit de kranen kwam. Dat is een van mijn eerste herinneringen, of ervaringen misschien. Het was warm water, het was meteen warm! Er was geen vuur nodig. Dit is bijna het hele jaar door een koud land, maar je ziet nooit een vuur. Ze begrijpen het hier niet, jullie begrijpen het niet. Voor ons betekent het vuur alles. Voordat de vernielers en moordenaars kwamen, geloofden we alleen in het vuur, niet in een god. We hadden alleen het vuur nodig. Het vuur moest het hele jaar door branden, het mocht nooit worden gedoofd. Toen het werd gedoofd, bestond er geen god meer.

39

Winter liep door de straten voor het flatgebouw: Sandspåret, Skolspåret – namen die naar sporen verwezen. Er waren inmiddels verschillende sporen. Het Koerdenspoor. Ha. Dat was een treurige herinnering, in meerdere opzichten. Die geschiedenis had iets komisch, of eerder tragikomisch, dat het hele politiekorps belachelijk maakte. En Alan, een tragikomisch figuur.

Maar hij kon nu niet lachen. Hij hoorde de kinderen in de speeltuinen om hem heen lachen, de grasvelden die al droog werden en vergeelden. Het was een dag die tot lachen kon verleiden. Op zulke dagen was het makkelijker om te leven. Een blauw met gele dag, hemel en zonnegloed.

De jongen had zich na zijn woorden afgesloten. Hij had er geschokt uitgezien, alsof het hem had verrast dat hij kon praten, alsof het de eerste woorden waren die hij had kunnen uitspreken. Daarna had hij geen boe of bah meer gezegd.

De jongen was gaan huilen. De moeder had met een smekende blik naar Winter gekeken.

Winter was vertrokken.

Hij liep naar de voormalige winkel van Jimmy. Die voelde nu antiek, alsof er vele jaren tussen toen en nu lagen, niet slechts een krappe week.

Daar moest de jongen hebben gestaan. Winter ging er staan, hurkte neer en keek in de winkel. Ja, het kan kloppen. Daar is de deur en daar is de toonbank, de vloer, de open vloer. De zee, de rode zee. Het is nog steeds te zien, als een bezinksel op de zeebodem.

De met krijt getekende omtrekken van de lichamen waren er nog, als verdronken schaduwen.

Eerst zag de jongen de moordenaars naar binnen gaan. Vervolgens zag hij hen naar buiten komen. Daarna zag hij iemand anders naar binnen gaan. De man die kwam, stond daar alleen maar.

★

Het politiebureau voelde koeler aan dan in lange tijd het geval was geweest. Misschien waaide er een wind waar niemand het bestaan van kende, of de ventilatie deed het voor het eerst sinds dit rotgebouw was gebouwd. Een aantal jaren geleden was de buurman, het oude Ullevi-stadion, gerenoveerd, maar het bouwbedrijf had het politiebureau overgeslagen, een vergissing. We hadden allemaal een kans gehad om opnieuw te beginnen. Misschien hadden we zelfs de stad kunnen verlaten om in een gezelliger omgeving terecht te komen.

Ringmar liep heen en weer in Winters kamer. Zes meter vooruit, zes meter terug.

'Ik was al op weg,' zei hij.

'Ik bedacht me,' zei Winter.

'Het kan niemand anders zijn,' zei Ringmar.

'Nee. Maar er is nog iemand.'

'Dat begrijp ik, ja. Maar Reinholz kan alles vertellen wat we moeten weten.'

'Daar ben ik niet zeker van.'

'Waar ben je niet zeker van, Erik?'

Winter antwoordde niet. Hij stond bij het raam. Hij zag een tram aan de andere kant van de rivier. Er waren mensen op straat, niet veel, maar het centrum was niet langer verlaten.

'Volgens mij maken we een fout als we hem nu oppakken. Dat zendt signalen uit naar meer mensen dan wij willen.'

'En als hij ervandoor gaat? Als we er nog eentje laten verdwijnen?'

'Als hij ervandoor gaat, is de zaak duidelijk,' zei Winter. 'Dan hoeven we alleen een kleine zoekactie te organiseren.'

'Een rotwoord,' zei Ringmar. 'Zoekactie.'

'Ik heb zojuist de Tolkencentrale gebeld,' zei Winter.

'Je was toch alleen bij de jongen?'

'Dat klopt. Ik heb ze vanuit de auto gebeld toen ik hierheen reed.'

'Waarover?'

'Mozaffar. Mozaffar Kerim.'

Ringmar hield op met lopen. Hij bleef midden in de kamer staan.

Winter zag een jong stel het grasveld oversteken. Misschien was dat een overtreding.

'Ik luister,' zei Ringmar.

'Mozaffar was de tolk die met ons meeging naar de familie Aziz. Weet je nog dat hij op ons stond te wachten toen wij arriveerden? Bij het Hammarkulleplein?'

'Ja.'

'Hij verontschuldigde zich omdat hij er al zo vroeg was, en daarna gingen we naar Nasrin en haar moeder en zusje.'

'Dat weet ik inderdaad ook nog,' zei Ringmar en hij glimlachte.

'Afijn, ik had Möllerström gevraagd de Tolkencentrale te bellen om een tolk te bestellen voor dat verhoor bij de familie Aziz. Dat deed hij ook. De centrale werkt volgens bepaalde procedures. Ze nemen een naam uit de kaartenbak en die naam kreeg de klus in Hammarkullen.'

'Mozaffar Kerim,' zei Ringmar.

'Nee.'

'Nee?'

'Nee. Ik heb daarover gepiekerd. Waarom was het nou net Mozaffar? Hij is de hele tijd een beetje te nadrukkelijk aanwezig. Hij staat dicht bij de familie. Hij is er als het ware voortdurend bij. Dus heb ik gecontroleerd wie de klus had gekregen, dat houden ze daar bij, en hij was het niet. Het was een naam die me op dit moment niet te binnen schiet, maar het was niet Mozaffar Kerim.'

'Hoe is dat dan gegaan?'

'Dat weet ik nog niet. Dat zullen we Mozaffar moeten vragen. Maar op de een of andere manier heeft hij geruild met degene die de opdracht had gekregen, en toen wij in Hammarkullen arriveerden, was Mozaffar daar al.'

'Maar waarom?'

'Hij wilde de controle behouden.'

'Waarover?'

Winter antwoordde niet. Het paar was nu uit het park verdwenen. In plaats daarvan verscheen vanuit het westen een elegant geklede vrouw van middelbare leeftijd met een hond. De hond begon midden op het grasveld te poepen, waarna de vrouw om zich heen keek en het mormel meetrok zonder de hondenpoep op te ruimen. Dat was absoluut een overtreding. Op een ander tijdstip zou hij de vrouw hebben teruggeroepen.

'Wat wilde hij in de gaten houden?' vroeg Ringmar.

'Alles,' zei Winter.

Er werd niet opgenomen bij Mozaffar Kerim.

Hij was niet op pad voor de Tolkencentrale.

Hij zat niet in pizzeria Suverän. Winter had de vrouw in de pizzeria nogal hard aangepakt toen hij haar vroeg of ze iemand had ingelicht toen Winter en Ringmar daar hadden gezeten en Mozaffar en Alan buiten met een taxi waren aangekomen. Dat had ze niet gedaan en nu sprak ze de waarheid.

In het Koerdische cultuur- en opleidingscentrum in Angered kenden ze Mozaffar Kerim, maar daar was hij niet, en hij was er vandaag ook niet geweest. Winter was van plan geweest wat diepgaander met de mensen van het centrum te praten, maar daar had hij nog geen tijd voor gehad.

'Wanneer wil je dat jongetje weer verhoren?' vroeg Ringmar.
'Morgen.'
'Zei je eerder niet dat je dat vandaag had willen doen?'
'Dat gaat niet. De antwoorden liggen misschien in de getuigenverklaring van de jongen en we kunnen nog best een dag wachten.'
'Ik kan niet langer binnen blijven,' zei Ringmar.
'Ik moet met Nasrin Aziz praten,' zei Winter.

Winter dacht dat de daders nog leefden. Hussein Hussein leefde misschien niet, maar hij was misschien ook niet dood. Hij had misschien nooit bestaan. Dat was een gedachte die sluipend was opgekomen, als een hoofdpijn die niet van plan was weg te gaan als die zich eenmaal had aangediend. Alan Darwish? Een dader? Niet waarschijnlijk.

Nasrin stond onder een boom te wachten. Het was een dag waarop iedereen die hij had gesproken de schaduw had opgezocht. Het voelt als een heel ander land, dacht Winter. Zo is het al sinds we weer in Zweden zijn.

'Ik wil lopen,' zei Nasrin. 'Ik wil hier niet blijven staan.'
'Waarheen?'
Ze maakte een vaag gebaar naar het zuidwesten.
Ze liepen langs de Bredjällsschool, de Nytorpsschool. Er waren heel veel steegjes tussen de paden en de straten, alsof de straten en de paden niet voldoende waren voor de mensen hier.
'Waarom wil je me deze keer spreken?' vroeg ze na een tijdje. Winter had niets gezegd sinds ze waren gaan lopen.
'We beginnen misschien dichterbij te komen,' zei Winter.
'Dichterbij? Wat bedoel je?'
'We komen dichter bij de antwoorden,' zei hij. 'De oplossing van het raadsel, als je het zo kunt zeggen.'
'Je praat bijna in raadselen,' zei ze. 'Dat is niet gebruikelijk in het Zweeds.'
'O nee?'
'Nee. Ik ben natuurlijk geen expert, maar het Zweeds lijkt niet zoveel… lagen te hebben.'
'Misschien niet.'
'Niet zoveel lagen,' herhaalde ze. 'Dingen kunnen slechts één ding betekenen.'
'Dat is soms misschien wel goed,' zei Winter.
'Zodat je weet wat goed of fout is?' vroeg ze.
'Dat is heel moeilijk te bepalen,' zei hij.
'Dat is inderdaad zo,' zei ze.
Ze liepen door de Västerslänt. Ze waren nog steeds niet in Hjällbo.
'Weet je dat het Koerdisch ongeveer de veertigste taal van de wereld is?'

zei ze zonder hem aan te kijken. Ze had hem sinds ze liepen niet aangekeken.

'Nee, dat wist ik niet.'

'Ongeveer dertig miljoen mensen spreken Koerdisch. Dat zijn er een paar meer dan de Zweden.'

'Dat is inderdaad zo,' zei hij.

'Hou je me voor de gek?'

'Nee. Waarom zou ik?'

'Je doet me na.'

'Dat doe ik niet. Ik wil dat je me wat meer vertelt over de taal.'

'Er valt verder niet veel te zeggen. Niet voor zover ik weet in elk geval. Er zijn verschillende dialecten. Maar die heb je in alle talen.'

'Wat zijn dat voor dialecten?'

'Maakt dat wat uit?'

'Ik wil het weten.'

'Het is niet van belang voor jouw... onderzoek, of hoe jij het ook noemt.'

'Noem eens een paar van die dialecten,' zei Winter.

'Tja... Kalhuri. En Hawrami, Kirmanji. Sorani. Sommige zijn heel oud, wel honderden jaren. Maar... daarna leek het alsof het niet meer uitmaak-te.'

'Waarom niet?'

'De taal was immers verboden. Dat weet je toch?'

'Ja.'

'Je mocht hem niet schrijven. Je mocht hem niet eens spreken.'

Winter zei niets. Ze passeerden een kerk. Het kruis was nauwelijks te zien in de zon.

'Je mocht hem niet eens denken,' zei ze.

Ze liepen een paar honderd meter zonder iets te zeggen.

'Ik wil je naar iets anders vragen, Nasrin. Maar dat gaat ook over taal.'

Ze antwoordde niet.

'Hoe goed ken je Mozaffar?'

'Wat bedoel je met die vraag?'

'Spreken jullie hetzelfde dialect?'

'Ja.'

'Komen jullie uit dezelfde stad?'

'Nee.'

'Is Mozaffar jouw vriend?'

Ze antwoordde niet. Ze passeerden nog een kerk, de kerk van Hjällbo.

'Is hij jouw vriend?' herhaalde Winter.

'Nee,' antwoordde ze.

'Waarom niet?'

'Ik kan jou hetzelfde vragen,' zei Nasrin. 'Ik kan een naam zeggen en vragen of dat jouw vriend is en je kunt nee antwoorden en er zijn honderdduizend redenen waarom hij niet jouw vriend is.'

'Wat is de reden dat Mozaffar niet jouw vriend is, Nasrin?'

'Hè?' Ze vertraagde haar pas, bleef staan. Dat was de eerste keer sinds ze waren gaan lopen. 'Wat bedoel je daarmee?'

'Is hij jouw vriend geweest?'

Ze antwoordde niet.

'Als ik zeg dat hij jouw vriend is geweest maar dat niet langer is, wat zeg jij dan?'

'Ik zeg dat ik niet weet wat je bedoelt.'

'Was hij Hiwa's vriend?'

'Ja.'

'Is hij altijd Hiwa's vriend geweest?'

Ze antwoordde niet.

'Helemaal tot het eind?'

'Het eind? Welk eind is dat?'

'Was hij Hiwa's vriend tot er een eind kwam aan Hiwa's leven?'

Ze begon weer te lopen. Winter kon haar gezicht niet zien. Hij haalde haar in. Nasrin stopte en keek naar de lucht.

'Ik denk dat er een hoosbui aankomt,' zei ze. Ze waren nu op het plein. Mensen liepen heen en weer. Winter dacht niet aan hen. Hij volgde Nasrins blik. De lucht was plotseling onrustig geworden. Er waren wolken te zien, zwarte, witte.

'Ik wil geen vragen meer beantwoorden,' zei ze. 'Ik wil hier weg.'

Ze liepen weg, verder naar het zuiden. Winter kon het flatgebouw zien waar de jongen woonde. Hij was weer terug, hij kwam hier steeds terug. Weldra zouden ze het ellendige gebouw zien waar Hiwa zo gewelddadig was gestorven. Nasrin leek daar niet aan te denken, het niet te weten, zich er niet druk om te maken, of het niet te begrijpen.

'Heeft Mozaffar Hiwa gedood?' vroeg Winter.

40

Winter besloot even naar huis te gaan.

Hij hoorde gerommel in de lucht toen hij de auto op slot deed. Daarboven was nu geen blauw te zien, het was voornamelijk zwart.

'Kijk eens wie we daar hebben,' zei Angela toen hij de hal van zijn appartement binnenstapte.

'Ik kan niet lang blijven.'

Hij speelde met zijn dochters in de woonkamer en in de hal.

Daarna dronken hij en zijn vrouw thee in de keuken, *Swedish style*, uit porselein. Het rommelde weer in de lucht. Het was nu donker in de keuken, alsof ze het rolgordijn naar beneden hadden getrokken.

'Het wordt een echte ontlading,' zei Angela.

Winter knikte.

'Hoe lang blijf je thuis?'

'Zolang ik er de kracht voor heb,' zei hij en hij probeerde te glimlachen.

'Vertel over vandaag.'

Hij vertelde over Nasrin.

'Ik vraag me af wanneer de shock echt loslaat,' zei hij.

'Wat gebeurt er dan?'

'Dat weet ik eerlijk gezegd niet.'

'Ik zal niets over haar achtergrond zeggen,' zei Angela.

'Ik had haar bijna gevraagd of ze door haar broer werd misbruikt,' zei Winter.

'Of zij een van de geprostitueerde meisjes was?'

'Ja.'

'Waarom zou ze dat zijn geweest?'

'Ik weet het niet, Angela.'

'Wat wijst daarop?'

'Niets eigenlijk. We hebben niets kunnen vinden. We hebben geen van die meisjes gevonden.'

'Hoe kunnen ze de dans ontspringen? Die lui die deze verschrikkelijke praktijken uitoefenen? Waarom pakken jullie ze niet? Jullie pakken zulke klootzakken nooit.'

'Dat proberen we wel. Maar we moeten bewijzen hebben.'

'De pot op met je bewijzen!' zei Angela.

'We zullen de bewijzen ook verkrijgen,' zei hij.

'Hoe dan?'

'We hebben een paar verdachten.'

'Waar zijn die dan? Waarom zitten ze niet in de cel?'

'Ze weten het nog niet.'

'Wanneer komen ze het dan te weten?'

'De ene gaan we nu oppakken. Een taxichauffeur. Hij heeft nu lang genoeg vrij rond kunnen lopen. En we zoeken de andere.'

'Wie is dat?'

'De tolk. Mozaffar Kerim.'

'Waar verdenken jullie hem van?'

'Ik wil met hem praten. Het is me niet duidelijk wat voor rol hij speelt.'

'Rol? Dat klinkt alsof je het over een soort toneelstuk hebt.'

'Het is een toneelstuk.'

'Voor wie?'

'Voor mij, onder andere. Wij zijn de toeschouwers geweest.'

'Nu begint het,' zei Angela, en Winter hoorde de regen tegen het raam kletteren.

Jerker Reinholz werd om 18.06 uur opgepakt. Winter had zijn besluit genomen.

'Wat is dit!?' had Reinholz gevraagd toen de politie had gezegd dat ze hem kwamen ophalen. Winter was er niet bij geweest. Halders had het gedaan. Hij had twee surveillancewagens bij zich gehad.

'Hij zit te kaarten met een collega,' rapporteerde Halders vanuit de taxicentrale aan Winter. 'Ze hebben koffiepauze.'

'Wie is de ander?'

'Hoe heet je?' vroeg Halders en hij haalde zijn mobieltje van zijn oor. 'Malmström.'

'Hij heet Malmström,' zei Halders tegen Winter.

'Voornaam?'

'Peter.'

'Hij heet Pe...'

'Ja, ik heb het gehoord. Neem hem ook mee.'

'Goed.'

'Wat is dit, verdomme!?' zei Malmström.

De twee beroepschauffeurs werden beiden in een aparte kamer gezet en Winter bereidde het verhoor met Reinholz voor. Hij voerde een gesprek met officier van justitie Molina. De regen striemde tegen het raam en joeg de avond naar binnen.

'Je kunt hem zes uur vasthouden, of zes plus zes uur, maar dit is niet voldoende voor een voorlopige hechtenis. Dat krijg ik er niet door.'

'Ik weet het.'

'Ik zie geen ernstige verdenking tegen deze vent, nog niet. Dat geldt ook voor de ander. In de praktijk ben jij dus nog steeds leider van het vooronderzoek, Winter.'

'Bedankt.'

'Regel een confrontatiefilm voor die jongen. Maar dat heb je zelf al voorbereid.'

'Ik wil eerst met Reinholz praten.'

'Natuurlijk.'

'En ik wil met de tolk praten. Hij houdt zich schuil.'

'Heb je een opsporingsbevel laten uitgaan?'

'Nee, maar daar begint het wel tijd voor te worden.'

'Ben je bij hem thuis geweest?'

'Je bedoelt bij hem binnen? In zijn flat? Nee. Hij is er immers niet, hij neemt de telefoon niet op. Dan mag je niet zomaar een flat binnengaan.'

'Heel goed, Winter. Zo mag ik het horen.'

'Ik ga er nu heen,' zei Winter. 'Aneta en Fredrik gaan met me mee.'

'En de taxichauffeurs?'

'Dat doet Bertil.'

'Sinds wanneer doet hij weer verhoren?'

'Hij is de beste, na mij.'

★

Winter zag amper iets door de voorruit. De ruitenwissers waren niet toereikend.

De stortregen nam wat af toen ze Gårdsten naderden.

Vlak voordat ze de Kanelgatan bereikten, meende hij rook te zien. Het moest de regen zijn. Wat hij zag, was als nog een kleine zwarte wolk aan de hemel.

'Daar woedt een brand,' zei Aneta Djanali.

Winter sloeg op de Gårdstensvägen af. Hij kon de rook zien, en waar die vandaan kwam.

'Verdomme, dat is Kerims flat!'

Winter passeerde het plein, reed over het wandelpad en stopte met gierende remmen voor het flatgebouw. Er stonden een paar mensen in de stortregen, hun blikken gericht op het open raam op de eerste verdieping waar rook naar buiten stroomde. De boel zou binnen een paar minuten in lichterlaaie staan.

Aneta Djanali, Halders en Winter stormden de auto uit. Ergens aan de andere kant van de tunnel hoorden ze sirenes. De brandweerkazerne van Angered lag aan het begin van de Gårdstensliden, dat was dus niet ver weg. Er is snel alarm geslagen, dacht Winter. De brand is nog maar net uitgebroken. We zijn op tijd.

Ze renden de trappen op. De rooklucht was niet zo erg.

Halders trapte de deur in.

'Kijk uit!' schreeuwde hij en hij wierp zich opzij.

Maar er kwam geen explosie.

Winter liep snel de hal in met zijn pistool in zijn hand.

Het was niet dramatisch. Met een pistool in je hand een brandende flat betreden was een methodische klus.

Halders en Aneta Djanali bleven voor de deur wachten.

In de woonkamer aan het eind van de hal zag Winter een lichaam op de vloer liggen. Het raam stond open, en door dat raam trok de rook naar buiten. Alle rook trok daar naar buiten, je kon nog steeds ademhalen in de flat. Hij herkende het gezicht van het lichaam op de vloer, het was Alan Darwish. De jonge man leek vredig te slapen, zich niet bewust van het bezoek, of het vuur, of iets anders wat er op dit moment gebeurde.

De bank en een fauteuil stonden in brand. De vlammen begonnen aan de muur te likken. Een strook behang was gebarsten als een wond. Plotseling schoot een vlam als de tong van een draak weg en kreeg houvast in een gordijn. Nu is het vuur buiten te zien, dacht Winter. Dat was eerst niet zo.

'Het vuur is de oerkracht,' hoorde hij iemand achter zich zeggen. Het was de stem van Mozaffar Kerim, mild en mooi en toch sterk. Die drong zonder enig probleem door het geluid van het vuur heen.

'Eerst was er alleen het vuur. Dat is het enige zuivere in deze vreselijke, smerige wereld.'

Winter draaide zich om.

'Kalm aan, Mozaffar. Leg dat geweer neer.'

'Het is een vreselijke wereld. Dat vind jij toch ook? Ik weet dat je dat vindt. Je hebt die wereld gezien. Je leeft erin.'

'Mozaffar, leg dat geweer neer.'

'Vuil. Viezigheid. Dat vind ik een mooi woord, viezigheid. Er is alleen nog maar viezigheid. Er is niets moois meer over. Wat ooit mooi was, is ook vuil geworden. Ze hebben het vuilgemaakt.'

'Wie hebben het vuilgemaakt, Mozaffar?'

'Wie denk je? Wie verdomme denk je? Ik vloek niet even goed als jij, maar nu wil ik vloeken. Wie verdomme denk je?'

'Jij hebt ze doodgeschoten,' zei Winter.

Mozaffar antwoordde niet. Hij hield het afgezaagde hagelgeweer op Winters gezicht gericht. Mozaffars handen trilden. Dit gaat verdomme helemaal fout, dacht Winter. Ik vloek misschien beter dan hij, en in de juiste woordvolgorde, maar daar heb ik nu niets aan. Waar zijn Aneta en Halders, verdomme?

'Waarom heb je ze doodgeschoten?'

'Ze vervuilden de wereld,' zei Mozaffar. 'De nieuwe wereld. Zichzelf. Hun eigen mensen.'

Zijn hand schokte. De vingers. Winter deed zijn ogen dicht. Hij had nu geen hoofdpijn, helemaal niet. Die zou weldra met de rest van zijn hoofd in de eeuwigheid verdwijnen. 'Het vuur reinigt,' hoorde hij Mozaffars stem. Die leek ver weg uit een tunnel te komen, vanaf de andere kant van de Gårdstenstunnel waar hij voor het laatst doorheen was gereden…

Het geluid van de schoten deed zijn trommelvliezen barsten. Hij viel op de grond. Hij wachtte op de pijn, of de duisternis. Dit is de laatste seconde, je hebt een seconde. Hij voelde iets zachts onder zich, hij was op Alans lichaam gevallen. Het was een vreselijk gevoel. De stank hierbinnen was vreselijk, de rook, de hagel, de explosie van zo dichtbij. Hij was blind. Hij was doof. Hij was verlamd.

Hij leefde.

Hij was niet doof. Hij hoorde Aneta roepen.

'Winter! Winter!'

Hij was niet blind. Hij zag Aneta. Aneta stond over Kerim gebogen, wat ooit Kerim was geweest.

Halders keek op.

'Ik kon niet zomaar door de hal rennen, hij zou jou en mij allebei hebben neergeschoten. Toen hij mij zag, richtte hij het geweer op zijn gezicht.'

Winter kon Kerims achterhoofd zien. Hij wilde het niet zien. Hij had zoiets vaker gezien.

'Ik had geen tijd om iets te doen, Erik. Er was geen tijd.'

Winter voelde iets tegen zijn been bewegen.

Hij veerde op. Pure angst. Zijn hart ging tekeer in zijn borst, wilde naar buiten.

Hij keek omlaag.

Alan Darwish bewoog zijn arm.

Alan was in een ambulance op weg naar het ziekenhuis. Aneta Djanali vergezelde hem. Winter had de ambulance gehoord toen hij Alans lichaam nog steeds op de vloer had voelen bewegen.

De brandweer was ter plaatse.

Mozaffar werd in een lijkwagen weggevoerd, geen sirenes.

Het regende niet meer, de zwarte wolken waren verder geraasd naar de zee. Het asfalt dampte. Het rook fris.

Halders keek de ambulance en de lijkwagen na. Gescheiden reizen voor Darwish en Kerim.

'Heeft de jonge Alan samen met Mozaffar met de hagelgeweren geschoten?'

'In de winkel? We zullen zien.'

'Alan zag er niet fris uit.'

'We kunnen hem over een paar dagen verhoren.'

'Mozaffar nam heel wat informatie met zich mee toen hij ons verliet.'

'Hij wilde het zo.'

'Waarom heeft hij het gedaan? Waarom heeft hij ze doodgeschoten?'

'Wat zij deden beviel hem niet.'

'Wat deden ze precies?'

'Dat komen we spoedig ook te weten.'

'Van wie?'

'Van een taxichauffeur, bijvoorbeeld.'

Halders keek op zijn horloge.

'Heeft Bertil inmiddels niet een gesprekje met Reinholz gehad?'

'Ja, een vrij lang gesprek, hoop ik.'

Winter opende het portier van zijn auto.

'Wat ga je doen?' vroeg Halders.

'Terugrijden, natuurlijk.'

'Ben je helemaal gek geworden? Je kunt nu niet rijden. Je trilt veel te erg. Je hebt te veel rook naar binnen gekregen, je zou hier niet eens moeten staan, je had met Alans ambulance mee moeten gaan. Ik ben niet van plan mijn leven te verliezen nu ik het zo lang heb weten te redden.' Halders strekte zijn hand uit. 'Hier met de sleutels.'

Winter gaf aanwijzingen hoe Halders moest rijden.

'Daarginds links afslaan.'

'Dat is niet de kortste weg.'

'Jawel. Naar Bergsjön.'

'Moet je nu naar Bergsjön?'

'Ja.'

'Waarom?'

'Ik moet iets controleren.'

'Wat? Met wie?'

'We hebben naar Hussein Hussein gezocht en nu hebben we hem gevonden.'

'O ja? Waar is hij? Is hij weer in Bergsjön?'

'Nee.'

'Je mag het best uitleggen, Erik.'

'Te zijner tijd, Fredrik.'

'Te zijner tijd? Wat is dat nou weer voor stomme oude uitdrukking?'

'Als we er zijn, rij je naar de Tellusgatan, Fredrik. Ik moet mijn ogen even dichtdoen.'

Hij sloot zijn ogen en voelde de wereld langsrijden, niet andersom. De oude hoofdpijn was teruggekomen als een valse vriend die ervandoor gaat als het hem te heet onder de voeten wordt. En heet was het geweest. De stank zat nog in zijn neusgaten, een stank voor beide neusgaten. Hij hoopte dat die vervloekte hoofdpijn het kon ruiken.

Hij had zijn ogen nog steeds dicht toen Halders voor het lange flatgebouw stopte.

'Tellusgatan 20.'

Ze gingen naar de derde verdieping.

De blauw-witte afzetlinten omlijstten Husseins deur als een soort kerstversiering, maar het duurde nog een halfjaar voordat het Kerstmis was. Zo lang bleef geen enkele versiering hangen.

Winter belde aan bij de deur ertegenover.

Hij belde nog een keer.

Ze hoorden kleine rennende stappen achter de deur. Lichte voetstappen.

Iemand krabde aan de binnenkant aan de deurkruk. Die bewoog, maar slechts een beetje.

Zwaardere voetstappen.

De deur werd opengeduwd en raakte Winter bijna in het gezicht.

Hij boog omlaag en keek in het gezicht van de jongen. Hij was nog laat op.

'Hoi. Hoi… Mats.' Hij herinnerde zich de naam, een van de vele namen die hij zich hierna zou herinneren.

Hij liet zijn legitimatie aan Mats' moeder zien.

'Ja, ik herken jullie.'

Winter stopte zijn hand in de binnenkant van zijn colbertje en pakte er iets uit. Hij liet het aan de vrouw zien. Het was een foto.

'Herken je deze man?'

Ze keek naar de foto. Ze zag een man die een flatgebouw verliet. Hij keek op, alsof hij zich bewust was van de fotograaf die zich aan de andere kant van de straat verschool. Maar Winter was er zeker van dat de man niets wist. Het was een voorzichtige fotograaf.

De moeder van Mats keek naar Winter, toen weer naar de foto, en toen weer naar Winter.

'Dat is hem,' zei ze.

'Weet je het zeker?'

'Mag ik zien? Mag ik zien?' vroeg Mats.

Winter hield de foto omlaag zodat Mats hem kon zien.

'Dat is Hussein!' zei Mats. 'Hasse Hussein!'

'Zo noemt Mats hem,' zei de moeder met een glimlach.

'Hij lijkt ook heel zeker van zijn zaak,' zei Winter.

'Natuurlijk is dat Hussein,' zei ze en ze keek naar de recent genomen foto van Mozaffar Kerim.

41

De rivier de Säveån was als een walgracht tussen het noorden en het zuiden. Halders reed er op de Kung Göstasvägen overheen. Wie was Koning Gösta in vredesnaam? Winter zag de skyline van de gemeente Partille. Ze reden op de Alingsåsvägen en waren op weg naar huis.

'Dat is me ook wat,' zei Halders. 'We waren op zoek naar een levend spook. Nu is hij een echt spook.'

'Wat deed hij met de flat in Bergsjön?' zei Winter.

'Hotelactiviteiten?'

'Hm.'

'Talencursussen?'

'Het was het toevluchtsoord dat nooit kon worden gebruikt,' zei Winter.

'En waarom niet?' Halders reed nu langs het stadsdeel Bagaregården. 'Het is een genot om in deze kar te rijden.'

'Ik overweeg een andere te kopen,' zei Winter.

'Wat voor merk?'

'Een Opel Corsa.'

Halders lachte even. Daar was nog steeds ruimte voor. Winter lachte niet. Dat kwam later wel, misschien morgen, of de volgende maand.

'Ze konden de Tellusgatan niet gebruiken omdat wij daar waren geweest,' zei Winter. 'We kwamen daar.'

'En waarom kwamen we daar?'

'Omdat we hadden ontdekt dat Hussein Hussein bij Jimmy werkte.'

Ze naderden het centrum. Het verkeer bevond zich om hen heen. Zo zou het nog een paar weken blijven, daarna zou het tijdens de vakantie wat afnemen, maar niet veel. De wegen en de straten zouden worden gevuld met toeristen. De kinderen wilden naar het pretpark Liseberg. Winter zou Liseberg met zijn kinderen bezoeken. Als kind had hij het pretpark elke zomer bezocht, en daarna als tiener ook weer. Er waren attracties die hij miste, de meer onschuldige. Sommige nieuwe attracties leken te gevaarlijk.

'En er was een Hussein Hussein in Bergsjön van wie wij dachten dat het de man was die we zochten,' ging Winter verder.

'Maar we wisten het niet.'

'Het is allemaal niet zo makkelijk als iemand is verdwenen.'

'Niet alleen dat,' zei Halders. 'Ik heb het volgens mij al vaker gezegd. Wie een ander wil worden, wordt een ander. Tegenwoordig gaat dat vrij gemakkelijk.'

'Er bestaat hoogstwaarschijnlijk een echte Hussein Hussein die een dezer dagen terugkomt van zijn vakantie en merkt dat zijn flat is verzegeld,' zei Winter.

'Van zijn vakantie? Of van gene zijde.'

'Van gene zijde?'

'Je weet wat ik bedoel.'

'Dat Mozaffar nog een leven op zijn geweten heeft? Dat is natuurlijk niet onmogelijk.'

'Niets is onmogelijk voor wie als die man wordt.'

'Hoe werd hij dan?'

'Ik ben geen psycholoog, maar ik draai nu al heel wat jaartjes mee. Hij werd gedreven door iets wat nergens voor week.'

'Waardoor werd hij gedreven, Fredrik?'

'Haat, misschien. Waanzin, maar die zal wel een achtergrond hebben. Een oorzaak.'

'Hm. Daar hebben we nog niet echt grip op. Op de oorzaak.'

'Dat krijgen we ook niet altijd,' zei Halders. 'Dat is soms wel onbevredigend, vind je ook niet?'

Winter antwoordde niet. De gevel van het nieuwe Ullevi-stadion verrees voor hem. Toen het stadion voor het WK-voetbal in 1958 werd gebouwd, werd het als mooi beschouwd, daarna als lelijk en daarna weer als mooi en toen weer als lelijk en zo was het alle jaren doorgegaan. Winter vond het een mooi stadion. Hij keek er vaak naar vanuit zijn kamer in het politiebureau aan de Skånegatan als hij grip wilde krijgen op iets wat zich niet liet grijpen.

'Maar we zijn wel te weten gekomen hoe het met Hussein zat,' zei Winter.

'Jij bent het te weten gekomen.'

'Ja. Nasrin Aziz zei het.'

'Daar begint het lastig te worden,' zei Halders.

'Is het dat niet al?'

'Waarom zou ze dat vertellen als Hussein Hussein Mozaffar is?'

'Dat wist ze niet.'

'Dan is er dus een echte Hussein?'

'Misschien.'

'Wat is het alternatief? Vanuit haar perspectief?'

'Het is de moeite waard daarover na te denken, Fredrik, vind je ook niet?'

Het verliep allemaal nogal stroef. Ringmar kreeg geen grip op de situatie en dat had hij ook niet verwacht. De taxichauffeur wist nergens iets van, hij had als een onschuldige de wereld rondgereisd en god mocht weten hoe het hem met een dergelijke onschuld was gelukt zijn rijbewijs te halen. En daarna beroepschauffeur te worden. Een meedogenloos beroep.

Het verhoor begon.

'Hoe ken je Mozaffar Kerim?'

'Wie is dat?'

'Kom op, Jerker.'

'Nee, ik weet niet wie dat is.'

'Mozaffar Kerim. Hij is tolk.'

'Ik ken hem niet,' zei Jerker Reinholz. 'Hoe zou ik hem moeten kennen?'

'Dat moet je mij vertellen.'

'Ik heb niets te vertellen.'

'Je collega kent hem.'

'Wie?'

'Mozaffar Kerim.'

'Ik bedoelde mijn collega.'

'Peter Malmström, natuurlijk.'

'Kent hij Mozaffar?'

'Ja.'

'Heeft hij dat gezegd?'

'Ja.'

'Dat geloof ik niet.'

Enzovoort, enzovoort.

Ringmar pauzeerde even en liep de gang in.

Een paar tellen later kreeg hij het bericht.

Hij liep terug en ging tegenover de onschuldige zitten.

Hij was niet van plan te vertellen dat Mozaffar dood was, nog niet.

'Vertel over die ochtend dat je bij Jimmy's winkel kwam.'

'Hoe vaak moet ik dat nog doen? Mijn god, hoe vaak moet ik dat nog opdreunen?'

'Zo vaak als ik wil dat je dat doet,' zei Ringmar zachtjes.

Reinholz dreunde zijn antwoord op. Ringmar vergeleek dat met eerdere processen-verbaal van verhoor, hij deed in elk geval alsof.

'Waarom bleef je zo lang binnen?' vroeg hij. 'Voordat je alarm sloeg?'

'Het was niet lang.'

'Ik vind het lang lijken.'

'Je mag vinden wat je wilt.'

'Waarom deed je schoenhoesjes om?'

'Hè?' Reinholz leunde achterover. Dit was de eerste keer dat hij op een duidelijke manier van houding veranderde. 'Wat zeg je? Wat... wat is dit?'

'Je deed schoenhoesjes om, is het niet? Van die dingen die je in het ziekenhuis krijgt.'

Reinholz antwoordde niet. Hij bleef achterovergeleund zitten, alsof hij door de muur wilde verdwijnen, zich erdoorheen wilde drukken.

'Weet je waar ik het over heb, Jerker?'

'Nee.'

'Heb je zulke hoesjes nog nooit gezien?'

'Eh... ja, natuurlijk wel. Dat heeft toch iedereen.'

'Waarom deed je die aan toen je bij Jimmy's winkel kwam?'

'Dat heb ik niet gedaan.'

Nee, dacht Ringmar. Misschien heeft hij dat niet gedaan. We zullen zien. Laat ik mijn vraag maar afmaken.

'Was het vanwege het bloed?'

'Welk bloed?'

'Weet je niet over welk bloed ik het heb?'

Enzovoort, enzovoort.

'Momenteel onderzoeken we jouw auto, Jerker.'

'Waarom?'

Ringmar liet opnieuw koud water komen.

Reinholz zweeg als een bergbeklimmer, hij greep het ene rotsstuk na het andere vast en bleef daar zo lang hij kon, of durfde, en daarna begon hij weer te klimmen. Maar hij kwam niet omhoog, dit ging alleen maar omlaag, het liefst heel snel.

'Vertel eens over de meisjes.'

Open vragen. Reinholz kon naar elk rotsstuk grijpen dat hij maar wilde.

'Welke meisjes?'

'De meisjes die jullie vervoerden.'

'Waarom zouden wij meisjes vervoeren?'

'Vertel dat maar aan mij.'

'Ik weet niet waar je het over hebt.'

'Uiteindelijk zul je het vertellen,' zei Ringmar. 'Uiteindelijk doet iedereen dat.'

Reinholz zweeg, hij had niets te vertellen, nu niet en nooit niet.

'Ik begrijp alleen niet waarom Mozaffar jullie liet leven,' zei Ringmar. 'Dat hij jullie niet vermoordde.'

'Vraag het hem.'

Ringmar knikte.

'In plaats daarvan werkte hij op de een of andere manier met jullie samen. Daarna. Dat begrijp ik niet.' Ringmar nam een slokje water. Dat was alweer warm geworden, niet lauw, maar warm. Het was heel heet en vochtig in de kamer. Reinholz' voorhoofd was bedekt met zweet, als een vliesje water dat van een gladde rots stroomt.

'Vertel me waarom je nog steeds in leven bent, Jerker.'

★

Hij masseerde zijn voorhoofd met zijn vingertoppen. Coltrane blies *Psalm* weer, dat was niet voor het eerst in deze kamer. Coltrane beschouwde de suite *A Love Supreme* als zijn geschenk aan God. Winter dacht aan geschenken aan God. Hij dacht aan vuur. Het vuur was niet God. God was één en meerderen tegelijk. Hij was overal en nergens. Zei je dat niet zo over hem? Haar. Zij was overal. Die vervloekte hoofdpijn. Ik heb iets ernstigs onder de leden. Ik wil er niet achter komen wat het is. Op dit moment wil ik achter andere dingen komen. Die me helpen. Die de pijn verlichten. Waar heb ik het doosje Ibuprofen gelaten? Nu gaat de telefoon.

Hij wist nog voordat hij de hoorn van de haak tilde dat hij Brorsans blaffende stem zou horen. Het was aan de telefoon te zien. Die trilde al.

'Ja?'

'Winter? Luister. Die jongelui bij het uitzichtpunt waren vrienden vàn Alan.'

'Ja. Ik bewonder hun moed.'

'Eh... wat? Ja, dat ze daar bleven. Maar... tja, ze riskeerden in feite niets.'

'Ze leidden ons af zodat hij ervandoor kon gaan.'

'Zij hebben de auto daarheen gereden,' zei Brorsan. 'Ze zouden later met de fiets teruggaan.'

'Jij koos de bank waarop wij gingen zitten.'

'Hé, daar belde ik niet voor. Ik bel omdat ze misschien weten wat er met die meisjes is gebeurd. De kleine prostitutieliga.'

'Misschien weten?'

'Het meisje, Ronak, heeft bepaalde toespelingen gemaakt. Op de vrouw die in Rannebergen werd vermoord.'

'Wat voor toespelingen?'

'Ik durf nog niets te zeggen. Ze beschermt zichzelf, als je dat zo kunt zeggen. Of iemand anders. Het lijkt alsof ze iemand anders beschermt. Ze is niet laf. Ze is bang. Ze weet iets maar ze wil het nu niet vertellen. Maar uiteindelijk wil ze het wel vertellen.'

'De vrouw die werd vermoord? Die heet Shahnaz Rezai.'

'Ja.'

'Wat is er met haar?'

'Ronak wil niet meer zeggen.'

'Nee.'

'Het lijkt alsof ze meer van ons wil weten voordat ze iets zegt. Wat er gebeurt. Wat er is gebeurd.'

'Dat Mozaffar Kerim dood is, bijvoorbeeld.'

'Bijvoorbeeld, ja.'

'Vertel dat dan maar aan haar.'

Ahmed zat helemaal stil op de bank. Het was erg laat, veel te laat eigenlijk. Maar de jongen was een nachtvogel. Winter had een voetbal meegenomen. Hij was naar Hjällbo gereden met het idee dat dit de laatste keer was. Nu is het moment daar. Daarna is het voorbij. Juni is binnenkort voorbij en dit is ook voorbij. Technisch gezien is het voorbij. Maar dat is dan ook alles.

'Misschien wil je liever een tennisbal?' zei hij tegen de jongen die de bal naast zich op de bank had gelegd.

De jongen schudde zijn hoofd.

'Ik voetbalde vaak toen ik tien was,' zei Winter.

'Ik ben bijna elf,' zei Ahmed.

Zijn moeder keek naar hem. Haar gezicht straalde opluchting uit. Ze herkende haar zoon, zijn stem. Voor haar maakte het niet uit hoe laat het was.

'Ja... goed. Ik snap het, elf.'

De jongen pakte de bal, woog hem in zijn handen. Hij was wit met grijs. Winter was naar de sportwinkel Stadium gegaan om een voetbal met zwart-witte ruiten te kopen, maar hij had er geen gevonden. Hij keek graag naar voetbalwedstrijden op tv, maar het was hem niet opgevallen dat de ballen er tegenwoordig anders uitzagen. Hij had niet opgelet. De ballen waren lichter, dat had hij gemerkt toen hij deze kocht, maar dat moest redelijkerwijs ook betekenen dat ze gevoeliger waren voor wind.

'Zullen we over die ochtend praten?' vroeg Winter.

Ik wist niet dat hij buiten was, had Ahmeds moeder gezegd. Ik wist het niet. Wij... hij moet heel stilletjes naar buiten zijn gegaan. Hij is stil. Hij sluipt thuis ook rond. Hij sluipt altijd. Maar dat hij midden in de nacht buiten zou zijn. Ik begrijp het gewoon niet.

Jullie slapen, had Ahmed gezegd. Jullie zouden niet eens wakker worden als ik de bal met een plof op de grond liet stuiteren.

Winter had misschien begrepen hoe het zat.

Dat zouden ze later onderzoeken. Daar had je andere autoriteiten voor. Daar wilde hij nu niet aan denken. Dat hoefde hij misschien ook niet te doen.

'Weet je nog dat we het over een man hebben gehad die in de deuropening van de winkel bleef staan?' vroeg Winter.

De jongen knikte. Hij was terug in een stilte. De beelden die hij in zijn hoofd zag, leken als het ware de woorden weg te drukken.

'Wat deed hij daarna?'

De jongen antwoordde niet.

'Liep hij rond in de winkel?'

De jongen knikte.

'Liep hij veel rond?'

'Een beetje...'

Winter wachtte. Ahmed wilde nog iets zeggen.

'Hij trok blauwe schoenen aan.'

Blauwe schoenen.

'Trok hij die aan toen hij bij de deur stond?'

De jongen knikte.

'Voordat hij ging rondlopen?'

De jongen knikte.

Maar hij trapte niet in de rode zee, dacht Winter. We hebben zijn sporen niet gezien. Waar heeft hij zijn schoenhoesjes gelaten? Hij heeft ze bij zich gestopt. We hebben hem niet gevisiteerd.

'Wat deed hij daarna?'

'Hij... deed niets.'

'Raakte hij iets aan?'

De jongen schudde zijn hoofd.

'Keek hij naar de vloer?'

De jongen knikte.

'Deed hij nog iets anders?'

'Ik rende weg,' zei Ahmed.

★

Winter had een confrontatiefilm meegenomen. Hij had Reinholz en Malmström samen met zes agenten met een vriendelijk uiterlijk in een rij opgesteld. Reinholz en Malmström zagen er vriendelijk uit.

Winter had een monitor meegenomen en stopte nu de cassette in het apparaat.

'Ik ga je acht mannen laten zien die naast elkaar staan, Ahmed. Ze staan daar alleen maar. Ze zullen niets doen. Ik wil dat je me vertelt of je een van hen herkent.'

De jongen knikte. Hij had de bal stevig beet.

'Begrijp je wat ik bedoel?'

De jongen knikte weer.

'Als je het niet wilt doen, dan doen we het niet, Ahmed.'

De jongen knikte.

'Wil je het doen?'

De jongen knikte weer.

'Het duurt niet lang. Ik zet de band nu aan. Is dat oké voor jou?'

De jongen knikte.

'Als je iemand herkent, moet je het zeggen.'

Winter liet de band lopen.

Reinholz was de derde van links.

Na vijftien seconden sprong Ahmed van de bank en liep, of sloop, naar de monitor, waar hij met een smalle vinger naar de derde man van links wees.

Ahmeds moeder had limonade gehaald. Winter dronk ook limonade. Die was zoet, maar niet te. Hij was lekker. Later zou hij vragen wat voor vruchten het waren. Hij herkende de smaak niet.

'Ahmed, de vorige keer dat we met elkaar praatten, zei je dat je iemand zag die een geweer vasthield.'

De jongen knikte.

Winter had de foto van Mozaffar in zijn zak, maar wilde die nog niet tevoorschijn halen, niet nu.

'Zag je ze toen ze naar buiten kwamen?'

De jongen knikte.

'Wat deden ze?'

Winter herhaalde zijn vragen van de vorige keer.

De jongen antwoordde niet.

'Zeiden ze iets?'

De jongen schudde zijn hoofd.

'Met zijn hoevelen waren ze?'

De jongen stak zijn hand omhoog.

'Zullen we ze op je vingers aftellen, Ahmed?'

De jongen glimlachte en stak twee vingers in de lucht.

'Twee? Waren ze met zijn tweeën?'

De jongen knikte.

'Zag je twee mensen in de winkel?'

De jongen knikte.

'Kwamen er twee mensen naar buiten?'

De jongen knikte.

'Reden ze weg in een auto?'

De jongen knikte.

'Zou je de auto herkennen?'

'Misschien.'

Hij praatte weer. Het was makkelijker om over auto's te praten.

'Ben je goed in auto's, Ahmed?'

'Ik... geloof van wel.'

'Toen die twee naar buiten kwamen... deden ze toen iets?'

De jongen begreep de vraag niet.

'Hadden ze een muts op?'
De jongen knikte.
'Wat voor soort muts?'
De jongen antwoordde niet.
'Een zwarte?'
De jongen knikte.
'Deden ze hun muts af?'
De jongen antwoordde niet. Winter kon zien dat het een moeilijke vraag was.
'Deed een van hen die muts af?'
De jongen knikte.
'De ene deed de muts af?'
De jongen knikte.
'Had hij blond daar?'
De jongen schudde zijn hoofd.
'Wat voor kleur haar was het, Ahmed?'
'Bruin,' antwoordde hij.
'Had hij bruin haar?'
'Zij.'
'Zij?'
'Het was een zij,' zei Ahmed.

42

Er is maar één foto van mij uit het oude land. Ik ben een jaar of zeven, acht. Ik spring van een stuk rots en het ziet eruit alsof ik vlieg. Je kunt niet zien waar de grond is, je ziet alleen de vlakte, en de bergen in de verte, en daarom lijkt het alsof ik hartstikke hoog in de lucht ben en vlieg als een vogel.

Wil je weten wie die foto nam? Dat was mijn vader. Voor zover ik weet had hij geen camera, maar hij nam die foto, hij leende de camera van iemand. Misschien noemde hij mij zijn kleine vogel, hoewel hij me naar een bloem had vernoemd.

Ik heb geen foto van hem.

Ik kan me niet langer herinneren hoe hij eruitzag. Dat wil ik wel graag, me dat herinneren bedoel ik, maar ik kan het niet. Of ik het aan mijn moeder heb gevraagd? Nee.

Ik maak me zorgen om haar, over wat er nu gaat gebeuren. En om mijn broertje en zusje. Mogen zij hier blijven? Na wat ik heb gedaan? Na wat Hiwa heeft gedaan? Sturen ze mijn moeder, mijn broertje en mijn zusje nu terug? Naar Duitsland, misschien. En daarvandaan weet niemand waarheen.

Ik heb hier niet met mijn moeder over kunnen praten. Ga jij dat doen? Ik wil het niet, misschien nooit. Dat moet je tegen haar zeggen. Weet je wat je gaat zeggen? Je moet zeggen dat ik het niet wilde, ik wilde niets van de dingen die gebeurden. Dat moet je zeggen.

We werden almaar rondgereden. Waarom dat gebeurde, weet ik niet. Het was als een droom die je niet wilt dromen. Een kwade droom. Dat wordt een nachtmerrie genoemd, als een maalstroom. Ik denk dat een maalstroom een stroom is waarin je naar de bodem wordt getrokken. Zo was het. Een spel, zeiden ze. Maar het was geen spel.

Er waren meisjes die ik niet had gezien. Ze kwamen en vertrokken weer.

De klanten waren altijd blank. Alleen blanke Zweden. De chauffeurs regelden de klanten. Dat begreep ik vrijwel meteen. Je vraagt je af waarom ik het niet eerder begreep, dat ik niet eerder begreep wat er ging gebeuren. Misschien deed ik dat wel. Nee. Ik vertrouwde Hiwa. Hij bedreigde me niet, niet in het begin. Later zei hij dat hij mijn broer niet was. Niet mijn broer! Hij liet een soort document zien waaruit moest blijken dat hij mijn broer niet was, maar ik geloofde hem niet. Toen ik het geld zag, geloofde ik het. Dat is het ergste, voor mij. Het ergste. Dat ik zo erg in het geld geloofde.

Je mag daar nu niet meer over vragen, ik zal niet antwoorden.

Mozaffar kwam erachter en hij werd helemaal gek.

Hij wilde met me trouwen. Hij had me gevraagd. Ik kan me dat moment herinneren alsof het nu was, vijf minuten geleden. Hij had niet met mijn moeder gesproken. Nog niet. Hij had met Hiwa gesproken. Hiwa had gelachen, had hem uitgelachen. Toen hij wegging, lachte Hiwa.

Mozaffar wist toen niets. Toen hij erachter kwam, werd hij helemaal gek. Ja, dat heb ik al gezegd.

Je vraagt of niemand het wist? Nee, in het begin niet. Daarna waren er een paar die het wisten. Je hebt ze ontmoet. Ik kon niet zo lang stil zijn, toen ik naar buiten wilde… toen ik daar weg wilde. Toen bedreigden ze me. Jimmy en Said. Toen ik daar weg wilde.

En Shahnaz. Shahnaz Rezai. Zij bedreigde me.

Het was Mozaffar niet. Toen zij doodging, toen ze werd vermoord. Dat was ik. Jullie zullen daar geen sporen van hem vinden, dat weet ik, want hij is daar nooit geweest. Ik was daar. Jullie zullen waarschijnlijk sporen van mij vinden. Ik was daar die laatste keer. Ik kan vertellen waar het mes is. Ik zou het kunnen opgraven en haar er weer mee kunnen steken.

Die conciërge of wat hij ook is, hij begreep het, die man die mij daar had gezien. Hij begreep alles, dat kon ik aan hem zien. Heeft hij dat tegen je gezegd?

Eerst wist Mozaffar niets en daarna wist hij alles. Maar hij wilde niet ook die taxichauffeurs doden. Aanvankelijk wilde hij dat wel, maar daarna had hij daar de kracht niet voor. Of hij zou het later doen. Nu werkte hij samen, of hoe je het ook moet noemen. Hij was nog steeds gek, helemaal gek. Hij deed alsof hij niet gek was, maar dat kun je niet eeuwig volhouden.

Ik dacht dat alleen Jimmy en Said daarbinnen zouden zijn. Mozaffar zei dat alleen zij er waren. Het was niet moeilijk om daar naar binnen te gaan en te schieten. Ze hadden me zoveel kwaad gedaan en nu deed ik hen kwaad, het was niet zo verschrikkelijk als ik had gedacht. En ik wilde het, ja, ik wilde het. Maar dat was niet voldoende voor Mozaffar, ja, dat hebben jullie gezien. Ze waren het niet waard hun gezicht te behouden, zei hij. Hij zei

ook andere dingen, maar die heb ik willen vergeten. Je moet niet alles ont-
houden.

Maar ik wist niet dat Hiwa er zou zijn, in de kamer achter de toonbank.
Toen hij naar voren rende, kon ik niets doen. Ik probeerde toch voor Hiwa
te gaan staan, daar te staan toen Mozaffar naar voren liep. Maar ik kon niets
doen, zelfs niet toen Hiwa schreeuwde. Ik begrijp nu dat Mozaffar het aldoor had geweten. Dat het Hiwa was. Dat hij hem als eerste wilde doden.
Nu werd hij de laatste, maar dat maakt niet uit. En ik werd gek, helemaal
gek. Ik werd ook gek. Ik reed naar die vreselijke heks in Rannebergen en
klopte op de deur en ze herkende me natuurlijk en deed open en toen...
toen was het niet moeilijk. Ik was gek.

En daarna had niets nog enige betekenis. Als je het meteen de eerste keer
had gevraagd, had ik het verteld. Maar Mozaffar was er. En ik besloot dat
er niets zou veranderen als ik het vertelde. Nu vertel ik niets meer. Er is
niets meer. Zou je die foto kunnen halen, waar ik op sta in mijn oude land?
Hij ligt in de een na bovenste la op mijn kamer. Het is mijn berg, zo voel ik
het. Ik vlieg over mijn berg. Dat is het enige ter wereld wat ik nu wil hebben, die foto. Nu zal ik stil zijn. Je wilde dat ik alles vanaf het begin zou
vertellen en dat heb ik nu gedaan, toch? We hebben hier lang gezeten. Je
kunt dat ding nu uitzetten. Ik zeg niets meer. Je kunt dat ding uitzetten.

Winter boog zich over de cassetterecorder: 'Verhoor met Nasrin beëindigd,
het is 02.03 uur.'

Hij drukte op de knop. De spoelen stopten met draaien. Het verhaal
stopte met draaien, het was nu voorbij.

'Wil je nog een glas water, Nasrin? Of een kop koffie?'

Ze schudde haar hoofd.

Op deze plaats wil ik hoofdinspecteur Torbjörn Åhgren, plaatsvervangend hoofd van de technische afdeling van de regiorecherche in Göteborg bedanken.

*Hij porde met zijn voet in de slaapzak, die zacht
en zwaar aanvoelde. Hij porde nogmaals, deze
keer iets harder. Nog steeds geen reactie. Het
voelde in elk geval aan alsof er iemand in lag.
Ten slotte bukte hij zich om de rits open te
trekken en toen hij zag wat erin zat, wilde hij
maar dat hij het niet had gedaan.*

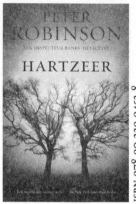

ISBN 978 90 229 9452 8

Peter Robinson
Hartzeer

In 1969 wordt na afloop van een popfestival in Yorkshire – waar naast
grootheden als Pink Floyd en Led Zeppelin ook de nieuwe Britse band de
Mad Hatters optreedt – op het verlaten terrein het lichaam van een jonge
vrouw gevonden. Het meisje is doodgestoken en op haar wang is een bloem
geschilderd.
Veertig jaar later is vrijwel iedereen de zaak vergeten, maar inspecteur Alan
Banks krijgt te maken met een nieuwe moordzaak die mogelijk verband
houdt met de gebeurtenissen in 1969. Een jonge popjournalist, Nick
Barber, wordt dood aangetroffen in het huisje dat hij gehuurd heeft. Banks
komt erachter dat Barber onderzoek deed naar de tumultueuze
gebeurtenissen rond de Mad Hatters ten tijde van het popfestival. Een van
de bandleden is destijds omgekomen bij een verdrinkingsongeluk, een van
de andere muzikanten is doorgedraaid.
Maar wat is de connectie tussen de moordzaken?

*'De Britse thrillerauteur Peter Robinson groeit in
rap tempo uit tot een van de betere thrillerschrijver
van zijn generatie.'* – ALGEMEEN DAGBLAD

'Er is een moord gepleegd.'
Niemand wist hoe hij hierop moest reageren. Een
jongeman op de achterste rij lachte hardop.
Williams glimlachte. Hij keek weer neer op zijn
lessenaar en veegde iets van het oppervlak. 'Niet
een echte moord,' zei hij. 'Nee. Dit is een moord
die in de toekomst zou kunnen plaatsvinden.'
'Een hypothetische,' zei een meisje op de voorste rij.
'Juist!' zei Williams. 'Een hypothetische.'

ISBN 978 90 229 9359 0

Will Lavender
Het verborgen raadsel

Een groep ouderejaars studenten filosofie heeft zich ingeschreven voor een
college Logica en Argumentatie. Bij het eerste college worden ze verrast
door de onorthodoxe wijze van lesgeven van professor Williams. Hij heeft
één opdracht voor ze. Aan de hand van tips en hun eigen logica moeten ze
de fictieve zaak van een vermist meisje oplossen. Wanneer dit niet lukt
binnen de zes weken die de cursus duurt, zal het meisje worden vermoord.

'Het is echt een, hoewel licht perverse, kick om de slinkse
aanwijzingen te volgen in dit bizarre spel. Als je het op
weet te lossen zonder te spieken in het laatste hoofdstuk, is
dit automatisch een 10.' – THE NEW YORK TIMES BOOK REVIEW

*Ik begon dit alles op te schrijven omdat ik een
voorgevoel had. Dat kreeg ik toen Hebe me vroeg
haar aan een alibi te helpen. Ze vraagt me al heel
lang haar aan alibi's te helpen en ik doe het
altijd, maar deze keer was het anders.
Het zou misgaan.*

ISBN 978 90 229 9478 8

Ruth Rendell
De verrassing

Ivor Tesham, een jonge, knappe en ambitieuze politicus, wil zijn minnares
Hebe Furnal een onvergetelijk en spannend cadeau voor haar verjaardag
geven: ze wordt zogenaamd ontvoerd. Terwijl Ivor met de champagne zit te
wachten, verstrijkt het tijdstip waarop Hebe zou moeten verschijnen.
Pas de volgende dag hoort hij dat de auto waar Hebe in zat, verongelukt is.
De chauffeur en Hebe zijn dood, de handlanger zwaar gewond. Geschokt
door de gebeurtenis, maar vooral bang dat uit zal komen dat hij Hebes
minnaar was en achter de nepontvoering zat, wil Ivor er alles aan doen om
erachter te komen of iemand hem kan verraden. Er is één vrouw die het
zou kunnen weten, want zij was Hebes alibi op de dagen dat deze haar
minnaar zag. Maar wat weet zij precies?

*'Rendell is de meesteres van de
psychologische thriller.'* – TROUW

'Er is een moord gepleegd.'
Niemand wist hoe hij hierop moest reageren. Een
jongeman op de achterste rij lachte hardop.
Williams glimlachte. Hij keek weer neer op zijn
lessenaar en veegde iets van het oppervlak. 'Niet
een echte moord,' zei hij. 'Nee. Dit is een moord
die in de toekomst zou kunnen plaatsvinden.'
'Een hypothetische,' zei een meisje op de voorste rij.
'Juist!' zei Williams. 'Een hypothetische.'

ISBN 978 90 229 9359 0

Will Lavender
Het verborgen raadsel

Een groep ouderejaars studenten filosofie heeft zich ingeschreven voor een college Logica en Argumentatie. Bij het eerste college worden ze verrast door de onorthodoxe wijze van lesgeven van professor Williams. Hij heeft één opdracht voor ze. Aan de hand van tips en hun eigen logica moeten ze de fictieve zaak van een vermist meisje oplossen. Wanneer dit niet lukt binnen de zes weken die de cursus duurt, zal het meisje worden vermoord.

'Het is echt een, hoewel licht perverse, kick om de slinkse
aanwijzingen te volgen in dit bizarre spel. Als je het op
weet te lossen zonder te spieken in het laatste hoofdstuk, is
dit automatisch een 10.' – THE NEW YORK TIMES BOOK REVIEW

Ik begon dit alles op te schrijven omdat ik een voorgevoel had. Dat kreeg ik toen Hebe me vroeg haar aan een alibi te helpen. Ze vraagt me al heel lang haar aan alibi's te helpen en ik doe het altijd, maar deze keer was het anders.
Het zou misgaan.

ISBN 978 90 229 9478 8

Ruth Rendell
De verrassing

Ivor Tesham, een jonge, knappe en ambitieuze politicus, wil zijn minnares Hebe Furnal een onvergetelijk en spannend cadeau voor haar verjaardag geven: ze wordt zogenaamd ontvoerd. Terwijl Ivor met de champagne zit te wachten, verstrijkt het tijdstip waarop Hebe zou moeten verschijnen.
Pas de volgende dag hoort hij dat de auto waar Hebe in zat, verongelukt is. De chauffeur en Hebe zijn dood, de handlanger zwaar gewond. Geschokt door de gebeurtenis, maar vooral bang dat uit zal komen dat hij Hebes minnaar was en achter de nepontvoering zat, wil Ivor er alles aan doen om erachter te komen of iemand hem kan verraden. Er is één vrouw die het zou kunnen weten, want zij was Hebes alibi op de dagen dat deze haar minnaar zag. Maar wat weet zij precies?

'Rendell is de meesteres van de psychologische thriller.' – TROUW

Hij bestudeerde de rode vorm. Van deze afstand gezien kon het van alles zijn, van zwerfvuil tot wasgoed, maar hij wist instinctief dat het iets anders was. Want al was het helemaal verkreukeld, een deel ervan leek op een arm. Hij wachtte een hele minuut, die hij seconde voor seconde aftelde. Hij wachtte vergeefs om te zien of de vorm bewoog.

ISBN 978 90 229 9294 4

Elizabeth George
In wankel evenwicht

Na de dood van zijn vrouw heeft Thomas Lynley ontslag genomen bij New Scotland Yard. Met niet meer bij zich dan een rugzak trekt hij al een maand te voet door Cornwall, om alleen te zijn met zijn gedachten. Maar terwijl hij op een rotspad langs de kust naar de golven in de diepte staart, ziet hij op een rots beneden hem het lichaam van een jongen liggen. Dood. Zodra rechercheur Bea Hannaford van de plaatselijke politie erachter komt wie Lynley is, wil ze hem niet laten gaan. New Scotland Yard heeft zijn ontslag niet geaccepteerd en dus is Lynley nog steeds politieman, en zij kan zijn hulp goed gebruiken. En Lynley – het bloed kruipt nu eenmaal waar het niet gaan kan – is door de hele zaak geïntrigeerd. Wanneer Barbara Havers zich bij hem voegt, begint een speurtocht binnen een kleine gemeenschap waar geheimen uit heden en verleden zich opstapelen.

'Met de sfeer van oude chic, natte regenjassen en kronkelende landweggetjes plaatst George – zelf een Amerikaanse – zich in de traditie van de grote Engelse mystery-schrijvers.' – BOEK MAGAZINE